# À propos du groupe KWA

Nous sommes fiers de vous présenter le groupe KWA, une société parmi les plus réputées en matière de services de gestion de carrière et de recherche d'emploi à travers le Canada. Nous nous distinguons par notre service personnalisé, notre connaissance de nos marchés locaux et par la force de notre réseau national.

Notre engagement se traduit concrètement dans notre mission et nos valeurs :

Mission : Soutenir les gens dans leur carrière et leur communiquer le goût de se réaliser

Valeurs : Leadership, partenariat, dévouement et respect

Nous intervenons à la demande des organisations et nous avons pour clients des personnes de tous les niveaux hiérarchiques, des cadres supérieurs aux employés de soutien en passant par les gestionnaires et les professionnels. Nous comptons des clients dans tous les domaines d'activités, tant dans le secteur privé que public, notamment dans les services financiers, les technologies de l'information, les télécommunications, la santé, les loisirs, la vente au détail, la fabrication, le tourisme et les organismes à but non lucratif.

Le matériel qui compose ce livre a pris forme et a évolué au fil du travail que nous avons réalisé avec nos clients en transition de carrière. Nous présentons ici une méthodologie ainsi que des outils pratiques qui ont fait leurs preuves en aidant les gens à trouver le travail qui leur convient. Bien qu'il nous fasse plaisir d'offrir notre expertise à un plus large auditoire en rendant ce livre accessible à tous, nous demeurons convaincus de la valeur ajoutée d'un service de consultation personnalisé dans le succès d'une démarche de transition de carrière.

Au groupe KWA, nous croyons que l'accompagnement individuel représente le facteur le plus important dans l'aide que nous apportons à nos clients en transition de carrière. Notre équipe constitue l'élément clé qui nous permet d'offrir en tout temps des services qui sont cohérents avec notre mission et nos valeurs. Nous comprenons bien la réalité du marché du travail et nous déployons tous les efforts nécessaires afin que nos clients trouvent un emploi qui corresponde à leur personnalité, leurs compétences, leurs intérêts et leurs valeurs.

*Aux clients qui profitent de nos services :*

Nous vous souhaitons une transition de carrière harmonieuse et vous assurons de notre support inconditionnel.

*Aux organisations qui nous font confiance :*

Nous vous remercions d'avoir choisi le groupe KWA pour aider vos employés ; votre support est essentiel à la réalisation de notre mission.

Marge Watters

# À vous de jouer!

*Un guide pratique et complet sur
la transition de carrière et la recherche d'emploi
pour les cadres et les professionnels*

Adaptation de
**Jean-François Gingras**
Le Groupe KWA (Québec) inc.

LES
ÉDITIONS
**REYNALD
GOULET**
INC.

*À vous de jouer! 2ᵉ édition*
par Marge Watters – KWA, Inc.

Traduction : Julie Rozon
Révision et adaptation : Jean-François Gingras – Le Groupe KWA (Québec) inc.
Infographie : Édiscript enr.

*It's Your Move, 2nd Edition*
Copyright © 2004 Knebel Watters & Associates, Inc.
Édition originale publiée chez HarperCollins Publishers Ltd

Nous reconnaissons l'aide financière du gouvernement du Canada par l'entremise du Programme d'aide au développement de l'industrie de l'édition (PADIÉ) pour nos activités d'édition.

Gouvernement du Québec – Programme de crédit d'impôt pour l'édition de livre – Gestion SODEC

Bibliothèque nationale du Québec
Bibliothèque nationale du Canada

Imprimé au Canada

08 07 06 05 5 4 3 2 1

ISBN 2-89377-312-5

*Je dédie ce livre à toutes les personnes*
*en transition de carrière que j'ai eu le plaisir d'aider.*
*Elles m'ont inspirée en me dévoilant la*
*force extraordinaire de l'esprit humain.*

*C'est à vous aussi que je dédie ce livre, vous qui vous*
*embarquez dans ce parcours afin de trouver le travail qui vous tient à cœur.*

# Table des matières

# Deuxième partie – Élaborez votre stratégie    37

# Troisième partie – Mobilisez vos ressources    99

# Liste des feuilles de travail

# Ce que vous devez savoir
# avant de commencer

*Vous ne pouvez contrôler le vent, mais vous pouvez ajuster les voiles.*

Trouver un travail qu'on aime est tout un jeu de stratégie ! Les règles ont changé, le jeu a été remodelé et les joueurs ne ressemblent plus à ceux d'autrefois. Il vous faut donc actualiser votre approche. Ceux qui accepteront de jouer le jeu adroitement et s'adapteront aux nouvelles règles en apprendront beaucoup sur eux-mêmes et sur l'environnement dynamique du monde du travail d'aujourd'hui.

C'est une nouvelle partie et *c'est à vous de jouer !*

Si vous êtes comme la plupart des personnes que je rencontre grâce à mon cabinet de consultation de carrière, vous savez déjà que vous devriez gérer vous-même votre carrière. Vous n'ignorez pas que la sécurité d'emploi est chose du passé et que le licenciement, les offres de retraite anticipée ou le changement délibéré de travail sont courants. Que vous soyez présentement en emploi ou en transition, vous devez vous fixer des objectifs, profiter d'occasions pour mettre à jour vos compétences et foncer dans les projets stimulants et valorisants. Bienvenue dans le nouveau monde du travail, un monde à la fois excitant et effrayant.

Ce nouvel environnement de travail a déjà fait couler beaucoup d'encre. *Qui a piqué mon fromage ?* de Spencer Johnson, est un des livres les plus connus à ce sujet. L'auteur y raconte l'histoire de deux ambitieuses souris et de leurs collègues moins flexibles, les petites personnes. Lorsque la source de gagne-pain des quatre personnages est menacée, chacun résiste à sa façon. Nous pouvons facilement nous identifier à la situation et aux réactions des personnages. Le message est clair : « Mieux vaut renifler les changements à l'avance et agir plutôt que de se faire cerner et de mordre la poussière. »

Conseillère en orientation, auteure, éditorialiste et conférencière, la Canadienne Barbara Moses est bien connue pour promouvoir l'activisme de carrière. Dans son livre *What Next ?*, elle explique que pour être un activiste de carrière, vous devez « vous préparer à vivre dans un monde de travail incertain où vos compétences, votre flexibilité et votre capacité à vous adapter face au changement sont vos seules certitudes ». Vous devez vous définir indépendamment de votre entreprise et avoir le contrôle sur vos choix de carrière. Il ne faut plus s'attendre à ce que les entreprises prennent cette initiative pour vous. Vous obtiendrez une certaine sécurité lorsque vous vous rendrez compte que vous pourriez être engagé dans d'autres milieux de travail.

Dans son livre *Managing Transitions : Making the Most of Change*, William Bridges, réputé pour ses écrits sur les changements qui s'opèrent dans le milieu de travail, affirme que les travailleurs doivent se considérer comme des « entités économiques autonomes », en identifiant ce qui doit être fait et en démontrant qu'ils sont les mieux placés au sein de l'entreprise pour le faire.

Ce n'est pas seulement le contrat de travail qui a changé, de «nouveaux critères d'appréciation» sont également utilisés, selon Daniel Goleman, auteur des livres *Emotional Intelligence* et *Working with Emotional Intelligence*. Les employeurs recherchent des gens motivés à apprendre davantage et à se dépasser dans leur travail. La confiance en soi, la conscience et le contrôle de soi sont des qualités très estimées dans le nouveau milieu de travail, où l'on accorde autant d'importance à la façon dont les gens se conduisent dans leurs relations interpersonnelles qu'à la façon dont ils exécutent leur travail.

L'analyse des problématiques du milieu de travail actuel et des caractéristiques du marché peut vous mener au seuil de la bonne gestion de carrière, mais elle ne s'attarde pas pour autant sur les étapes nécessaires à un changement de carrière positif. *À vous de jouer!* aborde cette étape importante. Un processus logique et des outils pratiques ont été conçus afin de vous aider à prendre les bonnes décisions. On y explore les problématiques auxquelles vous devrez faire face à chaque étape du processus de transition de carrière et l'on y offre des méthodes pour identifier et obtenir votre prochain travail.

Profitez de la vue d'ensemble. Le contenu du livre suit le graphique séquentiel ci-dessous. Chaque étape comprend des conseils pratiques accompagnés d'exercices, de feuilles de travail, d'exemples et de faits vécus. Résistez à la tentation de sauter à l'étape 3 ou 4. La meilleure stratégie, avant de foncer, est de prendre son temps lors des deux premières étapes.

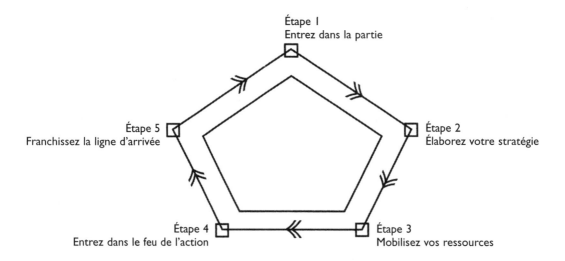

Étape 1
Entrez dans la partie

Étape 2
Élaborez votre stratégie

Étape 3
Mobilisez vos ressources

Étape 4
Entrez dans le feu de l'action

Étape 5
Franchissez la ligne d'arrivée

Tout au long du livre, vous serez invité à compléter de nombreux exercices stimulants. Cependant, l'espace réservé aux réponses dans le livre sera insuffisant. Préparez un cahier à anneaux ou un dossier sur votre disque dur pour votre processus de transition de carrière. Accordez-vous le temps nécessaire et préparez-vous à travailler sur un projet constructif et rempli de défis. Au fil des exercices, prenez le tiers du temps pour vous rappeler le passé afin de vous décrire en toute précision, consacrez un autre tiers à écrire et le reste du temps pour réfléchir à vos réponses. Soyez attentif aux motifs, thèmes et facteurs qui reviennent. Ce processus de réflexion vous ouvrira la porte de la pensée créative en ce qui concerne votre avenir.

Avant de commencer, vous devez comprendre ce que signifient certains des termes fréquemment utilisés. Avec «changement de carrière», il s'agit tout aussi bien de chercher un emploi très semblable à votre plus récent, que d'opter pour une carrière ou une société tout à fait différente de ce que vous avez connue. «Changement de carrière» peut aussi vouloir dire une nouvelle possibilité de carrière dans votre entreprise, changer d'employeurs ou vous établir à votre compte. Les termes «changement de carrière», «gestion de carrière» et «transition de carrière» sont interchangeables. Le titre «conseiller en transition de carrière» revient constamment afin de définir les spécialistes qui aident les individus tout au long de leur transition de carrière et de leur processus de recherche d'emploi. Le «conseiller en carrière», «coach en carrière», «consultant en transition de carrière» et «consultant en gestion de carrière» fournissent tous le même type de services.

C'est une nouvelle partie. En jouant bien vos cartes, vous pourrez profiter de flexibilité, de liberté et de possibilités illimitées. Mais à moins d'avoir la chance de travailler de concert avec un conseiller en carrière, il s'agit d'un jeu solitaire; vous serez votre propre stratège, administrateur, avocat et ami… Voilà pourquoi j'ai écrit ce livre. J'espère qu'il saura être une source d'encouragement et de motivation, en vous montrant où se situent les dangers et en vous donnant un coup de pouce afin de trouver le travail de votre choix.

Première partie

# Entrez dans la partie!

*Persévérance et caractère: une combinaison gagnante*

### *Objectifs*

Qu'elle relève de votre décision ou non, une réorientation de carrière réussie commence par un départ empreint de professionnalisme et de confiance en soi. En orchestrant votre transition avec soin et en maîtrisant vos émotions, vous pourrez partir du bon pied. Les chapitres de la première partie abordent:

• le bon moment pour passer à autre chose;
• la gestion efficace de votre annonce de départ;
• les raisons qui justifieraient le recours à un avis juridique;
• la planification financière de votre transition;
• l'élaboration d'un réseau de soutien;
• les conseils pratiques pour bien contrôler vos émotions.

### *Règles à suivre*

• Avancez. Stagner ne vous rapportera rien; à votre carrière non plus.
• En premier lieu, vérifiez l'état de vos finances. Vous pourrez ainsi évaluer la durée maximale que pourra prendre votre transition. Déterminez dès maintenant le revenu minimal que vous seriez prêt à accepter d'un nouvel emploi.
• Ne mêlez pas vos émotions aux questions juridiques.
• Faites preuve de discernement dans le choix de vos confidents.
• Réfléchissez soigneusement aux raisons que vous donnerez concernant ce changement.

### *Pièges à éviter*

• Tenir des propos négatifs à l'égard d'une entreprise ou d'une personne (ce qui pourrait être interprété comme un manque de professionnalisme).
• Confier ses projets de réorientation à des collègues avant d'être prêt à bouger.
• Nier les émotions engendrées par le changement.
• Ignorer l'impact qu'aura ce revirement de carrière sur ses proches et ce, incluant ses enfants, peu importe leur âge.
• Réintégrer le marché de l'emploi sans prendre le temps de bien évaluer son cheminement de carrière et sans avoir élaboré une solide stratégie de recherche d'emploi.

# Chapitre 1

## *Case départ*

*Rien n'est plus important
que l'estime de soi.*

Pour commencer, vous devez prendre une décision quant à la gestion de votre carrière. Dans le cas d'un licenciement, on a déjà choisi pour vous. Vous n'aurez probablement pas été consulté et la nouvelle pourrait vous mettre K.O. Si elle peut sembler dévastatrice de prime abord, cette décision présente néanmoins des avantages. Vous n'aurez pas à subir les affres de l'incertitude ou le sentiment d'être rejeté petit à petit par l'entreprise. À présent, puisque la décision est prise, vous vous retrouvez sur la ligne de départ.

Le préavis de travail est une pratique assez courante qui n'est toutefois pas toujours facile à gérer. Celui-ci vous indique que vos tâches actuelles doivent prendre fin, souvent à la suite d'une restructuration ou à la fin d'un projet, et que votre employeur vous octroie la possibilité de chercher un emploi à l'interne. Les précisions données concernant le processus à suivre et la disponibilité des emplois diffèrent selon les organisations ; certaines offrent un excellent soutien à l'interne, d'autres pas. Si vous recevez un préavis de travail, entrez immédiatement dans la partie et prenez les commandes de votre carrière.

Une retraite anticipée peut s'avérer une bonne ou une mauvaise nouvelle. Si vous cherchiez l'occasion de plonger dans de nouveaux projets, la retraite anticipée pourrait se révéler le meilleur des prétextes. Cependant, si cette situation risque de vous engloutir dans un pétrin financier, ou si vous n'y étiez pas préparé, l'expression «retraite anticipée» ne serait à vos yeux qu'un euphémisme de «licenciement». Peu importe votre réaction initiale, il y a des avantages. Vous pourrez expliquer votre départ par cette retraite anticipée et jouir d'une pension qui vous permettra de rééquilibrer vos revenus sans avoir à remplacer la totalité de votre salaire.

Si vous avez choisi vous-même de changer de carrière, il vous faudra être déterminé et consacrer le temps voulu pour bien accomplir cette tâche. Partir de soi-même peut être la décision la plus difficile à prendre, car il n'est pas toujours évident de rester proactif tout en fournissant l'énergie nécessaire pour répondre aux exigences de vos responsabilités quotidiennes. Toutefois, vous commettriez l'une des plus graves erreurs en matière de gestion de carrière en ne consacrant pas suffisamment de temps à votre avenir. Vous devrez faire preuve d'engagement, d'organisation et de discipline. Personne d'autre ne peut le faire à votre place.

Peu importe les circonstances, vous avez toujours la possibilité de contrôler la situation et de déterminer ce qui vous convient. Trop nombreux sont ceux qui commettent des erreurs lorsqu'ils quittent leur emploi parce qu'il s'agit d'une décision chargée d'émotions. Soignez vos gestes et vos paroles. La façon dont vous gérerez votre départ aura un impact sur votre réputation, vos références, bref, sur votre avenir.

### *Êtes-vous prêt à passer à autre chose ?*

Si vous songez à démissionner, certains signes vous informeront que le moment est venu d'agir. Il arrive parfois que les collègues et la famille perçoivent ces signes plus rapidement. Après quelques années passées au même endroit, certains éprouvent le besoin de relever de nouveaux défis. Votre enthousiasme s'est peut-être effrité si vous êtes devenu trop à l'aise dans ce que vous faites (le cas classique du « j'ai fait le tour du jardin »). Si vous stagnez ou ne savez plus quoi faire de vos dix doigts, il est temps de passer à l'action.

Les relations interpersonnelles peuvent être à la source d'un travail satisfaisant ou peuvent, au contraire, l'envenimer. Des rapports improductifs avec les autres sont souvent les prémisses d'un besoin de changement. Une équipe restructurée pourrait également soulever des divergences. Vous pourriez éprouver de la difficulté à bien travailler avec votre nouvelle équipe ou votre nouveau patron. Si vous avez vraiment donné le meilleur de vous-même, envisagez alors de passer à autre chose. Il se pourrait que votre employeur ait prévu un changement pour vous et que ce ne soit pas celui que vous souhaitiez.

Lorsque vous acquérez une expérience de travail significative ou une formation qui permet d'ajouter des compétences pertinentes à votre curriculum vitæ, vous pouvez être en droit de viser plus haut que votre emploi actuel. Il est surprenant de constater que certaines entreprises sont réticentes à reconnaître des compétences supérieures chez leurs propres employés. Pour avancer, vous pourriez alors avoir à bouger.

Une période de ralentissement économique s'accompagne souvent d'une réduction d'effectifs. Lorsque vient le temps d'une reprise, les fusions et les acquisitions apportent leur lot de restructurations. Peu importe le climat économique, la perte d'emploi peut être générée par l'avancement technologique, la réorganisation des processus, un changement stratégique au sein de la direction ou l'arrivée d'un nouveau patron. Attendrez-vous de voir si les changements organisationnels affecteront votre emploi ou adopterez-vous une approche proactive avant d'y être forcé ? Si votre travail vous stimule autant qu'avant et que votre poste a une chance d'être maintenu malgré les restructurations, restez-y. Mais dans cette ère de bouleversements constants, vous pourriez esquiver un coup seulement pour vous retrouver face à un autre.

Peu importe les raisons motivant votre besoin de changer de carrière, vous devez passer à l'action. N'attendez pas qu'un miracle se produise. Vous ne saurez jamais ce qui vous attend dehors à moins de sortir et d'y jeter un coup d'œil. Il est rare que les offres d'emploi inespérées vous tombent du ciel. La plupart des gens doivent provoquer de nouvelles occasions par l'entremise d'efforts sérieux et constants.

---

**Pensez-y !** Si vous vous sentez emprisonné ou écrasé par vos tâches ou par des circonstances personnelles à un point tel que vous ne réussissez plus à gérer votre carrière, le soutien d'un professionnel pourrait être une solution. Tout d'abord, consultez votre médecin de famille pour évaluer votre état de santé. Puis, trouvez un conseiller qualifié ou un consultant en transition de carrière compétent afin de vous aider.

---

Lisez les conseils qui suivent et n'oubliez pas que vous prenez tout simplement une décision afin de mettre en marche un processus de gestion de carrière. Cela ne signifie pas que vous changerez d'employeur à coup sûr. Il se pourrait fort bien que vous trouviez de nouvelles fonctions idéales au sein même de votre entreprise.

CONSEILS POUR LA PRISE DE DÉCISION

- La neutralité est inconfortable et improductive. Trouvez le moyen de prendre une décision. Dressez une liste des avantages et des inconvénients liés à votre travail. Évaluez votre emploi actuel comme s'il s'agissait d'une nouvelle occasion : y postuleriez-vous ?
- Réfléchissez à votre changement de carrière. Pouvez-vous investir le temps et les efforts nécessaires à son accomplissement ? Sinon, avez-vous le moyen de modifier votre style de vie afin de rendre cet investissement possible ?
- Réagissez-vous par rapport à une situation récente et temporaire ? Si vous y accordiez davantage de temps ou d'efforts, votre mécontentement disparaîtrait-il ?
- En général, que pensez-vous de l'entreprise où vous travaillez ? Seriez-vous heureux d'occuper un autre poste au sein de celle-ci si l'occasion se présentait ?
- Les conseillers en transition de carrière sont formés pour aider les gens à déterminer s'ils devraient se lancer à la recherche d'un autre emploi. Demandez à quelqu'un à l'extérieur de votre entreprise de vous en recommander un et fixez un rendez-vous.
- Si vous œuvrez au sein de l'entreprise depuis un certain temps, évaluez de façon réaliste les avantages de conserver votre poste. Le fait de partir pourrait réduire le montant de votre pension ou retrancher une partie de votre rémunération différée.
- Si vous décidez de vous lancer à la recherche d'une nouvelle occasion, réservez certaines périodes de temps pour ce projet. Deux mots d'ordre : organisation et discipline.
- Ne parlez pas de vos intentions de départ à quiconque dans l'entreprise. Gérez les aspects insatisfaisants de votre travail comme si vous aviez l'intention de faire partie de la solution à long terme.
- Ne menacez pas de quitter l'entreprise. Vous risquez de ne pas obtenir le résultat escompté et serez étiqueté comme un «cas à problèmes».
- Travaillez avec discrétion. Sélectionnez soigneusement votre réseau de personnes-ressources et découvrez quels chasseurs de têtes travaillent pour votre entreprise afin d'éviter d'avoir recours à ces derniers.
- Utilisez des systèmes de courrier électronique et de boîte vocale privés pour éviter que vos recherches soient découvertes.
- Envisagez le recours à des conseils juridiques avant de communiquer avec les concurrents de votre employeur.

*De plus en plus insatisfaite de son travail, une dirigeante décida de quitter son poste de cadre et d'opter pour une carrière tout autre qui réduirait son salaire de façon considérable. Au cours de plusieurs discussions avec son patron, elle insista sur certains aspects de ses tâches qui, si changés, pourraient la convaincre de rester. Au même moment, elle planifiait son départ, mais sans révéler ses plans à ses collègues. Or, le matin où elle avait pris la décision de démissionner, elle reçut un appel urgent de son mari. Il lui annonçait qu'il avait été licencié. Elle dut conserver son emploi pendant trois autres années avant de pouvoir mettre son plan à exécution. Heureusement qu'elle n'avait pas divulgué ses projets !*

*Vous avez décidé de démissionner*

Lorsque vous êtes convaincu de partir et savez où vous irez, donnez l'avis minimal prévu par votre contrat de travail ou votre politique d'entreprise. N'annoncez pas votre départ trop hâtivement et assurez-vous de le faire avec respect. Qui sait ce que l'avenir vous réserve? Peut-être aurez-vous à revenir ou continuerez-vous à entretenir des liens avec votre patron ou vos collègues dans un autre contexte.

Dans le cas où votre entreprise vous présente une contre-offre, prenez le temps de bien y réfléchir. Si l'on vous propose de modifier considérablement votre rôle ou votre mandat, pesez le pour et le contre par rapport à votre autre perspective. Cependant, s'il ne s'agit que d'une question d'argent, il serait sage de décliner l'offre. L'employeur aura de la difficulté à vous considérer comme un membre dévoué de l'équipe s'il a dû payer une rançon pour vous garder. D'autant plus que les agences de recrutement perdront confiance en vous si vous les laissez tomber pour accepter la contre-offre de votre entreprise.

En ce qui a trait aux raisons de votre départ, réfléchissez à ce que vous direz à vos collègues, supérieurs, clients et fournisseurs. Parlez davantage de votre nouvelle possibilité de carrière que de ce que vous laissez derrière. Dites la vérité, mais demeurez respectueux. Ne dépréciez pas votre employeur ni vos collègues actuels.

*Vous avez reçu un préavis de travail*

Votre patron vous a annoncé que vos tâches actuelles prendront fin sous peu et que vous bénéficierez d'une période rémunérée pour votre recherche d'emploi. Si vous avez l'option de chercher du travail à l'interne, vous pourriez consulter les tableaux d'affichage de postes, fréquenter les centres de carrières et utiliser les services d'assistance téléphonique. Voici quelques questions qui pourraient vous guider.

CONSEILS POUR FAIRE FACE À UN PRÉAVIS DE TRAVAIL

- Vous est-il possible de recevoir un montant d'argent au lieu d'un préavis de travail afin de partir immédiatement? Si tel est le cas, est-ce préférable?
- Serez-vous libre de chercher du travail à l'interne pendant votre période de préavis? Aurez-vous le temps de planifier votre prochaine étape, de rencontrer des personnes-ressources et de passer des entrevues d'embauche?
- Avez-vous de bonnes chances de trouver un emploi au sein de l'entreprise? Pourriez-vous y être heureux en sachant que vous avez été rejeté auparavant?
- Si vous renoncez à chercher un poste à l'interne, combien de temps pourrez-vous consacrer à rencontrer des personnes pour trouver du travail ailleurs?
- Aurez-vous accès à un conseiller en transition de carrière? Et si vous ne réussissez pas à trouver un emploi durant cette période, à quoi pouvez-vous vous attendre de votre employeur? Vous assurera-t-il le temps et le soutien nécessaires dans votre transition?
- Si vous n'obtenez pas de nouveau poste à l'interne, quand serez-vous avisé des détails concernant votre indemnité de départ?
- Pourrez-vous quitter votre poste avant la fin de la période de préavis si vous obtenez un emploi à l'extérieur de l'entreprise? Dans ce cas, vous refuserait-on une partie de votre indemnité de départ?
- Quel impact aurait l'un ou l'autre de ces départs sur vos avantages, votre pension et votre rémunération différée?

*Un directeur du marketing reçut un préavis lorsque son service fut restructuré. On lui allouait 90 jours pour trouver un autre poste au sein de l'entreprise. Il consulta immédiatement un conseiller en transition de carrière. Pendant les 90 jours qui suivirent, il partagea son temps entre l'exécution de ses tâches quotidiennes et la recherche d'une nouvelle perspective d'emploi. Il écarta rapidement les options offertes à l'interne et consulta son réseau de personnes-ressources afin de profiter des possibilités à l'extérieur de l'entreprise. Il obtint ainsi un emploi de niveau et de salaire plus élevés débutant 15 jours après sa période de 90 jours. Il put donc prendre une semaine de vacances bien méritées avec sa conjointe en recevant la totalité de son indemnité de départ.*

### On vous propose une retraite anticipée

L'occasion de prendre sa retraite à l'avance peut vous sembler un cadeau du ciel… ou la fin abrupte et inattendue de longues années de service. Votre réaction dépendra de votre situation financière et de votre désir de consacrer davantage d'énergie à votre emploi. De plus en plus de personnes perçoivent la retraite anticipée comme une occasion de trouver un travail moins exigeant, mais plus satisfaisant. Ceci signifie habituellement un salaire moindre, qui sera toutefois compensé par les revenus de votre régime de pension. Il est essentiel de revoir en profondeur votre situation financière afin de vous aider à faire un choix.

Même si vos finances vous permettent de vous passer de revenus, ne prenez pas de décision précipitée au sujet de votre retraite. Il est difficile de prévoir la façon dont on meublera son temps à la maison lorsqu'on n'a pas encore quitté le marché du travail. Vous pourriez être parfaitement heureux, mais il se peut aussi que vous ayez envie de remettre la main à la pâte.

Si vous souhaitez continuer à travailler, déterminez si vous voulez suivre le même rythme de travail, en réduire la charge ou alors vous consacrer au bénévolat. Afin de trouver la meilleure option pour vous, entamez ce processus de transition de carrière de la même manière dont vous le feriez si tout ceci s'était produit plus tôt dans votre vie professionnelle.

### Vos services ne sont plus requis

Si l'on vous convoque à une réunion pour vous informer de votre fin d'emploi immédiate, vous vous trouvez sans travail et sur le marché de l'emploi en l'espace de quelques minutes. Même si vous l'appréhendiez ou l'espériez, l'instant est bouleversant. Voici quelques conseils pour vous aider à vous en sortir.

CONSEILS POUR FAIRE FACE À UN LICENCIEMENT

- Vous n'avez pas à dire quoi que ce soit, écoutez. Vous pourrez faire part de vos commentaires et de vos questions plus tard.
- On devrait clairement vous indiquer la date de votre dernière journée de travail et ce qu'on attend de vous d'ici là. Sinon, demandez-le !
- N'espérez pas pouvoir assimiler le contenu de votre lettre de départ pendant la rencontre de fin d'emploi. Si vous êtes un employé de longue date, un petit coup d'œil au montant d'argent pourrait vous remonter le moral. Sinon, attendez d'être à la maison avant de la lire.
- Le moment est mal choisi pour confronter votre patron. Vous ne réglerez rien en exigeant des explications. L'objectif est plutôt de partir la tête haute.
- Si un conseiller en transition de carrière est sur place, prenez le temps de discuter avec lui. Ce geste vous permettra de mieux respirer et d'apprécier tout le soutien mis à votre disposition.

- Pleurez si vous en ressentez le besoin. On ne s'attend pas à ce que vous agissiez en héros, mais évitez tout de même de vous offrir en spectacle devant vos collègues.
- N'essayez pas de faire vos adieux à tous vos collègues avant de partir. Appelez-les plus tard ou fixez un rendez-vous avec eux après quelque temps afin de laisser la poussière retomber.
- Rassemblez vos effets personnels plus tard ou demandez à ce qu'on vous les envoie.
- Remettez les clés, les mots de passe et les cartes d'accès à votre employeur ou à votre conseiller en transition de carrière.
- Ne touchez pas à votre ordinateur. Si vous avez des fichiers ou des courriels personnels, demandez à votre gestionnaire de les télécharger et de vous les acheminer.
- Prenez un instant pour vous calmer avant de partir. Rien ne presse.
- Réfléchissez à la façon dont vous allez rentrer à la maison. Prenez un taxi ou appelez quelqu'un qui puisse vous reconduire. Ce n'est peut-être pas le meilleur moment de prendre le volant ou d'effectuer un long trajet en transport en commun.
- Planifiez la façon dont vous annoncerez la nouvelle à votre conjoint(e). Déterminez si vous souhaitez le lui dire immédiatement par téléphone ou attendre pour le lui annoncer en personne.
- Quittez les lieux la tête haute.

### *Annoncez la nouvelle à la famille et aux autres*

En parlant à vos proches et à vos amis de votre perte d'emploi, de votre retraite anticipée ou de votre préavis de travail, vous saisirez mieux la réalité de cette situation. À moins de circonstances particulières, vous devriez sans tarder raconter ce qui s'est passé à votre conjoint(e). Si vous attendez, vous lui donnerez l'impression que vous le (la) croyez incapable de gérer la nouvelle. Vous lui enlèverez également la possibilité de vous aider. De plus, en refusant de parler, vous ne ferez qu'augmenter votre niveau de stress.

Vos enfants devraient aussi être mis au courant le plus tôt possible. À partir de l'âge de trois ans, ceux-ci peuvent comprendre les éléments de base d'une situation et méritent de savoir ce qui se passe. Tout le monde à la maison sera affecté par votre transition. Il serait préférable que vous conveniez avec votre conjoint(e) d'un vocabulaire et d'un ton appropriés pour passer le message. Soyez clair et réconfortant.

Informez votre famille immédiate et vos amis les plus intimes que vous ne faites plus partie de l'entreprise. Il est préférable qu'ils l'apprennent par vous plutôt qu'en tentant de vous téléphoner au travail. Nombreux sont ceux qui éprouvent de la difficulté à annoncer la nouvelle à leurs parents, car leur réaction peut être influencée à la fois par la relation parent-enfant et possiblement par leur connaissance limitée du marché du travail actuel. Mais il ne faut pas que cela vous empêche de le leur dire. Vous risquez même d'être surpris par leur facilité à accepter et à comprendre.

En ce qui concerne les amis et les voisins, il serait sage de planifier ce que votre conjoint(e) et vous allez dire ; mieux vaut ne pas raconter des versions divergentes. Lorsque les gens vous offrent leur aide, remerciez-les en leur disant que vous les appellerez lorsque vous y verrez plus clair.

Expliquez votre départ de façon simple, honnête et constante. Vous n'avez pas à entrer dans les détails, mais tout ce que vous dites doit être véridique. Tentez de dépersonnaliser le récit en donnant une petite explication du contexte entourant votre décision. Vos propos doivent correspondre à ceux que déclarerait votre ancien employeur.

En dernier lieu, pensez à votre entourage au travail. Avec la nouvelle de votre départ qui fera des vagues, vous pourriez recevoir des appels de collègues, de fournisseurs ou de clients qui souhaiteraient offrir leur soutien ou retenir vos services. Ce que vous direz pourrait vous ouvrir la porte à un emploi ou vous la claquer au nez. Demeurez impassible, professionnel et discret dans vos paroles. Moins vous entrez dans les détails, mieux c'est.

CONSEILS POUR SE PRÉPARER AUX CONVERSATIONS AVEC L'ENTOURAGE PROFESSIONNEL

- Choisissez avec qui vous souhaiteriez communiquer. Ceci pourrait inclure des clients ou des fournisseurs avec qui vous faites présentement affaire. Lors de votre appel, précisez que c'est à titre personnel que vous le contactez et pas au nom de votre ancien employeur.
- Ne laissez transparaître aucune amertume ni colère envers votre ancien patron. Tenez-vous-en aux faits et montrez votre motivation à passer à quelque chose d'aussi stimulant si ce n'est plus.
- Répondez avec courtoisie à toute offre d'aide non spécifique en affirmant à la personne que vous communiquerez avec elle au moment opportun.
- Repoussez temporairement toute possibilité concrète de rendez-vous. Vous aurez besoin de ce genre d'appui lorsque vous serez en pleine chasse à l'emploi. Autrement, vous risquez de vous nuire en rencontrant d'importantes personnes-ressources sans préparation préalable.
- Lors de ces premiers contacts, notez le nom et les coordonnées des personnes à qui vous parlez. Cette liste sera précieuse lorsque vous entamerez vos recherches.

*Si vous avez été licencié, vous êtes sur la ligne de départ d'une transition de carrière, et ce, que vous le souhaitiez ou non! Vous êtes dans la partie, et c'est à vous de jouer! À présent, prenez soin de vous et de vos proches, et concentrez-vous sur les dernières étapes de votre départ.*

# Chapitre 2

# *Gérez votre départ*

*Bien finir pour mieux repartir*

Si vous avez été remercié, vous devez connaître vos droits et bien évaluer votre situation financière avant d'accepter les clauses de votre indemnité de départ. Ces réflexions requièrent une certaine objectivité à un moment où l'on se sent parfois aux prises avec ses émotions. Il est tout à fait normal d'éprouver de la colère, de la crainte et de la tristesse. À cette étape, ne comptez pas seulement sur votre famille et vos amis. Pour mieux vous en sortir, rien ne vaut les conseils objectifs d'un professionnel. Ce chapitre vous aidera à choisir le type de conseils qui vous seront utiles.

### *Faites vos adieux*

La plupart des gens se sentent confus et isolés dans les jours suivant la perte de leur emploi. Voici des conseils pour savoir par où commencer.

CONSEILS POUR LES JOURS SUIVANT LA PERTE D'UN EMPLOI

- Évitez les gros changements ou les décisions importantes jusqu'à ce que vous ayez les idées claires.
- N'annulez pas vos vacances et n'appelez pas l'agent immobilier !
- Ne signez pas de renonciation ni de lettre d'indemnité de départ tant que tout n'aura pas été clarifié. Pour ce faire, vous pouvez consulter un avocat en droit du travail. Puis, vérifiez l'échéance dont vous disposez pour remplir et renvoyer les formulaires, et si vous avez besoin de plus de temps, n'hésitez pas à demander une extension.
- N'appelez pas tous vos collègues et vos personnes-ressources les uns à la suite des autres ; les diatribes et les explications irréfléchies concernant vos plans pourraient démotiver votre réseau à rester en contact avec vous et vous aurez besoin de son aide lorsque vous aurez précisé vos objectifs de carrière.
- Ne vous lancez pas dans votre quête d'emploi avant d'avoir atteint un niveau minimal de sérénité. Ne téléphonez pas aux recruteurs, même si vous avez fréquemment été contacté par eux. Consacrez du temps à penser à la façon dont vous quitterez votre emploi actuel et réfléchissez à vos projets.
- Prenez le temps de bien digérer la nouvelle. Accordez-vous le temps nécessaire pour vous remettre de vos émotions.
- Si une opportunité d'emploi très pertinente se présente dans les premières journées suivant votre perte d'emploi, efforcez-vous de mettre à jour votre curriculum vitæ et de vous préparer pour les entrevues d'embauche. Ne mettez pas tous vos espoirs dans l'obtention de ce poste. La recherche

d'emploi nécessite souvent beaucoup de temps et d'efforts. Mais lorsqu'une porte se ferme, une autre s'ouvre.

• N'oubliez pas que la perte d'emploi est un phénomène normal dans le monde du travail d'aujourd'hui. La sécurité d'emploi à long terme n'existe plus.

......................................................................................................................

**Pensez-y!** Si vous avez perdu votre emploi à cause d'une erreur ou d'un manque de jugement de votre part, choisissez une personne à qui vous pourrez confier votre histoire. Il pourrait s'agir de votre avocat, de votre conseiller en transition de carrière ou d'un ami discret n'ayant aucun lien avec votre vie professionnelle. Ainsi, vous vous sentirez soulagé de pouvoir compter sur une oreille attentive pendant votre processus de transition.

......................................................................................................................

### *Envisagez le recours à un avis juridique*

*Cette section n'a pas été conçue pour remplacer le soutien d'un expert en questions légales.* Elle a pour but de vous informer quant à certains points juridiques de base et de vous encourager, au besoin, à chercher conseil auprès d'un avocat en droit du travail. La plupart des entreprises, en particulier les sociétés de grande taille, se conforment aux lois qui régissent les fins d'emploi. Toutefois, il est important que vous obteniez un traitement juste à vos yeux, surtout si vous êtes un employé de longue date. Une seule conversation avec un avocat compétent et compatissant peut suffire pour régler la question.

Les gens ont tendance à croire que l'indemnité de départ est une récompense pour plusieurs années de service ou encore une façon pour l'entreprise de se déculpabiliser du licenciement d'un employé. C'est un mythe. L'indemnisation de départ fait habituellement partie d'une loi à laquelle l'employeur est soumis. Cette loi prévoit que ce dernier doit donner à son employé un préavis de licenciement dans un délai raisonnable. L'indemnité fournira ainsi un certain soutien financier à l'employé afin que celui-ci ait le temps de chercher un autre emploi. Par conséquent, plusieurs aspects subjectifs entrent en jeu lorsque vient le moment d'évaluer l'équité d'une indemnité de départ.

Tout d'abord, deux types d'information sont à considérer : la législation et la jurisprudence. La législation est un ensemble de règles régies par la Loi fédérale ou la Loi provinciale. En connaissant la juridiction à laquelle est soumis votre ancien employeur, vous pouvez aller à la bibliothèque, à une librairie gouvernementale ou consulter Internet pour obtenir une copie du document en question. Mais, il n'y a pas que la loi écrite. La jurisprudence survient lorsque des causes sont entendues en cour. Ce sont alors les juges qui déterminent ce qui constitue un traitement juste et équitable selon des circonstances spécifiques. Les décisions rendues en cour par un juge concernant une indemnité de départ tiennent compte du secteur d'activité, de l'âge de l'individu, de ses compétences, de ses années de service, de son revenu et de son niveau de responsabilités. Pour bien comprendre vos droits en fonction de la jurisprudence, vous devrez consulter un avocat en droit du travail.

Un avocat en droit du travail demeure la meilleure ressource, car il est spécialisé dans ces questions, et il s'informe des décisions rendues par les tribunaux de sa région. Si vous êtes syndiqué, les conditions de votre indemnisation de départ pourraient avoir été négociées au préalable dans le cadre de votre entente collective. Dans pareil cas, informez-vous auprès de votre représentant syndical.

Un avocat en droit du travail pourrait aussi vous aider à faire la part des choses entre les questions émotives et juridiques. Il vous invitera probablement à dresser une liste d'éléments de négociation et suggérera que vous tentiez d'aborder vous-même la première ronde de négociations. En prenant part à ces discussions vous-même, vous pourriez obtenir ce que vous souhaitez sans avoir à prendre position en tant qu'adversaire, ni à encourir de dépenses ou à allonger le temps nécessaire pour conclure une entente. Bien sûr, si vous n'êtes pas prêt ou si vous vous en sentez incapable, votre avocat le fera pour vous. Le litige n'est pas le chemin le plus facile. Cependant, si tel est votre choix, laissez la cause entre les mains d'un expert et consacrez-vous à autre chose. Ne laissez pas un problème d'indemnisation ou un litige nuire à votre planification de carrière ou à votre vie familiale.

**Pensez-y!** Tant que vous progressez, gardez le contrôle sur les négociations tout en vous laissant guider par votre avocat. Car une fois que vous aurez demandé à celui-ci d'envoyer une lettre à votre ancienne entreprise, la négociation se fera fort probablement entre ses avocats et le vôtre, augmentant du coup les dépenses et la durée des démarches.

CONSEILS POUR BIEN CHOISIR SON AVOCAT
- Demandez à votre propre avocat ou à votre conseiller en transition de carrière de vous recommander un avocat en droit du travail ou téléphonez au Barreau de votre province.
- Tentez d'obtenir un rendez-vous ou une consultation préliminaire au téléphone ou en personne afin d'expliquer brièvement votre situation. Avant de faire votre choix, posez les questions suivantes à l'avocat:
- Verriez-vous un inconvénient à me représenter auprès de mon ancien employeur?
- Combien de causes de licenciement avez-vous traitées dernièrement?
- Vous arrive-t-il de représenter les sociétés?
- Quel pourcentage de vos causes s'est réglé à l'extérieur de la cour?
- M'encourageriez-vous à négocier moi-même ou croyez-vous qu'il soit nécessaire que vous meniez les négociations?
- Quels sont vos honoraires? Y a-t-il un montant de base à débourser?

Si l'on vous offre l'accès à un conseiller en transition de carrière, n'hésitez pas à recourir à ses services immédiatement, même si vous êtes en train de négocier votre indemnité. Il ne devrait révéler aucune information à votre sujet ou concernant vos projets à quiconque et devrait avoir vos intérêts à cœur. Votre vie professionnelle et personnelle pourrait fortement bénéficier de ces consultations. Le conseiller vous aidera à considérer tous les aspects d'une situation et vous empêchera de commettre des erreurs qui se produisent souvent lorsqu'on cherche un emploi.

**Pensez-y!** Le tribunal s'attend à ce que vous fassiez tout en votre pouvoir pour limiter vos préjudices, et ce, en entamant un processus de recherche d'emploi. En recourant rapidement aux services d'un conseiller en transition de carrière, vous aiderez votre cause. Si des questions de partialité ou de confidentialité vous inquiètent, demandez un engagement à votre conseiller.

L'entente de départ comprend souvent un montant prévu pour des conseils financiers, qui sont habituellement disponibles par l'entremise du cabinet-conseil en transition de carrière. Si tel est le cas, n'hésitez pas à les utiliser. Même si vous êtes doué pour la gestion des finances familiales, vous pourriez apprendre quelques astuces d'un professionnel en finances…

### *Analysez vos finances*

Faire le point sur ses finances lors d'un nouveau départ peut s'avérer très bénéfique. Vous pourriez, par exemple, profiter d'abris fiscaux, songer à vos besoins en termes d'assurances vie, médicale et invalidité pour vous et votre famille, et préparer un budget réaliste couvrant votre période de transition. Lorsque vous révisez votre situation financière, le but premier est d'évaluer le temps dont vous disposez pour vous trouver un autre travail, ce qui allégera le niveau d'anxiété dû à la perte d'emploi. Considérez votre indemnité de départ comme la rémunération pour vos efforts de transition de carrière. Si vous êtes engagé avant que ne s'épuise votre indemnité, vous aurez mérité un bonus!

Commencez par dresser une liste exhaustive de vos dépenses mensuelles. En jetant un coup d'œil sur ces dépenses fixes et discrétionnaires, il est parfois surprenant de voir où est allé l'argent. Grâce à des données précises, vous et votre famille pourrez convenir des sacrifices à faire, si nécessaire. Comparez vos dépenses mensuelles avec le revenu tiré de votre indemnité de départ. Calculez le nombre de mois dont vous disposez pour vous trouver un nouveau travail.

Puis, faites l'inventaire de vos actifs et de vos passifs afin d'évaluer vos liquidités. En cas de besoin, à quel actif feriez-vous appel en premier? Dotez-vous d'un plan B au cas où vos recherches s'avéreraient plus longues que prévu. Changeriez-vous certains de vos investissements dans l'optique d'avoir d'autres revenus disponibles au besoin? Avez-vous contracté des dettes concernant des objets de luxe superflus? Songeriez-vous à vous en départir?

*Lorsqu'il a perdu son emploi après plus de 28 ans de service au sein de la même entreprise, M. X a pris une décision financière assez surprenante. Sa femme et lui possédaient une maison en ville et un grand yacht qu'ils aimaient utiliser sur plusieurs lacs à quelques centaines de kilomètres de là. Ils en avaient assez de la ville et leurs enfants avaient quitté le bercail. Le couple a donc décidé de conserver le bateau, de vendre la maison et de louer un petit appartement près du lieu de travail de madame. M. X a réussi à décrocher quelques contrats dont les revenus, combinés à ceux de leurs investissements, leur ont permis de s'offrir un nouveau style de vie entièrement adapté à leurs goûts.*

Réfléchissez à vos assurances vie, invalidité et médicale, et soyez certain de bien comprendre quels avantages seront maintenus par votre ancien employeur ainsi que leur durée, car ces conditions varient selon les entreprises. S'il ne vous reste que peu de temps pour utiliser votre régime d'avantages sociaux, profitez-en. Fixez un rendez-vous chez le dentiste et chez le médecin pour tous les membres de votre famille et faites remplir vos ordonnances.

----

**Pensez-y!** Au cours de votre période de transition, ayez la certitude que vos choix en matière d'assurances reflètent bien les risques que vous êtes prêt à courir. Les assurances vie et invalidité répondent à des besoins sérieux et à long terme. Les assurances médicale et dentaire vous aident financièrement à court terme. À vous de déterminer ce qui représente le plus grand risque pour vous et vos personnes à charge.

----

Vérifiez dès maintenant si le régime de votre conjoint(e) ne pourrait pas vous inclure. Il y a habituellement une limite de temps qui y est associée. Les assurances vie, invalidité, médicale et dentaire de votre ancien employeur pourraient être converties en un régime individuel. Cette option est coûteuse, mais elle élimine une inquiétude en ne nécessitant pas de preuve d'assurabilité. Si vous assurez vous-même votre protection, de nombreuses options d'assurances vie, médicale et dentaire sont disponibles. Le choix est moins varié en ce qui concerne l'assurance invalidité. Cependant, vous pouvez combiner certains régimes à votre indemnisation de départ afin de vous protéger contre une perte de salaire. Une couverture individuelle est plus dispendieuse qu'une assurance collective, mais sans protection, le risque à courir est important. Communiquez avec un agent ou un courtier d'assurance.

Utilisez les feuilles de travail suivantes pour vous aider à revoir vos finances.

---

**Pensez-y !** En dressant un budget, vous découvrirez peut-être que vous aurez plus de temps que prévu à consacrer à votre recherche d'emploi. Certaines personnes peuvent doubler le nombre de mois à leur disposition grâce à une bonne planification et en évitant les dépenses superflues.

---

---

FEUILLE DE TRAVAIL 2.1
**Calculez vos dépenses mensuelles**

---

| | | | |
|---|---|---|---|
| Loyer | _____ | Allocations | _____ |
| Hypothèque | _____ | Soins des animaux | _____ |
| Taxes | _____ | Matériel informatique | _____ |
| Assurance habitation | _____ | Services informatiques et Internet | _____ |
| Électricité | _____ | Transport en commun | _____ |
| Gaz | _____ | Coiffeur | _____ |
| Eau | _____ | Adhésion aux clubs | _____ |
| Téléphone | _____ | Loisirs | _____ |
| Câble | _____ | Cosmétiques et articles de toilette | _____ |
| Achats pour la maison | _____ | Ordonnances | _____ |
| Réparations et entretien | _____ | Soins dentaires | _____ |
| Entretien ménager | _____ | Optométrie | _____ |
| Entretien de la pelouse et déneigement | _____ | Tabac, alcool | _____ |
| Voiture – Prêt ou location | _____ | Gardienne d'enfants | _____ |
| – Assurance | _____ | Leçons | _____ |
| – Immatriculation | _____ | Nettoyage à sec | _____ |
| – Essence | _____ | Divertissement | _____ |
| – Stationnement | _____ | Revues, journaux | _____ |
| – Réparations | _____ | Dons | _____ |
| Épicerie | _____ | Autres dépenses | _____ |
| Argent pour les dîners | _____ | Autres paiements de prêts | _____ |
| Restaurants | _____ | Paiements de carte de crédit | _____ |
| Garderie | _____ | Versements d'impôts | _____ |
| Loisirs et activités – vous | _____ | | |
| – votre conjoint(e) | _____ | **Dépenses annuelles** | _____ |
| – vos enfants | _____ | Cadeaux | _____ |
| Assurances (vie, invalidité) | _____ | Vacances | _____ |
| Assurances (médicale, dentaire) | _____ | Célébrations en famille | _____ |
| | | REÉR/placements | _____ |
| | | Total et | _____ $\div$ 12 |
| | | équivalent mensuel | _____ |

**TOTAL DES
DÉPENSES MENSUELLES**    _____

FEUILLE DE TRAVAIL 2.2
**Vos actifs et vos passifs**

| Éléments d'actif non protégés | Propriétaires vous/conjoint(e) | Institution financière | Montant ou valeur sur le marché | Date d'échéance | Revenu mensuel |
|---|---|---|---|---|---|
| Comptes bancaires | | | | | |
| CPG/dépôts à terme/obligations | | | | | |
| Régime d'épargne de l'employeur | | | | | |
| Fonds communs de placement | | | | | |
| Actions | | | | | |
| Chalet | | | | | |
| Résidence | | | | | |
| Biens de location et de placement | | | | | |
| Valeur de rachat sur l'assurance vie | | | | | |
| Autres | | | | | |
| **Total** | | | | | |

| Éléments d'actif protégés | Propriétaires Vous/conjoint(e)/ enfant | Institution financière | Montant ou valeur sur le marché | Date d'échéance |
|---|---|---|---|---|
| REÉR | | | | |
| | | | | |
| REEE et fiducie | | | | |
| | | | | |
| **Total** | | | | |

| Éléments de passif | Prêteur | Solde existant | Date de renouvellement | Taux | Paiement mensuel |
|---|---|---|---|---|---|
| Hypothèque | | | | | |
| Prêt automobile | | | | | |
| Marge de crédit | | | | | |
| Cartes de crédit | | | | | |
| | | | | | |
| | | | | | |
| | | | | | |
| Emprunt sur les REÉR | | | | | |
| Autres dettes | | | | | |
| **Total** | | | | | |

FEUILLE DE TRAVAIL 2.3
**Votre situation financière de transition**

| Autres sources de revenus | | Dépenses non récurrentes ou imprévues | |
|---|---|---|---|
| Travail à temps partiel | _____ | Dépenses médicales | _____ |
| Honoraires | _____ | Dépenses dentaires | _____ |
| Pension alimentaire | _____ | Dépenses personnelles | _____ |
| Revenu d'investissements | _____ | Voyages | _____ |
| Revenu de locations | _____ | Éducation | _____ |
| Prestations d'invalidité | _____ | Entretien de la maison | _____ |
| Prestations gouvernementales | _____ | Entretien ou achat d'une voiture | _____ |
| Revenu de pension | _____ | Autres | _____ |
| Autres | _____ | Total | _____ |
| Total mensuel des autres sources de revenus | _____ | Estimation des paiements mensuels | _____ |

**Budget de transition**

Dépenses mensuelles habituelles  _____

Estimation réaliste des dépenses que vous pouvez éviter  − _____

Paiements mensuels des dépenses non récurrentes  + _____

**Total des dépenses mensuelles pendant la période de transition**  _____

Revenu mensuel provenant d'autres sources  − _____

**Montant total à tirer de l'indemnité de départ ou à puiser de vos épargnes**  _____

**Nombre de mois que pourra couvrir l'indemnité de départ :**  _____ mois

**Important :** Même si vous recevez une indemnité, complétez votre demande d'assurance-emploi dans un délai de quatre semaines suivant votre dernière journée de travail, car un retard pourrait vous faire perdre certains avantages. Remplissez votre demande en ligne à l'adresse www.hrdc-drhc.gc.ca ou présentez-vous au bureau de Développement des ressources humaines Canada le plus près de chez vous.

---

**Pensez-y !** En abordant honnêtement la façon dont vous gérez vos dépenses avec votre conjoint(e) dès le début de votre période de transition, vous atténuerez le taux d'anxiété et préviendrez certains problèmes en cours de route. En dressant un plan sans tarder, vous pourrez prendre le temps de bien mener à terme votre transition.

---

Consulter un conseiller financier pour vous aider à profiter au maximum des abris fiscaux et de votre indemnité de départ est une excellente idée. Agréé ou certifié, le planificateur financier est un professionnel dont la rémunération s'établit sous forme d'honoraires et dont la désignation est reconnue à l'échelle nationale. Pour mériter ce titre, il lui a fallu répondre à des exigences de formation et de compétences ; de plus, il doit chaque année se plier à des normes de formation continue. Parmi les autres professionnels qualifiés, on retrouve le Fellow du Canadian Securities Institute (FCSI), le comptable agréé (CA), le comptable en management accrédité (CMA), le comptable général licencié (CGA), l'analyste financier agréé (AFA) et l'expert-comptable. Assurez-vous que votre conseiller établisse sa rémunération sous forme d'honoraires seulement.

En effet, plusieurs représentants de placements, courtiers et vendeurs de produits financiers reçoivent une commission sur les produits qui vous sont offerts. Il se pourrait donc que ces personnes ne soient pas objectives. Vous pourrez les consulter une fois que vous aurez décidé de la gestion de votre indemnité.

CONSEILS POUR BIEN CHOISIR SON PLANIFICATEUR FINANCIER
• Demandez à votre directeur d'institution financière ou à votre conseiller en transition de carrière de vous recommander un planificateur financier qualifié et rémunéré sous forme d'honoraires seulement.
• Téléphonez et expliquez brièvement votre situation. Avant de choisir, posez les questions suivantes :
  - Quelle formation possédez-vous ?
  - Votre rémunération est-elle établie sous forme d'honoraires ? Si oui, quel est votre taux horaire ?
  - Selon vous, combien de rencontres seront nécessaires ? Pourrons-nous effectuer des suivis par téléphone ?
  - Combien de clients ayant reçu une indemnité de départ avez-vous conseillés récemment ?
  - Que devrais-je apporter à la rencontre ?
• Les rapports que vous entretiendrez avec votre planificateur financier sont importants. Si vous ne vous sentez pas à l'aise dès le premier coup de fil, appelez quelqu'un d'autre.

La rencontre ne devrait pas durer plus d'une heure ou deux. Encouragez votre conjoint(e) à vous y accompagner, car le fait de recevoir des conseils en personne et de pouvoir poser des questions apaisera ses inquiétudes. Préparez votre rencontre afin de maximiser le temps auprès de votre planificateur financier. Complétez les feuilles de travail de ce livre ou celles fournies par votre conseiller et apportez les documents suivants avec vous :
• une liste exhaustive de vos actifs, incluant vos REÉR, vos investissements et vos économies ;
• une liste de vos dettes, incluant votre hypothèque et vos soldes de cartes de crédit ;

- votre budget familial mensuel accompagné d'estimations pour chaque élément ;
- votre dernière déclaration de revenus ;
- un de vos derniers relevés de paie ;
- votre dernier relevé de compte de régime de retraite et de régime d'épargne des employés ;
- une copie de votre lettre de licenciement ;
- votre programme d'assurance, incluant les assurances vie, invalidité, médicale et dentaire.

Convenez de vos objectifs avant la rencontre : désirez-vous réduire vos dettes, remplacer vos avantages sociaux, régler vos questions de retraite, mettre votre indemnité à l'abri avec des REÉR (diminution d'impôt) ou gérer votre budget ? Votre conseiller pourra mieux vous aider s'il connaît vos intentions. Songez-vous à une retraite anticipée, à vous lancer en affaires, à déménager, cherchez-vous un emploi semblable, prenez-vous un congé ou réorientez-vous complètement votre carrière ? Une rencontre préparée permet d'obtenir des conseils adaptés.

### Créez un réseau de soutien

Formé de membres de votre famille et de vos amis, un réseau de soutien peut vous donner un énorme coup de main au cours de la transition. Il se développe parfois tout naturellement au fur et à mesure que les gens offrent leur aide. La phrase « si tu as besoin de quoi que ce soit, n'hésite pas ! » vient souvent du cœur, mais ceux qui en usent ne savent habituellement pas comment s'y prendre. Vous leur ferez signe lorsque viendra le temps.

Choisissez votre groupe de soutien avec soin. Les gens ayant déjà surmonté une période de transition de carrière sont une mine d'or en terme d'expérience. Une fois le bilan de votre cheminement professionnel terminé, il est intéressant de consulter d'anciennes relations de travail. Un collègue avec qui vous vous sentez à l'aise peut devenir une excellente source d'encouragement. Faites des choix judicieux : certaines personnes ont plus de facilité que d'autres à alléger votre fardeau. Dès le début, vous devez exprimer clairement ce que vous désirez en leur demandant s'ils tiennent à connaître tous les détails de votre histoire. Gardez les lignes de communication ouvertes, mais évitez de dépendre de ceux qui doivent également apprendre à gérer certaines émotions par rapport à votre changement de travail.

La création d'un comité consultatif est une approche pertinente dans l'élaboration d'un réseau de soutien. Ce comité peut être formé de quatre à six personnes ayant un bagage varié et qui sont prêtes à vous prodiguer des conseils, des commentaires et de l'encouragement. Vous pouvez les consulter individuellement ou lors de réunions informelles afin d'échanger des idées à votre sujet. Plus les points de vue sont nombreux, mieux c'est. Chacun veut votre bien. Vous devrez vous sentir à l'aise lorsque vous recevrez des remarques ou des suggestions constructives de leur part. Il est également sage d'inclure des personnes possédant des réseaux bien développés.

*Son poste ayant été aboli à la suite de l'acquisition de sa société, une directrice des ressources humaines demanda à six collègues aux parcours différents de constituer son comité consultatif. Elle y inclut un recruteur, un avocat, un ancien camarade d'université, un politicien et deux amies de son activité de bénévolat. La plupart du temps, elle demandait des conseils individuellement, mais le groupe se réunissait parfois dans un restaurant le vendredi soir. Il s'agissait pour elle d'une occasion parfaite pour rencontrer des gens, relaxer et obtenir de l'aide dans sa recherche d'emploi.*

**Pensez-y !** Notez les noms des personnes que vous pourriez contacter pour fournir des références si un employeur potentiel vous en demandait, sans oublier ceux qui vous l'ont offert. Est-ce le bon moment pour aborder le sujet avec eux ? Certaines de ces personnes feront partie de votre réseau de soutien, alors que les autres ne vous seront utiles qu'au moment de fournir des références à votre sujet.

Souvenez-vous qu'un conseiller en transition de carrière peut constituer un atout non négligeable dans votre réseau de soutien. Si vous avez été licencié et que votre entreprise ne vous a pas offert de service de transition, demandez-le et négociez-en la durée et la qualité. Si votre départ relève de votre décision, pensez à consulter un conseiller. La plupart des gens croient qu'ils peuvent s'en sortir seuls, mais un spécialiste travaillant auprès d'un cabinet-conseil réputé pour ses services personnalisés pourrait vous être d'une grande aide dans votre processus de transition.

CONSEILS POUR BIEN CHOISIR UN CONSEILLER EN TRANSITION DE CARRIÈRE
- Les désignations peuvent sembler confuses, mais les conseillers en gestion de carrière, les conseillers en réinsertion professionnelle, les consultants en transition de carrière et les coachs de carrière exercent tous sensiblement le même travail.
- Ce secteur n'est soumis à aucune législation. Il n'y a donc pas de formation spécifique qui puisse garantir la compétence d'un conseiller, mais celui-ci possédera une expérience respectable et une bonne capacité d'écoute. Il vous aidera à vous ouvrir l'esprit et vous prodiguera des conseils pratiques adaptés à vos besoins et à votre domaine d'activité.
- Si votre entreprise a retenu pour vous les services d'un cabinet-conseil en particulier, utilisez-le. Vous pouvez toujours demander un autre cabinet-conseil si vous savez précisément qui vous souhaitez consulter ou si vous ne vous sentez pas à l'aise avec le conseiller, le programme ou l'environnement offerts. En cherchant un autre cabinet, vous pourrez toutefois entamer une nouvelle ronde de négociations avec votre entreprise, ce qui pourrait retarder considérablement le début de votre processus de transition.
- Si votre employeur ne vous offre pas ce service, demandez à un professionnel en ressources humaines, à votre avocat en droit du travail, à un planificateur financier ou à une personne qui a déjà vécu cette transition de vous recommander un conseiller. Pour obtenir une liste de cabinets-conseil, téléphonez à l'Association des professionnels en ressources humaines de votre province.
- Évaluez le cabinet-conseil selon son niveau d'expertise et sa réputation. Trois mois dans une agence de qualité offrant des services personnalisés vous seront plus utiles que le double du temps passé au sein d'un cabinet prônant les rencontres de groupe et l'utilisation d'outils d'autoapprentissage.
- Téléphonez et décrivez brièvement votre cas. Avant de choisir, posez les questions suivantes :
  - Pourrais-je visiter vos bureaux ?
  - Quel est le conseiller qui travaillera avec moi ? Quel type d'expérience possède-t-il ? Pouvez-vous me donner un profil général des clients qui ont retenu ses services ? Quel poste occupaient ces personnes et dans quels secteurs d'activité ?
  - Pourriez-vous me donner une idée des programmes offerts ? Quelles portions de ce programme seraient données sous forme d'ateliers ou par un conseiller moins expérimenté ? (Un programme individuel complémenté d'ateliers est la meilleure solution).

- À quelle fréquence vais-je rencontrer mon conseiller? Pourrais-je bénéficier d'un soutien entre mes rendez-vous si j'en ai besoin?
- Mon conseiller restera-t-il en communication avec moi afin de participer activement à ma recherche d'emploi?
- Aurai-je accès à un espace de bureau? Pourrais-je voir les installations dont je ferai usage? Y aura-t-il des moments où elles ne seront pas disponibles?
- Mon programme prévoit-il la possibilité d'organiser des activités de réseautage? À quelle fréquence? Quel type de personnes y participe?
- Dans mon cas, quels seraient le niveau et la durée appropriés du service?
- Si vous devez régler vous-même les coûts de ce service, renseignez-vous aussi sur les honoraires.

### *Accordez-vous un délai précis*

Si vous travaillez actuellement, mais que vous avez décidé de vous réorienter, accordez-vous un temps limite pour envisager un nouvel emploi. Ce délai évitera que s'écoulent des mois sans que vous ayez entrepris quoi que ce soit à cause d'un horaire trop chargé, ce qui risquerait d'allonger chaque étape du processus. Chercher un emploi, c'est un travail à temps plein!

Si vous ne travaillez pas, le survol de vos finances vous aura permis d'établir le nombre de mois que vous pouvez consacrer à votre transition. Même si ce laps de temps n'est pas un problème pour vous, il est sage d'estimer combien de semaines il vous faudra pour trouver un emploi. Soyez réaliste afin d'éviter les mauvaises surprises.

Si vous n'avez pas pris de congé depuis plusieurs années ou venez de quitter un poste particulièrement stressant, une pause pourrait être la bienvenue. Peu importe la longueur de votre congé, déterminez la durée de la période pendant laquelle vous désirez repousser vos activités de recherche. Informez votre réseau de soutien et vos références du moment où vous mettrez en branle votre processus de transition et assurez-vous de respecter cette échéance. Faites de cette pause une étape importante dans le cadre de votre processus.

Il est très difficile de prédire la durée d'une transition de carrière. Discutez avec votre réseau de soutien ou avec une personne qui a réussi à surmonter une situation semblable à la vôtre afin de mieux définir ce qui vous attend. Nombreux sont ceux qui sous-estiment l'investissement de temps nécessaire pour regagner le marché du travail. L'ampleur de votre changement de carrière, votre flexibilité quant aux conditions d'embauche, la saturation du marché et l'efficacité de vos méthodes de recherche sont des facteurs qui sont à considérer lors de votre estimation. Finalement, être au bon endroit au bon moment peut aider aussi.

Pour vous donner un aperçu de ce qui vous attend, consultez les tableaux des annexes au fur et à mesure que vous progresserez. L'annexe A vous offre une vision stratégique du processus de transition de carrière et de recherche d'emploi. L'annexe B est un tableau servant à répartir vos activités de recherche sur un échéancier. Inscrivez-y la date à laquelle vous souhaiteriez débuter votre nouveau travail.

......................................................................................................................................

**Pensez-y!** Vous avez décidé de prendre congé? Il serait préférable de rencontrer votre conseiller en transition de carrière au préalable afin qu'il puisse vous épauler dans les dernières étapes de votre départ de l'entreprise et vous introduire au processus de transition. Sa contribution pourrait vous aider à profiter de votre congé l'esprit en paix.

......................................................................................................................................

### *Tournez la page*

En réglant les aspects juridiques et financiers de votre indemnisation de départ et en formant un réseau de soutien, vous pourrez mieux tourner la page. Faire ses adieux et assurer le transfert de connaissances avec la personne qui vous remplacera pourrait être bénéfique, mais ce sera un moment difficile à passer. Terminer en beauté dépend beaucoup de votre réaction face à ce départ et de votre vision de l'avenir. La prochaine étape abordera la question de votre bien-être émotionnel.

Chapitre 3

# Sortez vainqueur d'un labyrinthe émotionnel

*L'important n'est pas ce qui nous arrive,*
*mais la façon dont nous le vivons.*

Chaque changement marque une fin qui signifie une perte, sentiment souvent occasionné par la cessation d'emploi. Et quand l'on est privé de quelque chose d'important, on réagit. C'est tout à fait normal !

Votre gagne-pain vous définit en quelque sorte. Il vous permet de relever des défis et vous donne la possibilité de régler des problèmes. Il vous offre la chance d'apprendre continuellement. Il vous permet d'interagir avec les autres, individuellement ou en équipe. Grâce à votre travail, vous obtenez à la fois reconnaissance et prestige ; de plus, c'est un moyen utile de payer vos factures et de planifier votre avenir ! Votre carrière fait partie de votre identité. Vous devez donc accorder une attention particulière aux changements s'opérant dans votre vie professionnelle. Affronter vos réactions émotives est une étape considérable, peu importe qui a initié le changement.

### Les réactions générées par le changement et la perte

Plusieurs facteurs peuvent influer sur le type de réaction et son intensité. Il est évident que le niveau de contrôle que vous exercez sur la situation est crucial. Si vous avez décidé de changer d'emploi, vous pourriez être peiné de quitter vos collègues et un environnement de travail familier, mais l'effervescence générée par les perspectives qui vous attendent éclipsera probablement cette tristesse. De plus, vous aurez le temps de préparer vos adieux.

*Une jeune femme décida de quitter un poste important en publicité tout en sachant que ses collègues et l'esprit de famille qui régnait au sein de son équipe lui manqueraient énormément. Durant les quelques semaines qui précédèrent l'annonce de son départ, elle gardait toujours sur elle un bout de papier avec deux colonnes. L'une d'elles était identifiée « Ce qui me manquera » et l'autre « Ce qui ne me manquera pas ». À sa grande surprise, la majorité de sa tristesse s'était dissipée lorsque vint le temps de dire adieu, en grande partie grâce à cette liste.*

Si votre licenciement est survenu de façon soudaine, le choc et le manque de contrôle auront un impact sur l'intensité de votre réaction. Si vous cumuliez de nombreuses années de service au sein de cette entreprise ou s'il s'agissait de votre premier emploi, votre sentiment d'attachement pourrait être profond. Vous avez peut-être sacrifié certaines choses dans votre vie pour votre employeur (comme refuser d'excellentes offres ailleurs pour demeurer fidèle). Les personnes qui possèdent un riche passé avec leur entreprise passent habituellement par toute la gamme des émotions lorsqu'elles perdent leur travail.

D'autres événements s'opérant dans votre vie peuvent également avoir un impact significatif sur votre capacité à bien gérer votre transition de carrière. Des changements de nature médicale, familiale ou financière, des modifications de vos objectifs personnels ou de votre style de vie peuvent faire en sorte que cette nouvelle situation soit plus ou moins facile à gérer. La plupart des gens qui fixent un rendez-vous avec un conseiller en transition de carrière n'ont pas qu'un seul changement à aborder. Il y a souvent d'autres facteurs personnels à évoquer.

On ne peut prévoir les comportements d'un individu face à un événement tel que la perte d'un emploi. Il n'existe pas de bonne ou de mauvaise réaction. Nos émotions sont ce qu'elles sont, il ne sert à rien de tenter de les changer, de les ignorer ou de les chasser. Le contrôle de ses émotions est essentiel à une saine gestion du changement.

Pour bien gérer, il faut bien comprendre. La gamme de sentiments par lesquels nous passons est complexe. Heureusement, ils peuvent être classés en utilisant un des quatre mots suivants : tristesse, colère, bonheur ou peur. Pensez-y. Vous pourriez vous décrire comme étant « démoralisé », « déprimé » ou « dévasté ». Tous ces termes traduisent la tristesse. Frustré, agacé, déçu, fâché ou #!*@#$ ne sont que des variantes sur le thème de la colère. Le soulagement et la gratitude sont comparables au bonheur, alors que l'inquiétude s'apparente à la peur. En simplifiant la gamme des émotions en quelques grandes catégories, vous y verrez plus clair dans vos réactions.

......................................................................................................................................

**Pensez-y !** Une bonne santé émotive réside, entre autres, dans l'apprentissage à nommer nos sentiments. En acceptant la colère que vous ressentez, vous choisirez plus aisément la façon dont vous l'exprimerez.

......................................................................................................................................

Étant donné que les sentiments ont tendance à se chevaucher, il est fort possible que vous soyez triste et effrayé à la fois. Les gens déprimés cumulent probablement leur lot de peine et de colère qui se consume habituellement à l'intérieur. Toute une combinaison d'émotions peut être ressentie simultanément.

Utilisez la feuille de travail suivante afin de coucher sur papier vos sentiments. Ce geste peut vous sembler inutile, mais il vous permettra d'identifier et d'exprimer certaines émotions qui, sinon, seraient refoulées. Les reconnaître et bien les gérer : tel est le but de cet exercice.

FEUILLE DE TRAVAIL 3.1

**Identifiez les changements et les sentiments**

Réfléchissez aux changements qui s'opèrent présentement dans chacun des aspects de votre vie. Inscrivez chaque événement et toutes les pertes qui y sont associées. Par exemple, la cessation d'emploi pourrait signifier la perte de sécurité financière, de prestige, d'espoir d'avancement, de voyages d'affaires, etc.

Nommez vos sentiments. Faites preuve d'imagination et identifiez quels points positifs pourraient découler de ce changement.

| | Changement | Perte | Sentiments quant à cette perte | Nouvelles possibilités |
|---|---|---|---|---|
| Travail | | | | |
| Relations | | | | |
| Santé et âge | | | | |
| Communauté/société | | | | |

Le type d'émotions et leur intensité fluctuent selon les expériences vécues. Au départ, vous pourriez vous sentir paralysé par la colère ou la peur. Ces sentiments peuvent faire place, pour un temps, à la tristesse ou encore au soulagement. Les personnes ayant subi une perte importante comparent souvent leur expérience à un tour en montagnes russes : les hauts et les bas se succèdent intensément au début, puis le trajet revient à la normale et un sentiment de contrôle et de stabilité réapparaît.

Il arrive fréquemment que le corps réagisse lui aussi. Face à de fortes émotions, le système devient vulnérable aux maladies, à l'insomnie, à la fatigue excessive, à la perte ou à l'augmentation de l'appétit, à la confusion et à des troubles de mémoire. Ces symptômes physiques inquiètent souvent les gens qui croient qu'une maladie grave est venue s'additionner à leur problème. N'ayez crainte, les réactions physiologiques reliées à votre état émotif sont habituellement temporaires. Consultez tout de même votre médecin, car chacun de ces symptômes pourrait nécessiter des soins médicaux.

*Au cours des semaines qui suivirent sa perte d'emploi, M. Y, un cadre supérieur, eut de la difficulté à se concentrer. Il était incapable de terminer ses phrases, oubliant tout ce qu'il tentait de dire. Cette situation était à la fois gênante et déconcertante pour quelqu'un ayant toujours pu compter sur de bonnes capacités de réflexion. Sa solution : l'honnêteté et une touche d'humour. En admettant tout simplement ce qui se passait, il put résoudre le problème.*

Prescrivez-vous du repos, de l'exercice et une alimentation équilibrée. Contrôlez votre consommation de substances pouvant entraîner une dépendance (caféine, alcool, tabac et médicaments en vente libre). Il est important de prendre soin de soi lorsqu'on doit surmonter un choc.

......................................................................................................................................................

**Important :** Si vous êtes déprimé au point où vous croyez qu'il ne vaut plus la peine de continuer et que les autres n'ont pas besoin de vous, ARRÊTEZ! Appelez votre médecin, un psychologue ou une ligne d'écoute. Nombreux sont ceux qui vous aiment et qui souhaitent vous aider à sortir de ce pénible moment. Tendez la main immédiatement.

......................................................................................................................................................

Une autre réaction possible consiste à ressasser nos pertes précédentes tout en tentant de gérer la situation actuelle. Certaines personnes versent des larmes en pensant à un événement survenu il y a plusieurs années. Si tel est votre cas, ne vous inquiétez pas. Vous pouvez vous remémorer et exprimer vos sentiments concernant votre divorce, la perte d'un proche, un déménagement non désiré, des souhaits qui n'ont pas été exaucés ou n'importe quel autre événement.

Le changement et la perte possèdent aussi une partie orientée vers l'avenir. Chaque fin crée un nouveau commencement. Même si vous n'avez pas l'âme à l'optimisme, pensez à toutes ces portes qui pourraient s'ouvrir à vous.

### Pourquoi se soucier des sentiments?

Des sentiments de colère, de tristesse et de peur non exprimés peuvent avoir un impact des plus dévastateurs sur votre processus de transition de carrière. La colère est le pire saboteur. En deuxième position, nous retrouvons la tristesse qui vous propulse dans un cercle vicieux, prélude à l'inertie. Vous pouvez habituellement gérer la peur grâce à des activités concentrées sur l'obtention de résultats positifs. Accueillez la joie à bras ouverts.

Si vous avez perdu votre emploi, vous êtes probablement en colère, ce qui n'est pas mauvais en soi. Tout réside dans votre manière d'exprimer ce sentiment. Vous n'améliorerez pas votre situation en diffusant à tout vent une version des faits truffée de reproches et d'amertume. Même si ce que vous dites est vrai, vous vous mettrez des bâtons dans les roues. Choisissez plutôt quelques confidents auprès desquels vous pourrez exprimer votre colère en toute intimité.

*Un gestionnaire eut la douloureuse tâche d'annoncer à un employé de longue date que son poste avait été aboli, dû à un changement de culture au sein de la division. L'employé était dévasté. Cependant, seuls sa femme, ses proches et son conseiller en orientation de carrière furent témoins de l'amplitude de sa réaction. Tous et chacun applaudirent le professionnalisme et la dignité dont il fit preuve lors de son départ. Son ancien patron et ses collègues firent tout pour l'appuyer pendant sa transition.*

Entre les mains d'une personne en colère, le courrier électronique peut s'avérer un outil très dangereux. Le côté instantané et informel de ce médium séduit parfois les gens, qui décident d'écrire de regrettables messages. Malheureusement, un courriel venimeux est pire que des paroles lancées sous l'emprise de la colère, car si les paroles s'envolent, le courriel reste. Si vous êtes furieux, tenez-vous loin de votre courrier électronique !

La colère ne fait pas que couper les ponts avec votre passé, mais peut aussi détruire vos voies vers l'avenir. Votre univers professionnel est tout petit. Plus votre poste est élevé dans la hiérarchie, plus votre réseau se rétrécit. Si l'un de vos contacts devait avoir vent de votre amertume, votre prochaine conversation avec celui-ci pourrait s'avérer votre dernière. Si vous n'arrivez pas à contrôler vos émotions lors d'entrevues, une personne habile vous déstabilisera à coup sûr. De nouvelles perspectives ne vous seront pas offertes si l'on vous croit incapable de conjuguer avec le passé. Ce n'est pas le fait que vous ayez perdu votre emploi qui importe aux autres, mais la façon dont vous gérez cette perte.

......................................................................................................................................

**Pensez-y !** Avant d'aborder le sujet avec vos collègues ou vos personnes-ressources, notez les raisons de votre perte d'emploi sur un bout de papier. Exercez-vous à les dire sur un ton confiant et assurez-vous que vos explications soient complètement dénuées de colère ou de ressentiment.

......................................................................................................................................

Il est tout à fait normal d'éprouver de la colère, de la tristesse et de la peur. Mais prenez garde à ne pas exprimer ces sentiments à qui veut bien l'entendre ou de façon à nuire à vous-même ou à d'autres. Pour bien gérer ce changement, vous devez trouver la manière appropriée de comprendre et d'exprimer vos émotions.

Des sentiments qui ne sont pas gérés ne font pas qu'envenimer vos relations ; ils sollicitent toute votre énergie et vous privent de votre créativité. Pour vous engager dans un processus de gestion de carrière positif et orienté vers le futur, vous devrez trouver une issue dans ce dédale de réactions. Il vous faudra peut-être quelques semaines avant de commencer à trouver votre voie, et un peu plus de temps encore pour sortir complètement du labyrinthe, mais vous devez progresser. Il n'y a aucun moyen d'éviter ces émotions ; pour les surmonter, il faut les attaquer de front.

## *Un trajet personnel*

Les stratégies pour vous sortir des méandres de ce labyrinthe émotionnel vous sont propres. Il est impossible de prédire ce qui vous aidera et ce qui vous retardera. Votre réseau de soutien peut vous faire des suggestions et vous remonter le moral, mais vous êtes la seule personne capable de découvrir ce qui fonctionne pour vous. L'important, c'est de mettre à l'épreuve diverses tactiques jusqu'à ce que vous commenciez à progresser.

Lorsque vous vous sentez envahi par d'intenses émotions, le moyen le plus fiable de vous en départir est d'en parler. Même les individus les plus introvertis éprouvent un certain soulagement à exprimer ce qu'ils ont sur le cœur. Mais plusieurs font l'erreur de trop parler ou de s'adresser au mauvais auditoire. Confiez-vous à quelqu'un d'objectif qui a une bonne écoute et qui n'est aucunement lié à votre situation. Une oreille attentive qui ne vous jugera pas et qui ne vous donnera pas d'avis simplistes ou futiles. En fait, lorsqu'on a mal, l'idéal est de ne pas recevoir de conseils du tout. Un bon confident ne fait qu'écouter, sans ramener la conversation à lui-même, et demeure discret.

Une fois que vous aurez trouvé cette personne, racontez-lui votre version des faits, aussi colorée soit-elle, et ajoutez-y tous les commentaires que vous souhaitez. C'est votre chance de vous laisser aller, saisissez-la! Le fait de parler vous aidera à éclaircir vos idées et à mieux comprendre l'amplitude de la situation à gérer. Prenez connaissance des sentiments qui accompagnent chaque changement. Nommez-les. Criez-les ou pleurez-les si cela vous chante. Un bon confident n'en sera pas offusqué.

---

**Pensez-y!** Exprimez vos sentiments en toute sécurité. Pleurez, criez, frappez sur un oreiller, courez, disputez un match de tennis, chantez à tue-tête, nettoyez la maison comme jamais auparavant. Libérez le trop-plein d'émotions sans vous blesser ou faire de mal à quiconque.

---

Vous trouverez de nombreuses autres stratégies au fur et à mesure que vous chercherez des façons de progresser dans le labyrinthe. La liste suivante vous propose certaines activités qui peuvent vous être utiles.

CONSEILS POUR GÉRER LES ÉMOTIONS ACCOMPAGNANT LE CHANGEMENT ET LA PERTE

• Posez un geste symbolique pour marquer ce qui vient de se terminer. Si vos collègues organisent un dîner ou une fête d'adieu, assistez-y. Brûlez vos cartes professionnelles. Déchiquetez une copie du rapport annuel de votre société. Sablez le champagne. Créez votre propre façon de dire au revoir à des habitudes ou à des endroits qui vous sont familiers.

• Écrivez ce que vous vivez. Installez-vous devant votre ordinateur ou achetez un cahier de notes et inscrivez ce qui vous arrive. Songez à tenir un journal de bord. Le fait de suivre l'évolution des émotions ressenties tout au long de la transition de carrière peut s'avérer sage et efficace. Vous constaterez bientôt tout le chemin que vous avez parcouru.

• Retirez-vous temporairement, préférablement dans un endroit que vous aimez. Reposez-vous et réconciliez-vous avec les événements. La solitude guérit souvent de grands maux.

• Prenez votre santé à cœur. Mangez bien, dormez beaucoup et faites de l'exercice. Et si vous êtes malade, prenez le temps qu'il faut pour vous remettre sur pied.

• Relaxez dans une baignoire à remous, rendez visite au massothérapeute, faites des exercices de respiration ou suivez des cours de yoga. Votre corps est un réceptacle à émotions plus que vous le croyez. Relâchez vos muscles et libérez vos sentiments.

- Soyez créatif. Travaillez de vos mains, rénovez une pièce, cultivez un jardin, construisez un patio, peignez, tricotez, cuisinez, façonnez le bois, réparez des objets, sculptez ou cousez. Si c'est relaxant et satisfaisant, faites-le !
- Recueillez-vous dans la spiritualité. Méditez ou priez. Si vous faites partie d'une communauté de foi, cherchez du soutien auprès des gens partageant vos croyances.
- Lisez la biographie d'un personnage célèbre. Il existe nombre d'histoires d'hommes et de femmes qui ont surmonté d'incroyables obstacles et laissé un héritage de courage et d'inspiration.
- Réfléchissez à la façon dont vous avez géré les changements dans le passé. Avez-vous réussi à passer à une autre étape sans trop de difficulté ? Si oui, pouvez-vous adopter les mêmes stratégies cette fois-ci ?
- Limitez, si possible, le nombre de changements s'opérant dans votre vie en même temps.
- Si vous avez très peur, asseyez-vous et pensez au pire résultat que cette situation pourrait engendrer. Puis faites l'inverse ; imaginez le meilleur scénario possible et visualisez ce qui se passerait. Écrivez sur un bout de papier ce qu'il vous faudrait pour que ce souhait devienne réalité. Fixez-vous au moins un objectif réalisable.
- S'amuser, c'est sérieux. Les activités plaisantes sont habituellement les premières que l'on écarte lors des moments difficiles. Il peut sembler inutile de réserver du temps au divertissement, mais vous avez besoin de vous laisser aller maintenant plus que jamais !
- Riez. Cherchez l'humour dans tout. Louez une comédie au club vidéo. Invitez vos amis les plus festifs pour un souper. Demandez aux gens de vous raconter leur meilleure blague.

### *Aidez vos proches à s'adapter à votre changement de carrière*

Lorsque vous perdez un emploi, vous n'êtes pas la seule personne à vivre cet événement. Ceux qui vous aiment et qui comptent sur vous peuvent ressentir une perte sur le plan de la sécurité financière ou alors s'ennuyer des événements corporatifs annuels et conversations quotidiennes avec vos collègues. Leur incapacité à contrôler la situation s'ajoute à ce sentiment. Pour eux, cela peut s'apparenter à glisser sur de la glace noire lorsqu'on n'est pas au volant de la voiture.

Vos proches pourraient vivre des émotions tout à fait différentes des vôtres. Alors que vous éprouvez de la crainte et de la tristesse, votre conjoint(e) pourrait se mettre en colère parce qu'on vous a fait du tort. Cette divergence est susceptible de créer des tensions si vous n'arrivez pas à voir que votre entourage a également besoin d'exprimer librement ses émotions et d'y faire face à sa façon. La communication, la compréhension et le soutien sont essentiels pour vous, autant que pour les autres.

Le bouleversement créé par l'incertitude, en plus des diverses réactions de vos proches, exerce une pression considérable sur vos relations. Même si vous vous êtes montrés forts les uns pour les autres jusqu'ici, le long trajet à parcourir pourrait présenter son lot de défis. Pour vous aider, voici quelques principes de base :

- Tout d'abord, prenez soin de vous et accordez du temps à la gestion de vos émotions.
- Laissez à vos proches la liberté de vivre leurs propres sentiments et de les gérer à leur façon.
- Établissez un plan de communication avec chaque personne qui doit être informée de votre progrès. Entendez-vous sur un moment précis pour en parler et structurez le contexte de cette conversation. De cette façon, vous éviterez toute interaction non souhaitée qui, à vos yeux, ressemblerait davantage à une critique qu'à de l'aide.

*Après plusieurs jours remplis d'anxiété et de conflits, un mari et sa femme décidèrent de ne discuter de la recherche d'emploi qu'une seule fois par semaine. Ils se réservèrent le jeudi soir et convinrent d'une certaine procédure pour leurs conversations. Ils répondirent tour à tour aux questions suivantes sans interruption : « Comment s'est passée cette semaine pour toi ? », « Qu'y a-t-il eu d'encourageant ? », « Qu'y a-t-il eu de décourageant ? », « Puis-je t'aider ? », « Quelle activité pourrions-nous faire cette fin de semaine pour nous amuser ? » Les suggestions, les opinions et les conseils n'étaient pas permis à moins d'en faire la demande. Personne ne s'attendait à obtenir des solutions. Ce processus réduisit considérablement la tension entre les deux.*

Ne soyez pas surpris si vos enfants réagissent aussi. Les jeunes de tout âge peuvent exprimer leur anxiété de diverses façons : disputes avec la famille, baisse de notes et désobéissance aux règles de la maison. Si vous leur demandez ce qui ne va pas, ne vous attendez pas à ce qu'ils fassent un lien entre leur comportement et votre situation. Le mieux est d'écouter ce qu'ils ressentent et trouver un moyen de les aider à gérer leur problème. Les réactions et la résistance opposée peuvent différer chez chaque enfant. Certains feront preuve d'un grand soutien au début, puis seront tentés de baisser les bras à la suite d'une période de stress prolongée.

Les enfants en bas âge ressentiront le stress, peu importe ce que vous leur direz. Ils seront effrayés s'ils voient leurs parents pleurer ou se disputer. Démontrez-leur que vous les aimez autant qu'avant et lorsque vos émotions prennent le dessus, évacuez-les hors de leur vue. Ils doivent être informés qu'ils ne sont pas la cause de cette tension. Ils se fieront aux sentiments que vous exprimez, essayez donc de transmettre des messages dynamiques et positifs.

Les jeunes enfants tiennent à leur routine. Ils veulent savoir s'ils pourront continuer d'exercer leurs activités favorites comme le hockey ou les cours de natation. Une fois que vous leur aurez expliqué ce qui changera pour eux pendant que vous cherchez du travail, tout en les rassurant, ils devraient se montrer compréhensifs, et ce, tant et aussi longtemps que vous semblerez bien. Convenez avec eux de ce qu'ils pourront dire à leurs amis à votre sujet.

Les jeunes âgés de huit à douze ans réagissent comme vous, mais forgent aussi leur propre façon d'assimiler les événements. Certains préadolescents poseront des questions très franches qui mériteront des réponses honnêtes. Parlez un peu de vos sentiments tout en leur assurant que vous contrôlez la situation. Par exemple, vous pourriez dire : « J'ai un peu peur, mais je parle à plusieurs personnes pour trouver un autre emploi. Tout ira bien ». D'autres jeunes de cet âge pourraient broyer du noir ou imaginer le pire. En passant du temps à discuter avec eux, vous garderez les lignes de communication ouvertes et serez plus en mesure de comprendre leurs inquiétudes. L'influence des pairs peut être significative pour les préadolescents ; ils pourraient se sentir bombardés par des idées immatures et des préjugés. Vous devez fréquemment leur parler et leur offrir du réconfort.

Les adolescents peuvent être plus réalistes quant à ce qu'implique la perte d'un emploi. Ils sont capables de faire la part des choses entre la situation et le rôle qu'ils y jouent et auront leur propre réaction émotive. Ils vous considèrent comme un modèle. Expliquez-leur les faits et demandez leur appui afin d'aider votre famille. Les solutions ne sont pas aussi simples qu'ils peuvent le croire et il est parfois difficile de rester patient face à leurs commentaires. Toutefois, il peut être surprenant de voir à quel point certains adolescents réagissent de façon mature et offrent des contributions pertinentes. Soyez-en reconnaissant et acceptez cette aide, mais évitez qu'ils ne s'approprient des responsabilités irréalistes. Une fois de plus, la communication est la clé et vos adolescents apprendront énormément de la façon dont vous gérerez cette situation.

En parvenant à bien contrôler les émotions qui accompagnent votre transition de carrière, vous réconforterez vos enfants et vos proches. Rassurez les membres de votre famille en leur répétant souvent que vous vous sortirez de ce dur moment. Dites-leur que vous les aimez et serrez-les dans vos bras.

### *Le retour de l'espoir*

Votre parcours dans le labyrinthe des émotions sera long et plein de hauts et de bas, de progrès et d'embûches. Félicitez-vous à chaque étape que vous franchissez. Votre objectif est d'assumer vos émotions et d'utiliser les stratégies qui s'imposent pour les affronter. L'espoir reviendra.

Graduellement, vous sentirez un retour à la normale. Vous constaterez que votre faculté de concentration augmente et que vous vous réintéressez à ce qui se passe autour de vous. Des pensées créatrices et des regains d'énergie apparaîtront au fur et à mesure que l'issue du labyrinthe se rapprochera. Poursuivez votre route dans la bonne direction et ne faites qu'un avec vos émotions.

Les gestes à poser pour bien gérer votre départ forment les premières étapes du jeu qu'est la transition de carrière. À présent que la décision est prise, que les détails sont réglés et que votre trajet dans ce dédale d'émotions est sous contrôle, il est temps d'avancer.

# Élaborez votre stratégie

*Nous sommes ce que nous faisons.*

### Objectifs

Cette étape vous permet de revoir ce que vous avez accompli jusqu'ici et ce que vous voulez entreprendre à présent. Elle vous aidera à identifier ce que vous avez à offrir au marché du travail. Vous analyserez votre situation professionnelle en profondeur et terminerez avec un exercice de ciblage stratégique. Les chapitres de la deuxième partie vous permettront :
- d'effectuer un survol de votre carrière et de dresser un bilan personnel ;
- d'identifier votre avantage stratégique ;
- d'évaluer votre équilibre entre le travail et les autres aspects de votre vie ;
- de déterminer les options autres qu'un emploi traditionnel ;
- de planifier une retraite éventuelle ;
- de reconnaître l'emploi idéal ;
- de préparer une première analyse du marché ;
- de cibler les secteurs où vous croyez que votre potentiel pourrait correspondre aux besoins du marché.

### Règles à suivre

- Le travail de réflexion auquel vous vous adonnerez est essentiel. Accordez-vous le temps et la liberté nécessaires à l'exploration des questions abordées dans les chapitres suivants.
- Si, à un certain moment, vous vous sentez coincé, ne vous forcez pas à répondre. Conservez ces questions pour plus tard ou afin d'explorer davantage l'aspect évoqué.
- Chaque fois que vous terminerez une section, relisez-la et réfléchissez à ce que vous avez écrit afin d'en dégager des thèmes ou des lignes directrices.
- Notez vos pensées comme bon vous semble. Utilisez votre ordinateur, dessinez des diagrammes, des images, des tableaux, des graphiques, enregistrez-vous de vive voix ou écrivez sur du papier.
- N'utilisez les tests d'évaluation que lorsque vous aurez terminé votre propre travail d'introspection.
- Ces renseignements sont personnels, vous n'êtes pas tenu de les partager avec qui que ce soit, à moins que vous ne le jugiez utile.

### *Gestes qui peuvent vous retarder*

- Passer outre cette section en croyant qu'il s'agit d'une perte de temps.
- Penser que vous pourrez y revenir plus tard et sauter directement à la section curriculum vitæ afin de réintégrer le marché du travail le plus vite possible.
- Donner des réponses superficielles.
- Réfléchir à ces questions sans noter vos réflexions.
- Éviter de penser à des emplois qui ont été des échecs à vos yeux. L'adversité a beaucoup à nous apprendre.
- Négliger de consulter votre réseau de soutien et des conseillers qui pourraient vous remettre les pieds sur terre.
- Permettre aux opinions des autres de dominer les vôtres. Soyez vous-même.
- Consacrer trop de temps à ce processus de réflexion, ce qui retarderait les prochaines étapes.

Consultez l'annexe A. Dans la deuxième partie, vous travaillerez sur l'analyse de votre situation et sur le ciblage stratégique.

Chapitre 4

# Une pause pour réfléchir

*Tout ce qui est passé est prologue.*

Avec une autoévaluation en profondeur et une bonne planification, vous pourrez évoluer sur un parcours professionnel adapté à vos besoins. Vous avez peut-être déjà profité d'occasions au fur et à mesure qu'elles se présentaient, qu'il s'agisse de la progression de carrière proposée par votre entreprise ou alors de l'appel d'un chasseur de têtes. Dans cet ancien type de gestion de carrière, on accordait davantage d'importance à l'avancement dit «traditionnel» qu'à la poursuite d'un emploi qui nous plaît. À présent, le nouveau monde du travail vous invite à comprendre qui vous êtes et à découvrir la place qui vous convient le plus dans cet environnement.

Vous n'êtes plus le même individu que vous étiez lors de votre entrée sur le marché du travail. Pas plus que vous n'êtes la même personne qu'il y a dix ans, voire cinq. Voici votre chance de faire le bilan de vos réalisations et de déterminer où vous en êtes afin de vous ouvrir toutes les portes. Prenez le temps de compléter les exercices suivants. Notez vos réflexions selon la méthode de votre choix. Détendez-vous et amusez-vous ; ce processus pourrait s'avérer très satisfaisant et même vous redonner confiance en vous. Vous avez beaucoup à offrir et toutes vos expériences forment un atout précieux.

........................................................................................................................

**Pensez-y !** Si vous songez à entreprendre un changement de carrière important, retirez-vous afin de méditer sur cette décision. Les entreprises envoient habituellement leurs employés à des ateliers qui ont lieu à l'extérieur de l'organisation lorsqu'une réflexion stratégique à long terme s'impose. Planifiez cet atelier vous-même ! Allez dans un endroit où vous vous sentez complètement détendu et profitez d'un peu de solitude pour faire le point.

........................................................................................................................

### Tracez votre historique

Examinez votre passé en traçant votre historique. Commencez par recenser vos souvenirs les plus anciens et avancez chronologiquement, en notant les personnes et les événements qui ont influencé vos décisions, surtout celles reliées à l'orientation de votre carrière. Divisez votre tableau en intervalles ou chapitres correspondant aux grandes périodes de votre vie. Assurez-vous d'y inclure des expériences qui ont eu lieu à l'extérieur du milieu de travail. Inspirez-vous du tableau suivant et créez le vôtre grâce à la feuille de travail. Puis, suivez les directives qui vous aideront à vous rappeler l'évolution qu'a connue votre carrière.

DIRECTIVES POUR ANALYSER VOTRE HISTORIQUE

• À chaque chapitre de votre histoire, répondez aux questions suivantes:
  • Quelles étaient vos ambitions et quelle direction prenait votre carrière à cette époque?
  • Quelles expériences ou quels événements significatifs ont influencé votre vision des choses?
  • Qui étaient vos modèles?
  • Qui avaient des comportements inappropriés?
  • Quels chemins avez-vous pris et lesquels avez-vous évités?
  • Quelles occasions auriez-vous aimé avoir et pourquoi n'étaient-elles pas disponibles?
  • Qu'est-ce qui vous a poussé à clore ce chapitre et à passer à autre chose?
  • Que signifiait le mot «retraite» pour vous à cette époque?
  • Si vous pouviez récrire certaines parties de votre histoire, à quoi ressemblerait la version revue et corrigée?
  • Quels aspects de vos rêves n'ont toujours pas été réalisés?

## Historique d'un entrepreneur

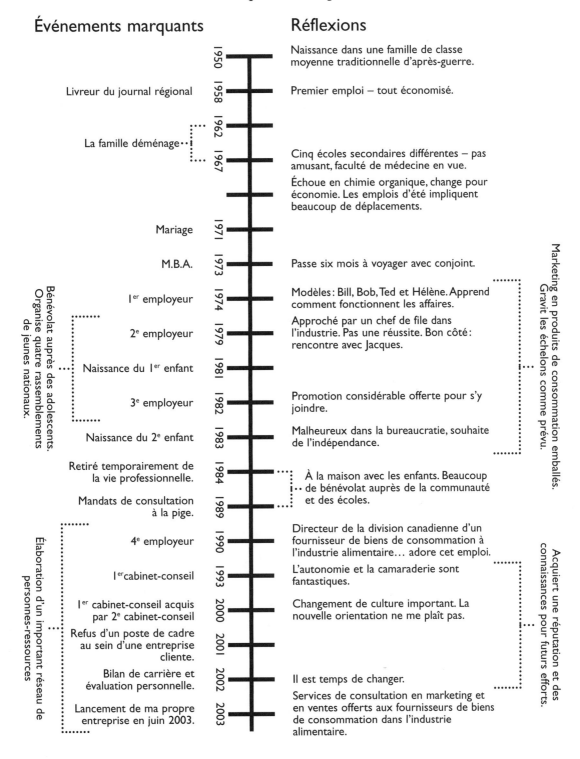

## Événements marquants

Livreur du journal régional

La famille déménage

Mariage

M.B.A.

1er employeur

2e employeur

Naissance du 1er enfant

3e employeur

Naissance du 2e enfant

Retiré temporairement de la vie professionnelle.

Mandats de consultation à la pige.

4e employeur

1er cabinet-conseil

1er cabinet-conseil acquis par 2e cabinet-conseil

Refus d'un poste de cadre au sein d'une entreprise cliente.

Bilan de carrière et évaluation personnelle.

Lancement de ma propre entreprise en juin 2003.

Bénévolat auprès des adolescents. Organise quatre rassemblements de jeunes nationaux.

Élaboration d'un important réseau de personnes-ressources

## Réflexions

Naissance dans une famille de classe moyenne traditionnelle d'après-guerre.

Premier emploi – tout économisé.

Cinq écoles secondaires différentes – pas amusant, faculté de médecine en vue.

Échoue en chimie organique, change pour économie. Les emplois d'été impliquent beaucoup de déplacements.

Passe six mois à voyager avec conjoint.

Modèles : Bill, Bob, Ted et Hélène. Apprend comment fonctionnent les affaires.

Approché par un chef de file dans l'industrie. Pas une réussite. Bon côté : rencontre avec Jacques.

Promotion considérable offerte pour s'y joindre.

Malheureux dans la bureaucratie, souhaite de l'indépendance.

À la maison avec les enfants. Beaucoup de bénévolat auprès de la communauté et des écoles.

Directeur de la division canadienne d'un fournisseur de biens de consommation à l'industrie alimentaire… adore cet emploi.

L'autonomie et la camaraderie sont fantastiques.

Changement de culture important. La nouvelle orientation ne me plaît pas.

Il est temps de changer.

Services de consultation en marketing et en ventes offerts aux fournisseurs de biens de consommation dans l'industrie alimentaire.

Marketing en produits de consommation emballés. Gravit les échelons comme prévu.

Acquiert une réputation et des connaissances pour futurs efforts.

1950 1958 1962 1967 1971 1973 1974 1979 1981 1982 1983 1984 1989 1990 1993 2000 2001 2002 2003

FEUILLE DE TRAVAIL 4.1
**Votre historique**

Événements marquants                    Réflexions

*Identifiez vos réalisations*

Repensez à votre carrière et à vos activités de bénévolat et rappelez-vous toutes ces fois où vous avez éprouvé une certaine fierté ou de la satisfaction. Les histoires importantes sont celles mettant en scène des réalisations significatives à vos yeux. Peut-être était-ce dans le cadre de votre travail? Peut-être avez-vous été reconnu ou récompensé; ou peut-être avez-vous été le seul à l'avoir remarqué? Ces événements ont pu se dérouler pendant plusieurs années ou exister l'instant de quelques secondes. Pensez-y. Rappelez-vous ces moments où vous vous êtes dit: « Je suis tellement heureux d'être qui je suis et de faire ce que je fais. » Ces moments sont habituellement considérés comme étant des accomplissements ou des sommets.

Vos expériences personnelles, vos engagements bénévoles et votre implication dans votre communauté sont importants pour cet exercice, mais ils ne peuvent remplacer les réalisations au travail. Continuez à réfléchir jusqu'à ce que vous ayez recueilli au moins cinq histoires reliées à vos emplois, sans en dépasser dix. Vos habiletés et vos valeurs s'y trouvent gravées. Utilisez les conseils suivants et la feuille de travail pour inscrire vos réalisations.

.................................................................................................................................

**Pensez-y!** À ce stade-ci, vous n'avez pas à vous inquiéter de ce qui vous attend. Plongez au cœur de vos expériences afin d'y trouver les indices enfouis sur votre avenir!

.................................................................................................................................

CONSEILS POUR NOTER VOS RÉALISATIONS ET LES ANALYSER

- Tout d'abord, détendez-vous et laissez votre passé refaire surface. Recueillez le nombre d'histoires que vous voulez. N'en éliminez pas.
- Choisissez-en environ dix auxquelles vous tenez le plus. Pour chacune d'entre elles, inscrivez le contexte, l'endroit et les gens qui s'y rapportent. Notez les dates approximatives.
- Analysez chacun des récits en employant la formule « Situation – Action – Résultat »:
  - **Situation:** Que s'est-il passé? Étiez-vous aux prises avec un problème ou un défi? S'agissait-il d'une occasion? Sans votre participation, que serait-il arrivé? Pourquoi cela vous tenait-il à cœur? Qu'est-ce qui vous a motivé à agir?
  - **Action:** Qu'avez-vous fait?
  - **Résultat:** Quels ont été les résultats de vos efforts et de vos activités?
- Qu'ont en commun vos histoires? Est-ce le désir d'être en contrôle, d'avancer dans votre carrière, de générer des profits, de mettre sur pied une équipe, de résoudre des problèmes, d'aider les gens, d'améliorer des processus, de créer ou de briser le statu quo?
- À quelles habiletés avez-vous fait appel lors de ces réalisations?
- Quels thèmes semblent récurrents?

*Une gestionnaire en ressources humaines d'une importante société décentralisée fut mutée à la région possédant le plus grand nombre d'employés. Son mandat était de former une équipe des ressources humaines qui pourrait à la fois contribuer à la stratégie d'affaires et normaliser les politiques et procédures. Elle commença par noter les besoins et les attentes des gestionnaires. En moins de 18 mois, elle put implanter des programmes de recrutement et d'orientation qui réduisirent le taux de roulement de 34 à 18 pour cent, récompenser le groupe en fonction de la satisfaction de la clientèle, améliorer de 52 pour cent l'évaluation globale, restructurer le ratio employés professionnels/employés du service à la clientèle, tout en générant des économies de 21 pour cent du côté des salaires. Son modèle fut ensuite appliqué à travers l'ensemble de la société.*

Vous pourriez éprouver de la difficulté à identifier vos réalisations si vos émotions sont à vif ou si vous êtes insatisfait de votre travail depuis trop longtemps. Dans ce cas, essayez d'identifier des situations où vous étiez vraiment frustré, découragé ou au bout du rouleau. Ces histoires vous indiqueront probablement les moments où vous n'avez pas recouru aux habiletés que vous aimez utiliser et où vous avez ignoré les valeurs qui vous sont les plus chères.

Le but de cet exercice est de redécouvrir ce qui est important pour vous et ce qui vous valorise. Peu importe la méthode utilisée, vous vous souviendrez de quelques événements qui mettent en relief ce que vous avez de mieux à offrir.

......................................................................................................................................

**Pensez-y!** La formule «Situation – Action – Résultat» utilisée lors de vos récits deviendra la pierre angulaire de vos communications tout au long de votre processus de recherche d'emploi. Il s'agit d'une méthode efficace pour démontrer vos habiletés et vos forces à autrui.

......................................................................................................................................

---

FEUILLE DE TRAVAIL 4.2
**Notez vos réalisations**

---

Énumérez au moins cinq réalisations reliées à votre travail et quelques-unes provenant de vos expériences bénévoles, de votre engagement communautaire et de votre vie personnelle.

**Exemple :**
  **Situation :** Manque de soutien efficace et approprié de la part des familles de patients souffrant de la maladie d'Alzheimer en soins de longue durée, et ce, dû à une éducation familiale inadéquate.
  **Action :** J'ai dirigé un comité de médecins, d'infirmiers et de spécialistes pour mettre sur pied des programmes de formation et de soutien.
  **Résultat :** J'ai animé 36 sessions au cours d'une période de 18 mois, ce qui a généré une meilleure compréhension et une plus grande implication des familles et, ainsi, diminué la pression exercée auprès du personnel infirmier.

1.  **Situation :**
    **Action :**
    **Résultat :**


2.  **Situation :**
    **Action :**
    **Résultat :**


3.  **Situation :**
    **Action :**
    **Résultat :**


4.  **Situation :**
    **Action :**
    **Résultat :**


5.  **Situation :**
    **Action :**
    **Résultat :**

### *Les gens de votre passé*

Les collègues de travail possèdent le pouvoir de rendre n'importe quel projet agréable ou pénible. Pour dresser un bilan exhaustif de votre vie professionnelle, il est important de tenir compte des personnalités, des styles et des compétences des personnes qui en ont fait partie. Vous pourrez ainsi mieux choisir votre prochain milieu de travail.

Pensez aux patrons, supérieurs, collègues, employés, clients, fournisseurs et autres individus de votre passé. En utilisant la feuille de travail 4.3 comme référence, indiquez le plus de noms possible dans chaque catégorie. Ensuite, tentez de relever les caractéristiques propres à chaque personne ayant eu une influence considérable sur votre succès, votre développement et votre comportement, qu'elle ait été positive ou négative. Les découvertes sont parfois plus grandes lorsqu'on se penche sur les mauvaises expériences.

La dernière partie de chaque section de l'exercice vous invitera à concevoir un profil type des individus qui pourraient créer un environnement de travail chaleureux et dynamique à ce stade-ci de votre carrière.

*Un homme d'affaires, septuagénaire à la semi-retraite, employé dans un cabinet de consultation, cherchait intentionnellement à travailler avec de nouvelles entreprises de commerce électronique. Il savait qu'on y retrouve habituellement de jeunes gens dans la vingtaine et l'exposition à toutes ces nouvelles idées lui donnait l'impression de rajeunir et d'être dynamique. Ses clients bénéficièrent ainsi de conseils remplis de sagesse et d'un accès à un vaste réseau de personnes-ressources s'étendant à plusieurs secteurs. Tout le monde y gagna!*

---

**Pensez-y!** Il existe plusieurs livres sur la gestion et les types de leadership qui pourraient vous servir de guides additionnels dans votre réflexion.

---

| | FEUILLE DE TRAVAIL 4.3<br>**Songez à votre entourage au travail** |
|---|---|
| **Noms à considérer** | **Style, caractéristiques et compétences** |
| **Patrons et autres superviseurs** | • Comment déléguaient ceux qui ont réussi à tirer le meilleur de vous-même (de manière spécifique, générale ou à l'aide de directives)? Quels étaient leurs façons de communiquer, de prendre des décisions, de vous confronter et de vous représenter? Quels types de récompenses ou de reconnaissance obteniez-vous? Quels étaient leurs points forts? S'appuyaient-ils sur l'esprit d'équipe, le développement des subordonnés, la planification de stratégies, l'implantation, l'organisation, les ventes ou les communications?<br><br>• Répondez aux mêmes questions pour les personnes qui ont su soutirer le pire de vous-même.<br><br>• Vos besoins en terme d'encadrement ont-ils changé?<br><br>• Créez le profil du patron idéal pour vous, à cette étape de votre carrière. |

| Noms à considérer | Style, caractéristiques et compétences |
|---|---|
| **Collègues et pairs** | • Comment décririez-vous les collègues et les pairs avec qui vous comptez le plus de réalisations?<br><br>• Comment décririez-vous ceux avec qui vous en avez accompli le moins?<br><br>• De quelle façon définiriez-vous les collègues et les pairs que vous avez le plus et le moins appréciés?<br><br>• Quelles étaient les sources de tension habituelles entre vos collègues et vous?<br><br>• Votre besoin d'interaction a-t-il changé avec le temps?<br><br>• Décrivez le groupe de collègues et de pairs qui serait idéal pour vous. |

| Noms à considérer | Style, caractéristiques et compétences |
|---|---|
| **Subordonnés** | • En tant que superviseur ou gestionnaire, quelles ont été vos expériences les plus mémorables? |
| | • Quels subalternes ont été les plus remarquables? Les plus difficiles? Pourquoi? |
| | • Quels ont été vos plus grands défis en tant que gestionnaire? |
| | • Comment pensez-vous que vos subalternes les plus remarquables et les plus difficiles décriraient votre style de gestion? |
| | • Si vous pouviez mettre sur pied une équipe entière, quels styles, caractéristiques et compétences rechercheriez-vous? |
| | • Aimez-vous gérer des employés? |

| Noms à considérer | Style, caractéristiques et compétences |
|---|---|
| **Clients et autres contacts à l'extérieur de l'entreprise** | • Comment décririez-vous les clients et autres contacts à l'externe avec qui vous avez bâti d'excellentes relations?<br><br>• Quels types de personnalités et de styles ont généré des conflits entre vous et les gens à l'extérieur de votre entreprise?<br><br>• Comment croyez-vous que vos contacts à l'externe décriraient vos traits de caractère et votre style?<br><br>• Aujourd'hui, quels types d'individus formeraient un groupe idéal de contacts à l'externe? |

### *Culture organisationnelle*

Chaque entreprise possède sa propre personnalité et des caractéristiques qui ont un impact considérable sur la façon dont s'effectue le travail et sur le bien-être de ses employés. Si vous n'êtes pas compatible avec la mentalité de votre milieu professionnel, vous pourriez avoir toute une bataille à livrer.

Pensez à la façon dont vous avez réagi par rapport à la culture d'une entreprise, d'un service ou d'une équipe spécifique. Si votre carrière vous a fait vivre de nombreuses situations, conservez seulement les plus significatives. Assurez-vous de bien faire la différence entre les valeurs culturelles prônées par l'employeur et celles qui étaient véritablement appliquées. L'écart pourrait vous surprendre.

*Le charismatique directeur général d'une petite boîte de services financiers pour entreprises décida de mettre le service à la clientèle en haut de la liste des valeurs de son entreprise. Il travaillait fort pour que ses employés et ses personnes-ressources à l'externe comprennent le message. Cependant, les seules questions qu'il s'obstinait à poser à son personnel étaient: «Sur quels dossiers travaillez-vous?» ou «Comment va le contrat avec XYZ?». Tout le monde savait bien ce qui lui importait vraiment.*

L'examen de votre compatibilité avec les différentes facettes d'une culture organisationnelle est une étape importante lorsque vient le temps de choisir une option de carrière. Pensez à vos expériences et déterminez chaque aspect «culturel» ayant influencé votre satisfaction au travail. Guidez votre analyse en fonction des questions que vous trouverez sur la feuille de travail suivante.

........................................................................................................................................................

**Pensez-y!** Les gens qui ont passé l'ensemble de leur vie professionnelle au sein de la même entreprise éprouvent de la difficulté à déterminer comment ils réagiront dans une nouvelle culture. Vos réseaux d'amis et de collègues à l'externe pourraient vous y aider. Demandez-leur des exemples de cultures qu'ils ont déjà connues. Il se peut que cette feuille de travail s'avère précieuse lorsque viendra le temps d'analyser des entreprises potentielles.

........................................................................................................................................................

| FEUILLE DE TRAVAIL 4.4 | |
|---|---|
| **Analysez votre compatibilité avec diverses cultures organisationnelles** | |
| **Aspects à considérer** | **Questions à considérer** |
| **Taille et structure** | • De quelle taille était l'entreprise où vous travailliez? Combien y avait-il de services et d'employés? |
| | • S'agissait-il d'une structure centralisée ou décentralisée? Y existait-il plusieurs niveaux de hiérarchie ou était-ce une structure plutôt plane? |
| | • L'entreprise était-elle d'envergure internationale, régionale ou locale? |
| **Prise de décision et communication** | • Comment les décisions étaient-elles prises et aviez-vous facilement accès aux individus qui les prenaient? |
| | • Quel moyen de communication favorisait-on? Les messages importants étaient-ils livrés en personne ou par écrit? L'information était-elle diffusée efficacement aux individus appropriés? |
| | • Les cadres de l'entreprise étaient-ils accessibles? |
| | • S'agissait-il d'un environnement de travail plutôt fermé ou ouvert? Formel ou informel? |
| | • De quelle façon recevait-on les commentaires et les critiques constructives? |
| **Compatibilité avec vos valeurs** | • Les politiques et les procédures étaient-elles très structurées ou permettait-on une certaine liberté de penser et d'agir? |
| | • Votre entreprise était-elle réputée pour son équité et son ouverture face à la diversité culturelle? |
| | • Quelles réalisations étaient reconnues et récompensées? |
| | • Pour l'avancement, comment décririez-vous les personnes qui en ont bénéficié? S'agissait-il d'un principe fondé sur les années de service ou sur l'apport d'importantes contributions? |
| | • Y avait-il une différence marquée entre les valeurs prônées et celles qui étaient véritablement récompensées et appréciées? |
| | • Qu'est-ce qui vous valorisait? |

### *Développement éducationnel et professionnel*

Cette transition de carrière serait-elle l'occasion idéale pour effectuer votre retour aux études ? Quels cours suivriez-vous et quels impacts auraient-ils sur votre avantage stratégique ? S'il vous manque quelques connaissances pour bien entamer la prochaine étape de votre carrière, pensez à les acquérir. Une mise à jour des théories et des pratiques actuelles confère un énorme avantage, et ce, peu importe le secteur. Dans certaines industries, une formation à jour dans les technologies et les processus de pointe est essentielle pour rester dans le coup.

Si vous voulez actualiser vos compétences, assurez-vous d'avoir bien réfléchi à vos projets à long terme. La formation continue peut s'avérer très coûteuse, en temps et en argent. Choisissez consciencieusement votre institution et vos cours. Sachez exactement ce qu'on attendra de vous et de quelle façon ces études vous aideront dans votre cheminement professionnel.

Grâce à vos personnes-ressources, déterminez de quel œil les employeurs potentiels verront la formation que vous souhaitez compléter. Fixez un rendez-vous avec le responsable du programme et demandez-lui dans quelles entreprises les récents diplômés ont décroché un emploi. Discutez avec quelques-uns d'entre eux et demandez-leur quelles autres institutions ils avaient considérées ou ce qui les a convaincus de leur choix. S'ils en avaient la possibilité, agiraient-ils différemment ?

### *Le travail à l'extérieur du bureau*

Lors de la création de votre historique et de l'identification de vos réalisations, vous avez été encouragé à inclure vos expériences autres que professionnelles. À présent, réfléchissez aux personnes que vous avez appris à connaître à travers ces engagements, expériences et activités. En vous référant aux feuilles de travail, choisissez les questions qui vous guideront dans la réflexion à propos de vos relations à l'extérieur du travail. Les gens avec qui vous avez aimé collaborer lors d'activités bénévoles ou autres peuvent vous servir de modèle dans la création de votre groupe de collègues idéal.

Pensez à des organismes pour lesquels vous consacrez temps et énergie. Participez-vous activement aux événements de votre secteur d'activité ou d'une association professionnelle ? Mettez-vous sur pied des campagnes de financement pour des œuvres de charité ? Êtes-vous actif dans le milieu politique, impliqué auprès de l'école de vos enfants ou dans un organisme religieux ? Siégez-vous au conseil d'administration d'un club sportif ? Quel rôle jouez-vous au sein de ces organismes ? Ce rôle vous plaît-il ? Avez-vous pensé à vous joindre à d'autres groupes ? Si oui, pourquoi ne l'avez-vous pas fait ? Quelle fonction souhaiteriez-vous avoir ?

Une transition de carrière peut vous offrir l'occasion d'effectuer des changements dans vos engagements bénévoles. Déterminez ce qui vous tient à cœur et prenez des décisions réfléchies à mesure que vous avancez. Envisagez l'option de vous retirer de toute implication qui vous épuise sans vous apporter suffisamment de satisfaction personnelle.

### *Loisirs et champs d'intérêt*

Comment meublez-vous vos temps libres ? Même si vous n'avez pu vous consacrer à vos passe-temps et à vos champs d'intérêt récemment, repensez-y car ils pourraient vous remonter le moral au cours de votre processus de transition.

Certaines personnes ont décidé de transformer leur passe-temps en gagne-pain, en comptant un peu sur leur pension ou sur une autre source de revenus. Habituellement, les passe-temps offrent davantage un équilibre de vie qu'une possibilité de gros profits.

*Une spécialiste en recherche dans le domaine de l'assurance sut combiner sa facilité à trouver de petits bouts d'information et son désir de réunir des familles. Ainsi, elle démarra chez elle une entreprise aidant ses clients à trouver un membre de leur famille ou des amis qui avaient été perdus de vue. Puisque son travail faisait appel aux technologies d'Internet, elle put déménager dans une petite ville où le coût et la qualité de vie correspondaient davantage à ses propres valeurs.*

### Bouclez la boucle

Idéalement, le fait de vous être replongé dans votre passé vous aura rafraîchi les idées quant à votre avenir. Du moins, ce processus devrait vous avoir aidé à déterminer ce qui vous a déplu et ce que vous ne souhaitez pas répéter. Pour conclure, répondez à ces questions : si vous pouviez revivre une période spécifique de votre passé professionnel, quel moment choisiriez-vous et pourquoi ?

La prochaine étape de ce processus de réflexion vous permettra de brosser un portrait de la personne que vous êtes aujourd'hui.

---

**Pensez-y !** Il est possible que vous éprouviez toujours des sentiments négatifs concernant votre ancien emploi. Peut-être auriez-vous simplement besoin de plus de temps pour cicatriser ? Cependant, le problème pourrait être plus complexe. Soyez indulgent envers vous-même et cherchez de l'aide auprès d'un conseiller professionnel ou de votre médecin.

---

Chapitre 5

# *Cernez votre avantage stratégique*

*Entrez en concurrence là où vous possédez un avantage.*

Misez sur vos forces. Le meilleur moyen de vous mettre en valeur et d'obtenir un maximum de satisfaction au travail est de combiner votre style, vos compétences, vos connaissances, vos champs d'intérêt et vos valeurs. C'est cette association unique qui rend votre approche très difficile à imiter. Voici ce qu'on appelle un avantage stratégique. Ne tentez pas d'obtenir un travail qui n'en requiert ou n'en valorise aucun élément. En prenant le temps de définir cet avantage, vous serez susceptible de trouver une perspective d'emploi qui intégrera *ce que vous faites* et *qui vous êtes*.

Que vous ayez décidé de modifier légèrement votre orientation ou de prendre une toute autre direction, vous devez dresser le bilan de vos habiletés et de vos connaissances et brosser un portrait de votre style personnel. Ces éléments forment les composantes traditionnelles des exigences requises pour un emploi et sont essentiels à votre cheminement. Si vous réussissez en plus à intégrer vos champs d'intérêt et vos valeurs dans votre prochain travail, vous aurez su tirer le maximum de cette transition.

........................................................................................................................

**Pensez-y !** Ne cherchez pas à remplacer cette démarche par un test quelconque. Aucun test ne vous dictera qui vous êtes et ce que vous devriez faire. Entamez d'abord un processus de réflexion ; vous vous connaissez bien. Il se pourrait que vous ne puissiez pas avoir immédiatement une vision claire de l'emploi idéal, mais soyez sans crainte, il se trouve quelque part sur votre écran radar.

........................................................................................................................

Prenez des notes au cours des prochaines sections, elles vous seront utiles lorsque vous concevrez une description spécifique, factuelle et professionnelle de qui vous êtes. Cette description vous sera précieuse tout au long de votre processus de transition de carrière.

### *Votre style personnel*

Votre style personnel est la somme de toutes vos qualités distinctes. Il décrit la façon dont vous abordez votre travail et vos relations interpersonnelles. Il caractérise votre manière de travailler. Une fois que vous avez compris votre style, vous avez la possibilité de choisir les tâches et les relations qui y font appel. Vous pouvez éviter des situations incompatibles ou adapter votre style aux circonstances qui n'ont pas recours à vos forces.

Vous êtes sûrement conscient de vos traits de caractère dominants. Vous vous connaissez et on vous a déjà louangé pour vos forces et critiqué pour vos faiblesses. Mais les aspects plus subtils de votre style vous sont peut-être cachés. Cherchez des indices dans vos évaluations de rendement ou à travers les commentaires qu'on a pu vous faire. Demandez à des collègues en qui vous avez confiance de vous donner un coup de main.

> *Une jeune femme se décrivit à un conseiller en transition de carrière en énumérant ce qu'elle aimait faire à l'école secondaire, à l'université et lors de ses emplois d'été. Il était évident qu'elle était créative, tranquille, intellectuelle, non conformiste et spontanée. Pas étonnant que son poste de gestionnaire d'un service d'exploitation au sein d'une énorme société bureaucratisée l'ait rendue si malheureuse.*

Sachez que si vous adoptez un changement de carrière majeur, votre style vous suivra même si vous laissez tout derrière. En fait, ce sont souvent vos attributs les plus marquants qui vous aideront à défricher ce nouveau territoire. Par exemple, un gestionnaire altruiste et pragmatique qui possède un style de communication persuasif pourrait utiliser ses habiletés pour gérer un organisme de charité.

Afin de brosser un portrait fidèle de votre style, utilisez la feuille de travail suivante et optez pour les mots qui vous décrivent le mieux dans chaque catégorie. Une liste de qualificatifs vous aidera dans votre réflexion.

---

FEUILLE DE TRAVAIL 5.1
**Décrivez votre style personnel**

---

Choisissez quelques mots ou écrivez une courte phrase afin de vous décrire dans chacune des catégories suivantes. Ne limitez pas vos choix aux exemples fournis ; inspirez-vous de la liste de qualificatifs sur la page suivante.

**Façon de penser**   Il s'agit de votre manière d'aborder un problème ou un défi. Les qualificatifs pourraient inclure réaliste, visionnaire, stratégique, analytique, logique, perceptif, concret, etc. Il y en a plusieurs autres.

**Style de communication**   Cette catégorie pourrait faire appel à des mots tels que prudent, enthousiaste, précis, persuasif, inspirant, réservé, direct, etc.

**Style de gestion**   Vous pourriez vous décrire ici comme juste, autoritaire ou démocratique. De même qu'inscrire : « Je délègue les tâches et donne très peu de directives spécifiques. »

**Style face à l'autorité**   Comment aimez-vous être dirigé ? Êtes-vous autonome, consultatif, un exécutant consciencieux, une personne qui pose beaucoup de questions ou un fidèle disciple ? Avez-vous besoin de support, de renforcement ?

**Style dans l'équipe**   Quel rôle ou quelles tâches vous sont habituellement confiés ? Êtes-vous l'innovateur, le minutieux, celui qui met tout en pratique, le communicateur, celui qui s'occupe des autres, l'organisateur ou le chef de file ?

**Style face au travail**   Êtes-vous très organisé, spontané, méticuleux, flexible, solitaire, axé sur le processus, un joueur d'équipe, centré sur les résultats, décisif ou perfectionniste, du genre à accomplir une tâche à la fois ou des projets multiples ?

**Style de résistance**   Êtes-vous endurci ou sensible, optimiste ou pessimiste, compétitif ou accommodant, un éternel inquiet ou plutôt détendu, ou peut-être trop susceptible ?

Pensez à une expérience vécue qui pourrait se greffer à chacun des qualificatifs que vous avez choisis. Le tableau est-il exact et complet ? Y a-t-il autre chose à ajouter ?

## Liste de qualificatifs

accessible
accommodant
adaptable
adroit
affirmatif
agressif
altruiste
ambitieux
amical
analytique
appliqué
articulé
artistique
assidu
assuré
astucieux
attachant
attentif
autonome
autoritaire
axé sur la qualité
axé sur les
   processus
axé sur les projets
axé sur les clients
axé sur les détails
axé sur les
   résultats
bien dans sa peau
calme
charismatique
charitable
chevronné
circonspect
collaborateur
communicatif
compatissant

compétent
compétitif
compréhensif
concentré
conceptuel
conciliant
concret
confiant
connaisseur
constant
consultatif
convaincant
coopératif
créatif
crédible
de bon goût
débrouillard
délicat
démocratique
déterminé
dévoué
diplomate
direct
discipliné
discret
disponible
drôle
dynamique
efficace
éloquent
émotif
empathique
énergique
engagé
enjoué
enthousiaste
entreprenant

équilibré
exigeant
expérimenté
facile
ferme
fiable
flexible
formel
fort
franc
futé
généreux
habile
hardi
honnête
imaginatif
impartial
impressionnant
incisif
indépendant
individualiste
indulgent
industrieux
inflexible
ingénieux
initiateur
innovateur
inspirant
intelligent
intense
intuitif
investigateur
joueur d'équipe
logique
loyal
malin
médiateur

meneur d'équipe
méthodique
méticuleux
motivé
non compétitif
non conformiste
non
   conventionnel
non directif
performant
perspicace
plaisant
prévoyant
prudent
obligeant
observateur
opportuniste
optimiste
organisé
orienté vers
   l'avenir
ouvert
patient
pensif
perfectionniste
performant
persévérant
persistant
persuasif
philosophe
planificateur
polyvalent
ponctuel
pondéré
posé
positif
pragmatique

précis
productif
professionnel
puissant
raffiné
raisonnable
rapide
réaliste
réceptif
réconfortant
réfléchi
rempli de
   potentiel
réservé
résistant
respecté
sage
scrupuleux
sensible
sérieux
silencieux
simple
sincère
sympathique
sociable
sophistiqué
spontané
stratégique
subtil
talentueux
technique
téméraire
tenace
tolérant
travaillant
vrai

*Vos compétences*

Cette portion de votre avantage stratégique regroupe les accréditations professionnelles et les compétences techniques que vous avez acquises lors de votre éducation ou de votre formation générale. On y inclut également les habiletés fonctionnelles issues de votre expérience pratique.

Pour dresser une liste complète, commencez par noter toutes vos accréditations professionnelles, vos compétences et votre savoir-faire. Incluez les processus, les méthodologies, les systèmes ou les logiciels pour lesquels vous êtes qualifié ou avec lesquels vous possédez une expérience significative. Ajoutez les habiletés acquises lors d'activités de bénévolat. Utilisez les exemples comme guide.

................................................................................................................

**Pensez-y!** De nombreux ensembles de compétences traversent les frontières des entreprises pour s'appliquer à plusieurs d'entre elles. En vous concentrant sur vos habiletés, vous vous donnerez une identité indépendante basée sur vos capacités. Vous n'aurez plus à vous décrire seulement en tant qu'ancien employé d'une entreprise!

................................................................................................................

**Exemples d'accréditations professionnelles**

Conseiller en ressources humaines agréé
Infirmier autorisé
Ingénieur
Conseiller en management agréé
Analyste financier agréé
Comptable en management accrédité
Planificateur financier agréé

**Exemples de compétences techniques**

Logiciel de gestion des ressources humaines
Certification ISO
Cercles de qualité
Gestion de projets
Médiation
Langages de programmation
Bases de données

**Exemples d'habiletés fonctionnelles selon la profession**

| | |
|---|---|
| Président directeur général | vision, stratégie, marketing, exploitation, finances, gestion, sélection et communication. |
| Vice-président finances | stratégie, gestion, contrôle du budget, rapports, gestion de risque, finances, impôts, recherche de capitaux et communication. |
| Vice-président technologies de l'information | stratégie, amélioration des processus opérationnels, architecture de systèmes, intégrité et sécurité des données, gestion des infrastructures, harmonisation de l'exploitation et des nouvelles technologies et communication. |
| Vice-président ressources humaines | stratégie, développement organisationnel, gestion du changement, formation et communication. |
| Directeur des comptes | prévision des ventes, gestion du territoire, relations avec les clients et développement d'affaires. |
| Contrôleur | planification financière, prévisions budgétaires, gestion de la trésorerie, vérifications, analyses et rapports financiers. |

| | |
|---|---|
| Directeur général | direction d'équipe, planification stratégique, gestion des processus et des systèmes, développement d'affaires et relations avec les clients. |
| Directeur des soins de santé | gestion des effectifs, des bénévoles, des soins aux patients et des installations, admissions et renvois, prévisions budgétaires et propositions. |
| Directeur des ressources humaines | recrutement et sélection, rémunération et avantages, formation et développement, gestion de rendement et relations de travail. |
| Journaliste | rédaction, édition, entrevues, recherches, mise en page. |
| Agent de crédit | développement d'affaires, vérification de crédit, recouvrement des actifs et gestion de portefeuille. |
| ✗ Marketing | développement de produit, fixation des prix, distribution et promotion. |
| Gestion immobilière | mécanique de bâtiments, relations avec les locataires, entretien, location et sous-traitance. |
| Exploitation d'usine | direction d'équipe, gestion de projets, logistique, répartition des ressources, contrôle de la qualité et amélioration continue des processus. |
| Commerce au détail | marchandisage, promotions, contrôle de l'inventaire et des coûts, formation et développement du personnel. |

---

### FEUILLE DE TRAVAIL 5.2
**L'inventaire de vos compétences**

Accréditations professionnelles :




Compétences techniques :




Compétences fonctionnelles :

Une fois votre liste complétée, déterminez les compétences que vous aimez utiliser et celles que vous souhaitez laisser de côté. Être doué pour faire quelque chose ne signifie pas qu'on aime le faire! La plupart des gens intègrent le milieu du travail sans connaître leurs véritables champs d'intérêt. Ils développent une expertise dans un secteur qui n'est pas compatible avec leur personnalité et conservent ce rôle, car le coût du changement est trop élevé.

........................................................................................................................................

**Pensez-y!** Si vous songez sérieusement à modifier vos compétences techniques et fonctionnelles actuelles, il se peut que vous ayez à chercher plus longtemps, à suivre d'autres formations et à composer avec une plus longue période d'adaptation et un salaire moins élevé. Pour ce faire, vous devrez planifier vos finances, mettre en place votre réseau de soutien, prendre votre courage à deux mains et foncer! C'est une décision très courageuse!

........................................................................................................................................

### Vos connaissances

Vos connaissances peuvent former un tout distinct de votre formation générale et de vos compétences professionnelles. On y retrouve l'ensemble des choses apprises à propos de tout : votre compréhension de divers produits, industries, segments, régions, règlements, cultures, groupes d'intérêt, etc. Il s'agit de la combinaison d'informations, d'expositions, d'expériences et de flair que vous avez accumulée concernant des gens, des lieux, des objets, des activités et des idées.

Vous avez acquis des connaissances diverses qui pourraient être utiles à d'autres personnes ou entreprises. Dans quelques cas, une entente de confidentialité ou de non-concurrence vous empêchera de partager votre savoir, une preuve que vos connaissances recèlent une certaine valeur. Pour conserver votre intégrité, vous devrez respecter cet accord, mais une grande partie de votre savoir vous appartient; vous pourrez donc en faire profiter votre prochain employeur.

Utilisez la feuille de travail suivante pour identifier vos connaissances les plus significatives. Pensez-y longuement et ne vous en tenez pas uniquement aux catégories proposées.

........................................................................................................................................

**Pensez-y!** Chaque secteur d'activité économique segmente son marché d'une quelconque façon. Les sociétés ajustent leurs offres de produits et de services afin de mieux répondre aux besoins de groupes de consommateurs ciblés. Vos connaissances concernant des segments de marché spécifiques sont un atout transférable très précieux.

........................................................................................................................................

---

### FEUILLE DE TRAVAIL 5.3
### L'inventaire de vos connaissances

---

**Énumérez les secteurs d'activité économique que vous connaissez bien et ceux que vous connaissez un peu moins bien.**

    Ex.: publicité, soins de santé, télécommunications.

**En plus de votre dernier employeur, avec quelles organisations êtes-vous familier?**

    Ex.: concurrent A, fournisseur B.

**Quels types de produits connaissez-vous en profondeur?**

    Ex.: produits dérivés, électroménagers, produits d'assurance-vie.

**Dans quels types de transactions ou d'initiatives stratégiques avez-vous de l'expérience?**

    Ex.: acquisitions, sous-traitance, restructuration, transformations, négociations collectives.

**Énumérez les segments de marché que vous connaissez bien.**

    Ex.: institutions, vente au détail, à revenu élevé, voyage d'affaires, femmes.

**Dans quels marchés régionaux ou géographiques avez-vous de l'expérience?**

    Ex.: Amérique du Sud, Canada atlantique, Asie.

**Énumérez les langues que vous parlez couramment ou relativement bien.**

    Ex.: français, anglais, espagnol.

**Incluez d'autres connaissances acquises qui pourraient s'avérer utiles pour votre futur employeur.**

    Ex.: planification successorale pour des propriétaires de petites entreprises familiales.

*Vos champs d'intérêt*

Pour un avantage stratégique, les champs d'intérêt sont parfois primordiaux. Si votre travail vous permet de côtoyer ce qui vous fascine réellement, vous êtes chanceux. Les gens passionnés par leur produit, service ou marché, dégagent un enthousiasme naturel. Lorsque vous le pouvez, intégrez vos champs d'intérêt à votre travail. Ils pourraient même vous ouvrir la porte à l'emploi idéal si vous envisagez de changer d'activité professionnelle.

Certaines personnes n'ont aucune difficulté à identifier leurs sujets de prédilection alors que d'autres trouvent ce processus ardu. Si vous avez travaillé durement ou avez subi beaucoup de stress, il se pourrait que vos champs d'intérêt aient été relégués aux oubliettes. D'un autre côté, si vous êtes curieux de nature, vous pourriez éprouver de la difficulté à reconnaître lesquels incorporer à votre travail tellement vous en avez.

Allez au-delà de vos passe-temps et de vos sports favoris. Quels sont vos champs d'intérêt? Ils devraient inclure les idées, les questionnements et les philosophies qui vous attirent. Certains d'entre eux ont pu faire surface il y a très longtemps, d'autres tout récemment et être en pleine évolution. Ils sont en grande partie ce qui vous rend unique. Si les réponses vous semblent évidentes, inscrivez-les. Sinon, la feuille de travail et l'inventaire des champs d'intérêt ont été conçus pour vous aider.

........................................................................................................................................

**Pensez-y!** Lorsque l'option de la retraite anticipée se présente, de nombreuses personnes se concentrent sur leurs champs d'intérêt afin de déterminer leur prochain projet.

........................................................................................................................................

*Une infirmière qui avait été affectée à un poste administratif perdit son emploi lorsque son hôpital fut fusionné avec un autre. Alors qu'elle était en transition, sa mère de 82 ans subit un infarctus et dut avoir recours à un centre de soins de longue durée. Elle constata, au cours du long et fastidieux processus d'organisation des soins, que les gens ignorant le fonctionnement du système de santé avaient de la difficulté à trouver et à obtenir une place dans un centre qui pourrait répondre aux besoins de la famille et de leur proche. Comme travail à temps plein, elle offre à présent ses connaissances et ses compétences, sous forme de consultation, à des familles traversant des situations semblables.*

---

FEUILLE DE TRAVAIL 5.4
**Identifiez vos champs d'intérêt**

---

Quelles problématiques sociales, environnementales, religieuses, juridiques, politiques ou commerciales vous intéressent le plus?

Au travail ou lorsque vous lisez un article dans un journal, quels sujets piquent vraiment votre curiosité?

Quels services, tâches, projets et activités vous attirent le plus dans votre milieu de travail?

Quels livres, magazines, émissions de télévision, films ou sites Internet vous intéressent?

Qui sont vos modèles, vos héros?

Avec qui aimeriez-vous socialiser à l'extérieur du milieu de travail?

Lors d'événements sociaux, quels sujets de conversation préférez-vous?

Si vous retourniez à l'école, quelle matière étudieriez-vous (même si celle-ci n'a aucune application pratique)?

Si l'argent n'était pas un souci, comment occuperiez-vous votre temps?

*Pour plus d'idées, consultez la liste suivante.*

## Inventaire des champs d'intérêt

aménagement paysager
antiquités
archéologie
art
arts martiaux
art oratoire
biotechnologie
bourse
campagne de financement
causes communautaires
causes environnementales
causes liées à la femme
causes liées aux enfants
causes politiques
chimie
cinéma
collections
comité de direction
commerce de détail
commerce électronique
communications
comptabilité
conception de sites Internet
conseils pour PME
contrôle de qualité
coordination d'événements
cours universitaires
criminologie
cuisine gastronomique
décoration
développement de produit
développement international
droit
droits de la personne
écriture

éducation
enseignement
entraînement
éthique
études de marché
excursions en bateau
expertise médico-légale
franchises
généalogie
gériatrie
gérontologie
gestion de risque
golf
graphisme
groupes d'intérêt
histoire
horticulture
hôtellerie
immobilier
interprétation
investissement
jardinage
journalisme
langues
littérature
marketing
massothérapie
médias
mentorat
marchandisage
médecine alternative
menuiserie
mode
motoneige
œuvres de charité

pêche
philosophie
photographie
physique
planification financière
planification stratégique
plein air
poésie
problématiques d'adolescents
programmation
questions internationales
recrutement
relations d'aide
relations de travail
relations publiques
religion
rénovations
ressources humaines
restauration
restructuration de processus
santé
sécurité
service d'aide
soins
spiritualité
sports
système judiciaire
technologies de l'information
tennis
théâtre amateur
travail du bois
veille concurrentielle
ventes
voyages
yoga

### *Vos valeurs et vos sources de motivation*

Les valeurs sont vos «panneaux» de signalisation personnels. Elles vont de pair avec les leviers de motivation qui vous gouvernent. Ces deux principes exercent généralement une grande influence sur les choix entourant votre vie professionnelle. Vos valeurs se forgent à partir de votre éducation, de vos modèles, de vos attentes, de vos expériences et elles représentent votre propre façon de penser. Lorsqu'on agit en conformité avec ses valeurs, on obtient un sentiment d'accomplissement. Si vous vous trouvez dans une situation qui vous demande d'agir constamment contre vos principes, vous deviendrez contrarié, stressé ou épuisé.

Pendant votre processus de transition de carrière, vous devez réfléchir à vos valeurs et à vos leviers de motivation. Ceux-ci peuvent devenir une partie importante de votre avantage stratégique. La satisfaction au travail est possible lorsque vos valeurs s'alignent avec les exigences de vos tâches et les attentes de votre entreprise. Habituellement, le succès ne se fait pas attendre.

......................................................................................................................................................

**Pensez-y!** Vos valeurs et vos sources de motivation ne sont pas nécessairement des idéaux inatteignables. Par exemple, plusieurs souhaitent être experts dans leur domaine. D'autre part, le désir de gagner beaucoup d'argent peut s'avérer un levier de motivation très puissant. Soyez honnête envers vous-même et établissez clairement les priorités qui comptent pour vous à ce moment-ci de votre vie et de votre carrière. On dit souvent «connais-toi toi-même» parce que c'est si important d'y parvenir.

......................................................................................................................................................

Deux raisons peuvent expliquer pourquoi il est parfois difficile de saisir vos valeurs et vos sources de motivation. Premièrement, elles évoluent tout au long de votre cheminement et au fil des différentes étapes de votre vie. Ensuite, elles sont souvent source de conflits avec vous-même ainsi qu'avec vos proches. Certaines personnes investissent beaucoup de temps à réfléchir à leurs valeurs, alors que d'autres se sentent moins concernées.

Pour y voir plus clair dans votre vie professionnelle, séparez bien vos préférences et vos besoins au travail des valeurs qui caractérisent votre vie personnelle. Afin d'identifier votre avantage stratégique, considérez ce qui est important pour vous dans votre travail. Vous pourrez intégrer le reste de votre vie lors du prochain chapitre.

---

FEUILLE DE TRAVAIL 5.5
**Identifiez vos priorités au travail**

---

En utilisant la liste suivante, établissez vos priorités en identifiant chaque énoncé par A (première importance), B (importance secondaire) ou C (peu ou pas d'importance). N'hésitez pas à ajouter à ce classement d'autres énoncés concernant votre travail. Puis, relisez vos choix A et ne relevez pas plus de trois besoins non négociables qui guideront vos décisions lorsque vous ferez face à une possibilité d'emploi. Dressez ensuite une liste d'éléments que vous souhaiteriez obtenir, mais qui demeurent négociables.

\_\_\_\_\_ Exercer un travail qui contribue au bien de la société.

\_\_\_\_\_ Prendre soin des gens et ajouter de la valeur à leur vie.

\_\_\_\_\_ Avoir la responsabilité de générer des résultats financiers.

\_\_\_\_\_ Travailler dans un environnement concurrentiel, courir la chance de gagner.

\_\_\_\_\_ Jouir d'une stabilité et d'une sécurité d'emploi grâce à un environnement structuré.

\_\_\_\_\_ Avoir l'occasion d'apporter des changements dans une entreprise.

\_\_\_\_\_ Me libérer de la bureaucratie et des politiques rigides, adopter une approche entrepreneuriale.

\_\_\_\_\_ Avoir l'opportunité de préserver la tradition et de protéger des méthodes qui ont fait leurs preuves.

\_\_\_\_\_ Définir mon propre horaire de travail, avoir de la flexibilité.

\_\_\_\_\_ Former ou guider d'autres individus, officiellement ou pas.

\_\_\_\_\_ Gérer un groupe de personnes, bâtir une équipe efficace, être un chef de file.

\_\_\_\_\_ Me libérer des responsabilités de gestion.

\_\_\_\_\_ Être considéré comme un expert dans une technique, un secteur ou une spécialité.

\_\_\_\_\_ Développer ma notoriété dans mon domaine et obtenir la reconnaissance de mes pairs.

\_\_\_\_\_ Travailler au sein d'une entreprise reconnue comme étant la meilleure.

\_\_\_\_\_ Avoir l'occasion de voyager ou de travailler ailleurs qu'au bureau.

\_\_\_\_\_ Entretenir des contacts directs avec des gens à l'extérieur de l'entreprise (clients, fournisseurs, etc.).

\_\_\_\_\_ Utiliser et développer des compétences de présentation en m'adressant à de petits et de grands groupes.

\_\_\_\_\_ Entretenir de nombreux contacts quotidiens avec les gens.

\_\_\_\_\_ Profiter de moments de solitude pour réfléchir, écrire ou travailler sur un projet.

\_\_\_\_\_ Faire partie d'une équipe unie où l'on partage les défis, les opportunités et le crédit.

\_\_\_\_\_ Travailler avec des collègues intelligents et experts dans leur domaine.

_____ Faire partie d'une équipe multidisciplinaire qui touche à tous les secteurs de l'entreprise.

_____ Jouir d'une certaine indépendance, décider moi-même des moyens pour atteindre mes objectifs.

_____ Travailler au sein d'un groupe qui aime les activités sociales et s'amuser ensemble.

_____ Avoir des directives claires et précises.

_____ Résoudre des problèmes complexes qui font appel à mes idées et à mes habiletés.

_____ Exercer ma créativité pour élaborer de nouveaux produits, concepts et solutions.

_____ Être responsable de l'implantation de projets développés par les autres.

_____ Jouir de variété et de changements réguliers dans mon mandat ou ma description de tâches.

_____ Entretenir une routine stable et prévisible mois après mois.

_____ Profiter de la plus récente technologie.

_____ Me faire offrir des occasions de mettre à jour mes compétences et mon développement.

_____ Avoir une possibilité d'avancement, une échelle à grimper.

_____ Travailler dans un environnement trépidant, sous l'adrénaline des urgences, avec un horaire exigeant.

_____ Pouvoir travailler avec des gens qui sont plus élevés dans la hiérarchie.

_____ Être reconnu pour la qualité de mon travail, recevoir des prix ou des éloges.

_____ Éprouver un sentiment de croissance personnelle et professionnelle.

_____ Avoir l'opportunité de gagner beaucoup d'argent grâce à des bonis, des commissions ou des options d'achat d'actions.

_____ _____

_____ _____

_____ _____

N'ajoutez pas d'énoncés concernant le temps accordé à la famille, l'emplacement du travail ou le niveau de rémunération. Concentrez-vous sur ce que vous vous exigez du travail en soi.

**Parmi vos emplois, lequel a su le plus refléter vos valeurs?**

**Lequel s'est avéré contraire à vos valeurs?**

**Énumérez vos critères non négociables pour être satisfait et motivé par votre travail.**

**Énumérez les valeurs et les sources de motivation qui seraient souhaitables, mais qui sont négociables.**

### *Les tests d'évaluation*

À présent que vous avez réalisé votre autoévaluation, pensez à profiter d'un des nombreux tests de bilan de carrière disponibles. Ceux-ci peuvent renforcer vos réflexions et faire ressortir certains éléments qui n'avaient pas été soulevés jusqu'ici. Ils ne vous dicteront pas vos agissements, mais classeront plutôt vos intérêts, vos capacités et vos qualités en plus de vous proposer des listes d'emplois occupés par des personnes possédant un profil semblable au vôtre. Les tests les plus sophistiqués iront même jusqu'à vous expliquer pourquoi une carrière est compatible avec votre profil. Ne vous attendez pas à des révélations miraculeuses ; vous n'obtiendrez qu'une analyse utile qui servira de complément au travail déjà accompli.

Pour mieux vous soumettre à ce type de test, l'idéal est de le réaliser avec un professionnel comme un conseiller en transition de carrière, un psychologue ou un conseiller d'orientation qualifié. Celui-ci vous aidera à comprendre les résultats et à les intégrer à votre évaluation personnelle. Cependant, vous pouvez accomplir ce travail seul en utilisant les tests disponibles dans les livres ou sur Internet. La section « Recommandation de ressources » de cet ouvrage vous propose quelques suggestions. Les conseils suivants devraient vous aider dans ce processus.

CONSEILS POUR BIEN CHOISIR SES TESTS D'ÉVALUATION

- Employés seuls, les tests ne pourront pas vous indiquer comment réorienter votre carrière. Il faut les voir comme une étape supplémentaire du processus.
- Déterminez s'ils sont utiles pour vous. Si vous êtes à l'aise avec votre évaluation personnelle et savez exactement ce que vous voulez ; si vous avez passé plusieurs fois des tests en obtenant toujours les mêmes résultats, cette étape pourrait être une perte de temps.
- La plupart des tests s'équivalent, mais chacun adopte une approche unique. Il vaut donc mieux en essayer quelques-uns.
- Parmi les plus populaires et respectés, on retrouve le Myers Briggs, l'inventaire des intérêts Strong et le 16PF. Des coûts sont associés à chacun d'entre eux et ils doivent être administrés par un professionnel. Jetez un coup d'œil aux rapports afin de savoir si le type de données générées correspond à ce dont vous avez besoin.
- Si vous travaillez avec un conseiller en transition de carrière, un psychologue ou un orienteur, demandez-lui la permission d'enregistrer votre séance de rétroaction. Cet enregistrement pourrait vous être utile.

Ne vous attendez pas à une réponse définitive. Il y a parfois des divergences entre les résultats des tests. Vous pourriez aussi obtenir des conclusions qui semblent incompatibles avec votre personnalité. Vous devez replacer ces tests dans leur contexte. Parlez-en avec votre conseiller ou votre réseau de soutien. Votre propre analyse et les commentaires de vos proches devraient avoir préséance.

### *Demandez l'avis des autres*

À ce stade-ci, vous devriez consulter votre réseau de soutien, vos conseillers ou vos personnes-références pour recevoir leurs commentaires. Peut-être avez-vous oublié certaines de vos plus grandes qualités parce que vous ne les considérez pas à leur juste valeur. Vos collègues de travail ou de bénévolat ont sûrement de précieuses suggestions à vous prodiguer. Montrez-leur un résumé de vos notes et prenez leur avis en utilisant les conseils suivants.

CONSEILS POUR RECEVOIR L'AVIS DES AUTRES

- Choisissez vos personnes-ressources avec discernement. Votre famille et vos meilleurs amis peuvent être de bons choix, mais ils ne vous ont probablement pas vu au travail. Incluez certaines personnes provenant de votre milieu professionnel.
- Préférez des individus qui vous répondront honnêtement tout en étant sensibles à votre situation. Ce n'est peut-être pas le meilleur moment d'entendre trop de commentaires négatifs!
- Déterminez de quelle façon vous conserverez leurs réponses. Gardez-vous du temps pour prendre des notes après la discussion. Si vous avez rassemblé un groupe de personnes, apportez un enregistreur. En n'inscrivant pas ces informations, vous pourriez les oublier.
- Posez des questions telles que:
  - Quels sont mes talents, compétences et habiletés les plus naturels?
  - Comment décririez-vous mon style pour chacune des catégories de la feuille de travail 5.1 «Décrivez votre style personnel»?
  - Dans quels autres domaines me considérez-vous particulièrement connaisseur?
  - À votre avis, quelles sont mes trois plus grandes forces?
  - Pensez-vous que j'abuse de certains de mes atouts? De quelle façon?
  - Sur quelles compétences devrais-je travailler pour m'améliorer?
  - À votre avis, quelles sont mes plus grandes valeurs?
  - Quels types d'emplois ou de rôles m'iraient bien selon vous?
- Essayez de recevoir ces commentaires sans vous mettre sur la défensive. Écoutez. En demandant des clarifications ou des exemples, vous comprendrez davantage ce qu'on vous dit.
- N'oubliez pas de remercier ces personnes en leur adressant une petite note.

......................................................................................................................

**Pensez-y!** Les commentaires les plus pertinents sont habituellement ceux qui vous surprennent.

......................................................................................................................

### *Votre façon de vous présenter*

Il ne sera pas facile de synthétiser toute l'information recueillie pour en faire une définition claire et précise de votre avantage stratégique. Ce sera tout un défi, mais le jeu en vaut la chandelle. Se présenter en terme de compétences, de connaissances, de style, de champs d'intérêt et de valeurs est une façon très efficace de communiquer dans le marché du travail. Une description verbale de votre avantage stratégique vous détachera de l'utilisation classique des titres d'emplois et des noms de vos anciens employeurs. Il s'agit d'une réponse à l'invitation lancée par le nouveau monde du travail à vous positionner en tant qu'individu possédant un ensemble unique de talents et d'attributs et à la recherche de perspectives à valeur ajoutée.

Sélectionnez quelques points saillants dans chacune des composantes de votre avantage stratégique et pensez à la façon dont vous les utiliserez dans votre présentation. Prenez l'exemple suivant comme modèle. Vous pourrez alors transmettre beaucoup d'information en quelques mots seulement.

*Je suis cadre dans le commerce de détail et je possède une expérience importante dans la gestion à l'échelle mondiale d'une chaîne de plus de 100 boutiques franchisées spécialisées dans la vente d'articles de cuisine. Mes forces incluent le contrôle de l'inventaire et des coûts, le marchandisage et le soutien à la formation et au développement des gérants de boutique. Je comprends les problématiques auxquelles font face les propriétaires de petits commerces de détail. J'excelle lorsqu'on me remet un mandat en m'octroyant la flexibilité de le remplir à ma façon. Je suis un gestionnaire, pas un innovateur. Ma créativité fait surface lorsque vient le temps de trouver des solutions à des problèmes pratiques.*

Votre avantage stratégique allie ce que vous êtes à ce que vous faites, ce que vous connaissez à ce qui vous importe. Une fois bien identifiée, cette combinaison peut vous emmener vers l'emploi qui répondra à vos aspirations.

---

**Pensez-y !** Ne confondez pas « avantage stratégique » et « passion ». Si votre travail n'est qu'un gagne-pain à vos yeux, n'allez pas croire que vous avez tort ! Ce qui vous importe et ce que vous appréciez le plus pourraient n'avoir aucun rapport avec votre emploi. Ayez confiance en qui vous êtes !

---

Chapitre 6

# Qu'est-ce qui vous tient vraiment à cœur?

*Tout est question de choix.*

Ce que vous valorisez et ce qui vous motive au travail exercent un pouvoir considérable – et légitime – sur vos choix de carrière. Cependant, vous devez respecter vos engagements envers votre famille, vos amis, votre communauté. Chacun de ces engagements cherche à gagner une partie de votre temps, de votre énergie et de votre talent. Vous devez en évaluer l'importance avant d'enclencher la prochaine étape de votre cheminement de carrière.

L'analyse des valeurs et des sources de motivation reliées à l'emploi que vous avez réalisée au chapitre 5 n'est que la pointe de l'iceberg. L'environnement de travail, vos conditions d'embauche et certains facteurs liés au marché de l'emploi peuvent affecter votre capacité à atteindre l'équilibre qui vous convient. Ce chapitre vous invite à examiner ces éléments et à profiter de cette occasion pour redéfinir vos priorités.

### Préparez un « toast » en vue de vos 90 ans

Imaginez-vous à la veille de vos 90 ans. Vos proches préparent une énorme fête où seront invités des gens provenant de toutes les sphères et de toutes les étapes de votre vie. Vous avez la chance d'écrire le toast qui vous sera offert. Qu'aimeriez-vous dire? Utilisez la feuille de travail sur la prochaine page.

---

FEUILLE DE TRAVAIL 6.1
**Un toast à votre santé**

À vous, [*votre prénom*]_____.
Vos amis et votre famille vous apprécient pour votre

_____

_____

_____

Professionnellement, vous êtes reconnu pour votre _____,
et vous avez énormément contribué à _____.
Vous êtes dévoué à (cause, organisme, groupe, activité, passe-temps, pratique spirituelle)

_____

ce qui vous a inspiré à _____.
Tout le monde ici sait qu'on peut compter sur vous pour _____

_____.

En cette occasion spéciale, veuillez vous joindre à moi pour porter un toast à
[*votre prénom*]_____.

---

**Pensez-y !** Il n'y a pas de meilleur temps que le moment présent pour accomplir ce qui vous importe vraiment.

---

### *Aspirations et besoins personnels*

Êtes-vous satisfait de la vitalité de votre corps, de votre esprit et de vos émotions ? Le sentiment d'équilibre complet quant à son bien-être est difficile à atteindre. La plupart des gens négligent de prendre soin d'eux-mêmes ou deviennent obsédés par un aspect de leur être au détriment des autres. Une brève période sans emploi offre la possibilité de redéfinir vos priorités et de reprendre les pratiques saines et les bonnes habitudes qui avaient été oubliées. Ce moment vous permet également d'en adopter de nouvelles.

Utilisez la feuille de travail suivante pour énumérer vos besoins personnels. Prenez des engagements réalistes envers vous-même.

---

**Pensez-y !** La vie est un cadeau ; la santé, une bénédiction. En êtes-vous suffisamment reconnaissant ?

---

| FEUILLE DE TRAVAIL 6.2 | |
|---|---|
| **Évaluez vos priorités envers vous-même** | |
| **Santé physique**<br><br>*Votre corps est votre seule habitation permanente!* | Êtes-vous à l'aise avec votre condition et votre apparence physiques? Ces dernières affectent-elles votre carrière?<br><br>Pouvez-vous vous engager à changer sans créer d'obstacles insurmontables?<br><br>Accordez-vous une importance démesurée à cet aspect de votre bien-être? |
| **Stimulation intellectuelle**<br><br>*Quand on ne s'en sert pas, on en perd l'usage.* | Que faites-vous pour garder votre esprit vif?<br><br>Comptez-vous sur votre emploi pour obtenir des défis intellectuels?<br><br>Si vous avez vécu de l'ennui au travail, quelles conclusions en tirez-vous sur votre choix de carrière?<br><br>Quel niveau d'éducation supplémentaire compléteriez-vous afin d'atteindre vos objectifs de carrière?<br><br>L'option de poursuivre vos études vous est-elle accessible, abordable et attirante? |
| **Équilibre émotif**<br><br>*Êtes-vous compétent dans le contrôle de soi et la gestion des relations?* | L'autoévaluation, la stabilité émotive, le contrôle et la confiance en soi sont cruciaux pour réussir au travail. Auriez-vous éprouvé des difficultés dans ces domaines qui auraient eu un impact sur votre performance au travail?<br><br>Qu'êtes-vous prêt à accomplir pour effectuer des changements à ce sujet? |
| **Bien-être spirituel**<br><br>*La religion est culturelle. La spiritualité est universelle.* | Quelle pratique spirituelle vous aide à affronter les défis et à demeurer reconnaissant? Par exemple:<br><br> • Amour de la nature, de l'art ou de la musique<br> • Solitude<br> • Méditation ou prière<br> • Yoga ou tai-chi<br> • Pratiques religieuses<br> • Lecture d'œuvres inspirantes<br><br>Qu'êtes-vous prêt à sacrifier pour consacrer plus de temps à votre bien-être spirituel? |

*Engagement envers votre famille, vos amis et votre communauté*

Comment allouer le temps et l'énergie à votre bien-être, à votre travail et à vos proches ? Si vous êtes responsable d'enfants en bas âge, d'adolescents ou de parents vieillissants, vous avez probablement de la difficulté à vous accorder un moment. Si vous travaillez davantage, votre famille en écopera. Mais si vous passez plus de temps avec vos proches, c'est votre travail qui en subira les conséquences. Vos actes bénévoles et vos activités communautaires engloutiraient chaque instant libre si vous le permettiez. Bref, il n'est pas facile de trouver un compromis…

Utilisez les sections pertinentes sur la feuille de travail suivante pour mieux guider vos réflexions quant à vos engagements envers les autres.

| FEUILLE DE TRAVAIL 6.3 | |
|---|---|
| **Responsabilités et priorités envers votre famille, vos amis et votre communauté** | |
| **Conjoint(e)** | Votre conjoint(e) dépend-il (elle) financièrement de vous ? <br><br> Votre conjoint(e) possède-t-il (elle) des besoins particuliers ? <br><br> Avez-vous des responsabilités envers son travail ? <br><br> Comment son emploi influence-t-il vos choix de carrière ? <br><br> Quel type de soutien vous offrira-t-il (elle) concernant vos projets de carrière ? |
| **Enfants** | À leur âge, qu'ont-ils besoin de vous ? <br><br> Ont-ils des besoins particuliers ? <br><br> Quel type de soutien obtenez-vous de leur autre parent, des autres membres de la famille ou en terme de pension alimentaire ? <br><br> Quel style de vie souhaitez-vous leur donner ? |
| **Parents** | Dépendent-ils de vous d'une quelconque façon ? <br><br> Vivent-ils tout près ou très loin et est-ce que ce détail influence vos choix de carrière ? |
| **Amis et voisins** | Avez-vous des obligations ou des intérêts envers vos amis et vos voisins qui vous importent et requièrent de votre temps et de votre attention ? <br><br> De quel type de priorité s'agit-il ? |
| **Activités bénévoles, communautaires et religieuses** | Combien de temps y consacrez-vous ? <br><br> Êtes-vous satisfait de vos choix d'activités et de votre niveau d'engagement ? <br><br> Quel impact aura votre choix de carrière sur votre implication ? |

*Une femme dans la quarantaine perdit son emploi de gestionnaire au sein d'un important détaillant lorsque celui-ci fut acquis par un concurrent. Le monde des affaires ne lui avait jamais plu, mais puisqu'elle devait prendre soin de ses parents, elle persévérait. Sa vraie passion était de s'investir auprès des enfants. Comme elle n'en avait pas, elle s'impliquait dans les camps, enseignait « l'école du dimanche » et travaillait occasionnellement dans une garderie près de chez elle. Lorsqu'elle fut licenciée, elle décida d'utiliser son indemnité de départ pour retourner aux études et se munir d'un certificat en éducation préscolaire. Une fois diplômée, elle décrocha un emploi et s'occupe désormais de la gestion de programmes pour plusieurs garderies, en plus de jouir d'un environnement de travail comblé d'enfants !*

### Environnement de travail et conditions d'emploi

Au chapitre 5, vous avez déterminé ce qui compte pour vous dans votre milieu de travail, et ce, en analysant la nature de l'emploi, les relations interpersonnelles, le degré d'autonomie, les responsabilités et le potentiel d'avancement. Mais il y a plus à considérer ; plusieurs personnes échangeraient volontiers certains aspects de leur travail pour un environnement plus stimulant ou des conditions plus favorables à leurs yeux (proximité de la maison, horaires flexibles). Utilisez la feuille de travail suivante pour vous guider dans vos réflexions. Vos réponses vous permettront de débroussailler les objectifs stratégiques que vous définirez au chapitre 8.

| FEUILLE DE TRAVAIL 6.4 | |
|---|---|
| **Évaluez vos priorités quant à votre environnement de travail et vos conditions d'emploi** | |
| **Rémunération** | Quel salaire serait nécessaire pour conserver le style de vie qui vous plaît et continuer à prendre soin de vos personnes à charge ? <br><br> Quels pourraient être votre salaire de base et le montant qui proviendrait d'autres sources telles que les bonis, les options d'achat d'actions ou les commissions ? |
| **Mobilité** | Seriez-vous prêt à déménager ? <br><br> Votre conjoint et vos enfants accepteraient-ils de vous suivre ? <br><br> Le cas échéant, quel endroit préféreriez-vous ? |
| **Trajet quotidien** | Combien de temps et d'argent y consacreriez-vous ? <br><br> Quel mode de transport est disponible et satisfaisant ? Adopteriez-vous le transport collectif (autobus, métro, train) ou choisiriez-vous le covoiturage ? <br><br> Aimeriez-vous travailler à domicile ? <br><br> Si oui, combien d'heures ? |

| | |
|---|---|
| **Avantages** | Avez-vous besoin d'une protection d'assurance complète de la part de votre employeur ou pouvez-vous pourvoir à vos besoins de façon autonome ? |
| **Environnement physique** | Accordez-vous de l'importance à la beauté et à la qualité de votre lieu de travail ? |
| | Un bureau à cloisons vous suffirait-il ou vous est-il nécessaire de travailler dans un bureau privé ? |
| | Avez-vous besoin d'aménagements spécifiques ? |
| **Voyages** | Combien de temps êtes-vous prêt à consacrer aux voyages d'affaires ? Aimez-vous voyager pour le travail ? |
| | Quelles destinations sont acceptables ou souhaitables ? |
| **Vacances** | Avez-vous l'habitude de prendre de longues périodes de vacances ininterrompues ? |
| | Seriez-vous prêt à en limiter la durée ? |
| **Horaire** | Travaillez-vous les soirs et les fins de semaine ? |
| | Y a-t-il des périodes de travail intenses pendant l'année ? |
| | Portez-vous un téléavertisseur ? |
| | Souhaitez-vous obtenir un horaire plus flexible ou partager votre emploi ? |
| | Combien d'heures travailleriez-vous par semaine ou par mois ? Envisageriez-vous un emploi saisonnier ou à temps partiel ? |
| **Votre avenir** | Combien d'années souhaitez-vous travailler ? |
| | Quelles étapes vous reste-il à franchir avant votre retraite ? |
| | Vous résoudriez-vous à des sacrifices à court terme afin de réaliser des gains à long terme ? |
| | Qu'est-ce que cela pourrait signifier pour vous ? |

### *Autres facteurs influençant votre choix de carrière*

Votre liberté d'effectuer des choix de carrière est non seulement limitée par vos priorités et votre situation, mais aussi par des aspects hors de votre contrôle. En effet, les marchés évoluent, les gouvernements prennent des décisions, les influences politiques changent et les conditions économiques fluctuent. De nombreux emplois nécessitent des compétences professionnelles spécifiques et, dans certaines entreprises, un diplôme d'études supérieures est un préalable pour accéder aux postes de cadre. Si l'âge et le sexe ne font plus partie des critères de sélection officiels, ils demeurent cependant des limites bien réelles. Même si la loi vous protège, vous ne deviendrez pas ballerine ou joueur de hockey pour la LNH à 56 ans !

Vous devez être réaliste et concentrer votre énergie sur des choix qui ne présenteront pas ce genre d'obstacles. Évitez de céder au pessimisme en période de ralentissement économique ou de manifester trop d'optimisme lorsque les conditions du marché sont meilleures. La plupart des cycles sont temporaires et vous n'aurez qu'à vous armer d'un peu de patience. Certaines tendances sont permanentes, d'autres passagères ; savoir les différencier est un signe de sagesse. Pour bien gérer votre carrière, il vous faudra accepter que tout puisse changer à n'importe quel moment.

......................................................................................................................................................................

**Pensez-y !** Une occasion se cache derrière chaque situation. Pour la découvrir, vous devrez faire preuve de créativité et de persévérance.

......................................................................................................................................................................

| FEUILLE DE TRAVAIL 6.5<br>**Songez aux facteurs qui ont un impact sur vos choix de carrière** | |
| --- | --- |
| **Facteurs économiques et régionaux** | Quels sont ceux qui influenceront votre recherche d'emploi ? |
| **Secteurs d'activité en transition** | Quelles sont les perspectives actuelles et futures de votre secteur d'activité ?<br><br>Quelles entreprises sont en plein essor ? Recrutent-elles ? |
| **Initiatives gouvernementales** | Votre travail dépend-il de subventions, de tarifs protectionnistes ou d'initiatives gouvernementales spécifiques ? |
| **Exigences en matière de connaissances et de savoir-faire** | Quels sont les compétences professionnelles ou le niveau de scolarité requis pour progresser dans votre secteur ou pour en intégrer un nouveau ? |
| **Âge** | Quel effet aura votre âge sur vos perspectives d'emploi ? |

*À la fin des années 1990, lorsque le gouvernement fédéral réussit à équilibrer le budget pour la première fois depuis des années, les personnes œuvrant dans le domaine des placements à revenu fixe durent essuyer un coup dur. Plusieurs courtiers et vendeurs perdirent leur emploi quand l'État cessa d'émettre de nouvelles obligations. Un jeune courtier décida d'accepter une diminution de salaire en échange d'un poste d'analyste. Un vendeur chevronné choisit de vendre des produits de placement et se joignit à une franchise qui s'établissait au Canada. Une mère de jeunes enfants préféra rester à la maison avec sa famille pendant un certain temps. C'est ainsi qu'elle trouva sa vocation : travailler auprès d'enfants handicapés physiquement. Elle s'inscrivit à des cours de maîtrise afin de réaliser son rêve.*

### *Posez un regard réaliste sur vos valeurs*

Comment vos priorités personnelles et les autres facteurs limitent-ils vos choix de carrière ? Pour plusieurs, la présence significative de facteurs limitatifs rend tout changement majeur inimaginable. Si tel est votre cas, choisissez de revitaliser votre parcours professionnel actuel grâce à un nouvel environnement ou à une approche différente. En transférant vos compétences et vos connaissances à un poste semblable au sein d'une autre entreprise ou en adoptant un rôle qui ne requiert qu'une variation sur des thèmes connus, plusieurs trouvent un nouveau sens à leur travail.

Votre défi est d'intégrer à votre plan de carrière le plus de valeurs possible tout en demeurant réaliste.

........................................................................................................................................................

**Pensez-y !** La plupart des gens sont libres de leurs choix dans la mesure où ils sont prêts au sacrifice. Si vous ne pouvez tout avoir, concentrez-vous sur ce qui vous importe le plus.

........................................................................................................................................................

Chapitre 7

# *Emploi traditionnel et solutions de rechange*

*Vous pourriez être le PDG de « Vous inc. »*

Souhaitez-vous un autre emploi permanent à temps plein ou envisagez-vous d'autres options ? Avez-vous pensé à vous lancer en affaires de façon autonome ? Pourriez-vous mettre sur pied une entreprise ou en faire l'acquisition ? La retraite arrive à grands pas et vous aimeriez vous y rendre progressivement ? Quelles conditions de travail correspondraient le plus à votre style de vie actuel et que vous réserve l'avenir ?

Le nouveau monde du travail offre une panoplie de possibilités d'emplois non traditionnels. Les entreprises tirent profit de salariés à temps partiel et ont davantage recours à l'expertise extérieure pour s'acquitter de tâches et travailler à des projets spéciaux. On engage fréquemment des chefs de direction intérimaires, des contractuels et des consultants. Par conséquent, pensez aux options qui s'offrent à vous, en considérant leurs avantages et leurs inconvénients.

Dans le cadre d'un emploi traditionnel, vous échangez vos compétences et vos connaissances contre un salaire, un titre et du prestige, des occasions d'avancement, ainsi qu'un minimum de sécurité d'emploi. Avec le travail non traditionnel, vous obtenez en contrepartie une rémunération tout en négociant des conditions flexibles et à durée limitée. À la tête de votre propre entreprise, vous proposez des produits et des services et engagez des personnes afin de vous aider. Ce diagramme illustre toute une gamme d'options :

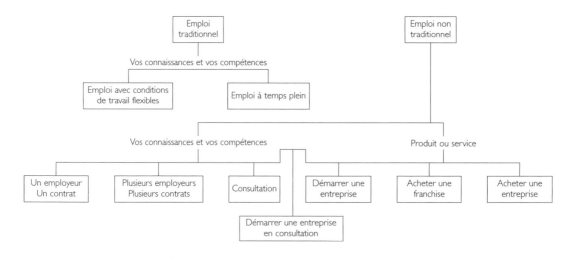

### *Emploi traditionnel – Conditions de travail flexibles*

De nombreuses personnes jouissent des avantages du travail autonome, tels le télétravail et les horaires flexibles, tout en occupant un emploi traditionnel. Un nombre croissant de professionnels et de gestionnaires travaille de la maison, ou alors organise leurs heures de travail au bureau selon leurs priorités. L'emploi partagé est de plus en plus accepté dans la mesure où la fonction et les personnes concernées s'y prêtent et où la culture d'entreprise est ouverte à un tel arrangement. Au niveau exécutif, les postes à temps partiel sont plutôt rares, mais peuvent être la solution pour les individus souhaitant mieux équilibrer travail et intérêts personnels. L'emploi saisonnier est également une possibilité pour certains professionnels (les comptables, par exemple).

Le nouveau monde du travail offre une flexibilité qui plaît à certains, mais en échange, ceux-ci doivent souvent faire face à une baisse de salaire, une perte d'avantages et d'occasions de développement professionnel, une difficulté à entretenir un sentiment d'appartenance et à une diminution des chances d'avancement.

### *Travail contractuel*

Un contractuel est une personne qui joint les rangs d'une société pour une courte durée. Le contrat est établi en fonction d'un projet spécifique ou d'une période intense dans les activités de l'entreprise. Le contractuel peut aussi remplacer un employé en congé temporaire. Le contrat dure quelques semaines, voire quelques années, et le travail s'effectue à temps plein ou à temps partiel. Côté rémunération, le contractuel peut se faire payer comme un employé ou comme un fournisseur indépendant en présentant des factures.

---

**Pensez-y!** Afin d'être considéré comme un travailleur autonome, vous devez exercer un contrôle sur vos méthodes de travail, votre horaire et votre lieu d'activité professionnelle. Il vous faut aussi utiliser vos propres outils, fournir un service qui ne fait pas partie intégrante du principal secteur d'activités de l'entreprise et vous exposer à plus de risques financiers qu'un employé ordinaire. Pour plus de détails, visitez le site http://www.revenu.gouv.qc.ca/. Afin de recevoir des conseils concernant vos impôts, consultez votre comptable, et si vous avez besoin d'aide pour vos contrats, n'hésitez pas à communiquer avec votre avocat.

---

Le travail contractuel peut combler vos besoins en attendant de vous trouver un emploi à temps plein. Ce faisant, vous pourrez garder vos compétences à jour, cumuler d'autres expériences, ajouter de nouvelles personnes-ressources à votre réseau et générer des revenus par la même occasion. Plusieurs entreprises octroient des contrats afin d'évaluer les compétences et la compatibilité d'un candidat avant de l'engager. Toutefois, accepter un contrat à temps plein vous empêchera d'être actif sur le marché de l'emploi, ce qui vous laissera peu ou pas de temps pour vous «vendre».

---

**Pensez-y!** Un emploi non traditionnel peut s'avérer une façon rapide de réintégrer le marché du travail, et qui sait s'il n'ouvrira pas une porte vers l'emploi permanent!

---

Le travail contractuel peut aussi être un choix de carrière. Que vous soyez travailleur autonome ou employé par une agence intérimaire, vous profiterez d'un changement constant d'environnement de travail. Si vous êtes à votre compte, vous devrez sans cesse relever le défi de vous trouver de nouveaux contrats et d'assurer le développement de vos affaires.

Certaines personnes considèrent le travail contractuel comme une étape à franchir avant la retraite. Il n'est pas rare qu'un employeur, un fournisseur ou un concurrent sollicite un nouveau retraité afin qu'il accepte un poste contractuel, une proposition souvent valorisante pour ce dernier. Vous pourriez vous surprendre à repousser à cent lieues la date de votre retraite.

*Ayant accepté l'offre de retraite anticipée de son employeur, une importante institution financière, un cadre supérieur décida de continuer à déployer ses habiletés pour la vérification interne en se consacrant à du travail contractuel. Il avait été à la fine pointe de la technologie en employant une méthode d'exploration des données pour éliminer l'utilisation de la technique d'échantillonnage basée sur la chance, commune aux procédés de vérification. Sa capacité d'adapter des logiciels conçus pour les études de marché à d'autres solutions d'affaires capta l'attention de plusieurs institutions financières et ses projets de rénovation de patio furent rapidement remplacés par son aventure dans l'univers de l'emploi contractuel.*

### *Consultation*

On appelle consultation le processus visant à offrir de l'information et des conseils de niveau stratégique à un individu ou aux gestionnaires d'une société. Le client est habituellement responsable de l'implantation des solutions. En règle générale, on fait appel aux consultants quand quelque chose ne tourne pas rond dans l'entreprise, que les processus et les systèmes existants sont inadéquats ou lorsque des changements s'imposent. Les clients s'attendent à ce que les consultants leur transmettent les meilleures pratiques propres à leur domaine. Un expert-conseil évaluera la situation, analysera les problématiques et suggérera des interventions et des conseils utiles pour favoriser l'implantation.

Pour vous faire connaître en tant que consultant, il faut habituellement posséder une expertise reconnue dans votre domaine, un bon réseau de personnes-ressources ainsi que des aptitudes pour la conciliation, le marketing et la négociation, sans oublier les accréditations professionnelles ou un diplôme d'études supérieures. En tant que consultant, vous pouvez travailler de façon autonome, comme associé, en partenariat avec d'autres professionnels ou au sein d'un cabinet-conseil. Pour réussir, les consultants autonomes doivent être en mesure de développer leur propre clientèle.

**Pensez-y!** Lorsque vous êtes travailleur autonome, vous devez gérer votre tenue de livre et vos déclarations de revenus. N'utilisez pas la méthode des «reçus dans la boîte à chaussures», car un retard dans la gestion de vos impôts entraîne des frais et ne vous offre pas un portrait fidèle de votre situation financière. Utilisez un logiciel pour votre comptabilité. Retenez les services d'un comptable agréé pour vous aider à démarrer et à effectuer vos déclarations de revenus annuelles.

CONSEILS POUR ÉVALUER SI VOUS ÊTES PRÊT POUR LE TRAVAIL CONTRACTUEL
OU LA CONSULTATION

- On trouve toujours des occasions de travail contractuel ou de consultation, même quand personne ne semble recruter dans le marché que vous avez ciblé. Les organisations répondent souvent de façon non conventionnelle à leurs besoins de personnel lorsqu'une période d'embauche est suspendue.
- Préparez-vous à présenter vos compétences et vos connaissances comme des solutions à un problème, une réponse afin de bien mener un projet à terme ou alors une contribution significative au profit de vos clients ou de vos employeurs potentiels.
- Planifiez de quelle façon vous gérerez des entrées de revenus qui fluctuent.
- Recherchez la possibilité de contracter des assurances vie, invalidité, médicale et dentaire à coût raisonnable pour vous et vos personnes à charge.

---

**Pensez-y!** Les assurances médicale et dentaire peuvent être disponibles par l'entremise de votre association professionnelle.

---

Comme les sous-traitants et les consultants ne dépendent pas de l'infrastructure d'une entreprise, ils ont la possibilité de travailler à domicile et même d'engager les membres de leur famille ou d'autres sous-traitants. En gérant souvent plus d'un projet à la fois, ils touchent à tout et enrichissent leur base de connaissances grâce à leurs expériences. L'indépendance peut être grisante.

L'attrait pour le travail autonome inclut aussi ce sentiment de liberté, de pouvoir choisir vos mandats, travailler avec qui vous voulez, quand vous le voulez. Cette perception relève souvent de l'utopie. Afin de satisfaire les demandes de leur employeur, vos clients seront confrontés à des urgences et à des délais serrés. Vous devrez jongler avec leurs attentes et votre capacité à accomplir des miracles. Cependant, avec de la détermination, vous pourrez adapter les différentes options d'emploi non traditionnel à vos besoins et intérêts.

*Après avoir géré trois intégrations à la suite d'acquisitions, une professionnelle en ressources humaines décida de devenir consultante à son compte. Pour ajouter de la valeur à son M.B.A., elle obtint une certification de consultante en management, puis elle communiqua avec son vaste réseau de personnes-ressources afin de solliciter des contrats. Deux ans furent nécessaires pour mettre sur pied sa pratique. Elle travailla de longues heures et les fins de semaine afin de répondre aux besoins de sa clientèle croissante. Grâce à son expertise dans la gestion des ressources humaines lors de périodes de changements organisationnels, sa vie frénétique est à présent couronnée de succès.*

---

**Pensez-y!** Pour travailler à domicile, vous devez avoir les installations et l'environnement qui conviennent à votre domaine d'activité professionnelle. Un bambin qui pleure lorsque vous êtes au téléphone peut être acceptable si vous possédez une garderie, mais fera du tort à la crédibilité d'une entreprise d'études de marché!

---

*Être propriétaire d'une petite entreprise*

L'idée d'être propriétaire et de gérer sa petite entreprise présente certains attraits pour les gens qui veulent prendre le contrôle de leurs affaires. Que votre source d'inspiration provienne d'un nouveau produit ou service, ou bien encore du besoin d'améliorer ceux déjà disponibles, vous pouvez choisir de commencer à la case départ ou d'acheter une entreprise (franchisée ou non) déjà existante.

Avant d'investir trop de temps et d'argent pour la phase d'implantation, suivez les conseils précédents afin d'évaluer si vous êtes fin prêt, puis dressez un plan d'affaires exhaustif. Certaines institutions financières vous offrent d'excellents modèles et plusieurs d'entre eux sont disponibles sur Internet. Votre plan d'affaires doit inclure une description complète de votre produit ou service, sans oublier ses caractéristiques et ses avantages concurrentiels. Faites-en la tarification et calculez le coût de revente. Effectuez une étude précise du marché.

*Un couple décida de se lancer en affaires afin de fournir des programmes de formation sur l'utilisation de logiciels. Pour démarrer leur projet, ils devaient louer un local, acheter du mobilier de bureau et de l'équipement, en plus d'embaucher du personnel administratif. Ils conçurent donc un plan détaillant le moment précis où il leur faudrait abandonner leur entreprise pour ne pas laisser les finances de leur famille tomber en ruine. En cas d'échec, ils savaient tous deux de quelle façon ils pourraient rapidement réintégrer le marché du travail traditionnel. Une fois le plan dressé, ils adoptèrent une approche tenace et optimiste dans la mise sur pied de leur entreprise, et ce sans douter une seule fois de leur stratégie.*

Déterminez le montant que vous pouvez investir sans solliciter un partenaire financier. Ne vous attendez pas à ce qu'une banque accepte de vous prêter des fonds sans garanties comme une hypothèque sur votre maison. Consultez un professionnel du domaine financier ou juridique avant de vous lancer.

........................................................................................................................................................

**Pensez-y !** Le choix du type d'entreprise est très important. À vous de décider si vous préférez vous incorporer, opter pour un partenariat ou exploiter seul une entreprise enregistrée ou non enregistrée. Chaque option présente des avantages et des inconvénients. Consultez un conseiller professionnel afin de déterminer ce qui vous conviendrait le mieux.

........................................................................................................................................................

Pour démarrer ou acheter une petite entreprise, vous pouvez être seul, en équipe avec un ou plusieurs associés ou encore partenaire avec une entreprise déjà existante qui partage les mêmes intérêts que vous. À première vue, on a l'impression que se jeter seul dans le vide semble plus risqué, mais ce n'est pas toujours le cas. Les partenaires ayant investi ou possédant des intérêts dans votre entreprise devraient apporter leurs idées, leurs efforts et leur soutien. Toutefois, leurs priorités et leur soutien pourraient s'avérer différents de ce qui avait été convenu.

*Un entrepreneur en herbe estimait que ses compétences en communications internes et en relations avec les employés seraient des atouts dans le secteur de la formation en matière de diversité culturelle. Il rencontra un partenaire potentiel travaillant comme coach professionnel pour cadres qui partageait le même intérêt. Les deux hommes s'incorporèrent, signèrent une convention entre actionnaires plutôt complexe, louèrent un local et conçurent un modèle de leur service avant même de penser à leur marché cible ou à la façon dont ils se constitueraient une clientèle. Au fil des semaines, un des partenaires consacra tant de temps à sa pratique de coach qu'il fut incapable de trouver des clients. L'autre ne possédait pas le réseau de personnes-ressources ni la confiance qu'il fallait pour le créer. Après de nombreux investissements, leur entreprise dut fermer ses portes.*

Une autre voie permettant d'être propriétaire de son entreprise est d'en faire l'acquisition. L'approche la plus simple et la plus sécuritaire est certainement d'acheter une franchise. Tout d'abord, parce qu'un franchiseur de renom a effectué la plupart du travail préparatoire pour vous et, qu'en plus, il connaît très bien son produit ou service. Il fournit habituellement une formule d'exploitation pour l'entreprise ainsi que des outils de formation et de soutien pour vous aider à bien démarrer. Vos frais récurrents servent à payer le marketing et la publicité ; des ententes préférentielles auprès de certains fournisseurs pourraient être négociées pour vous. Quant aux inconvénients, le coût d'achat peut parfois sembler astronomique et la dure réalité vous forcera probablement à travailler matin, midi et soir en échange de revenus potentiellement limités. Il vous faudra donc aimer ce type de travail et prospérer dans des situations structurées. L'achat d'une franchise ne conviendra pas aux personnes ayant un grand besoin d'indépendance et de variété.

......................................................................................................................................................

**Pensez-y !** Avant d'acheter une franchise, effectuez votre recherche et votre planification comme si vous aviez l'intention de lancer l'entreprise de A à Z. Vous pouvez compter sur votre gérant de banque et l'Association canadienne de la franchise pour obtenir des conseils et des mises en garde.

......................................................................................................................................................

L'acquisition d'une entreprise déjà existante est une tout autre paire de manches. Le meilleur conseil possible dans ce cas-ci est la prudence. Assurez-vous d'être bien certain des raisons qui ont poussé le propriétaire à vendre son commerce et ne passez pas à la prochaine étape à moins d'obtenir une réponse claire à chaque question. Comme c'est le cas avec la mise sur pied d'une entreprise, vous devez bien connaître le produit et le service ainsi que son marché. Gardez un œil critique quant à la situation financière de l'entreprise et, surtout, des gens qui y travaillent. Vous devez être persuadé que l'équipe fera tout en son pouvoir afin de contribuer à la bonne marche des opérations.

......................................................................................................................................................

**Pensez-y !** Entourez-vous d'une équipe de professionnels qualifiés si vous pensez acheter une entreprise déjà existante. Même si cette dernière est toute petite et que vous croyez être en possession de tous vos moyens, sollicitez de l'aide ! Vous aurez besoin d'un avocat, d'un comptable et, idéalement, d'un courtier commercial, d'un capital-risqueur ou d'un co-investisseur pour vous épauler. Ne plongez pas seul.

......................................................................................................................................................

CONSEILS POUR ÉVALUER VOTRE POTENTIEL EN TANT QUE PROPRIÉTAIRE
D'UNE PETITE ENTREPRISE

- Avant de considérer la mise sur pied ou l'achat d'une entreprise, répondez aux questions suivantes:
  - Quel produit ou service offrirez-vous? Définissez-le clairement.
  - Quel montant investirez-vous et quelles autres sources de financement sont disponibles? Jusqu'où êtes-vous prêt à risquer financièrement?
  - Qui achètera votre produit ou service? Où se situe ce marché? Y avez-vous accès? Pourquoi choisirait-on votre produit ou service plutôt que celui de vos concurrents?
- Pensez aux conséquences que cette entreprise aura sur votre famille. Son démarrage est exigeant et monopolise vos pensées, même lorsque vous n'y travaillez pas. Le stress généré peut être énorme. Aussi, vous devez vous assurer d'avoir le soutien de vos proches.
- Réfléchissez à toutes les compétences nécessaires pour réussir son exploitation. Tout ne peut reposer sur vos seules épaules. Rien ne sert de vendre si vous ne vous disciplinez pas à facturer. Déterminez de quelle façon vous comblerez d'éventuelles lacunes et comment vous envisagez de tout mettre en œuvre dès le début.
- Parlez avec des entrepreneurs que vous connaissez, surtout ceux dont le produit s'apparente au vôtre. Assurez-vous toutefois de ne pas tromper des concurrents potentiels. Après les avoir écoutés, soyez honnête envers vous-même quant aux raisons qui vous poussent à posséder votre propre entreprise.

*Un PDG chevronné apprit qu'une petite entreprise de fabrication de mobiliers de bureau était à vendre. Avant d'aller la voir, il demanda à un voisin qui possédait sa propre PME de fabrication de l'accompagner. Après deux heures passées à consulter les états financiers, à visiter l'usine et à poser des questions au propriétaire, les deux hommes quittèrent les lieux afin de réfléchir à l'offre. Le prix demandé était de 750 000 $. Sur le chemin du retour, le propriétaire de la petite entreprise dit: «Avec un tel montant, je préférerais démarrer une entreprise à partir de zéro. On peut se permettre plusieurs erreurs avec 750 000 $.» Sur ce, le PDG prit sa décision et l'achat n'eut pas lieu.*

## FEUILLE DE TRAVAIL 7.1
### Évaluez vos qualités entrepreneuriales

Parmi les énoncés suivants, choisissez-en cinq qui décrivent le mieux vos grandes qualités et habiletés. Prenez votre temps ; il se pourrait que plusieurs vous représentent bien, mais vous devez limiter votre choix. Notez tout de même cinq autres énoncés que vous avez écartés de justesse.

\_\_\_\_ Persévérance

\_\_\_\_ Désir et volonté de prendre l'initiative

\_\_\_\_ Compétitivité

\_\_\_\_ Autonomie

\_\_\_\_ Besoin de réussir

\_\_\_\_ Volonté de courir des risques

\_\_\_\_ Dynamisme

\_\_\_\_ Entregent avec des employés

\_\_\_\_ Polyvalence

\_\_\_\_ Désir de créer

\_\_\_\_ Capacité d'innover

\_\_\_\_ Capacité de gérer efficacement

\_\_\_\_ Facilité à tolérer l'incertitude

\_\_\_\_ Désir profond de gagner de l'argent

\_\_\_\_ Patience

\_\_\_\_ Bonnes habiletés organisationnelles

\_\_\_\_ Besoin de pouvoir

\_\_\_\_ Besoin d'interaction étroite avec les autres

**Le secret de cette feuille de travail**

Les énoncés de cette liste ont été classés par ordre d'importance par des entrepreneurs accomplis. La persévérance a obtenu la plus haute cote tandis que le besoin d'interaction s'est classé bon dernier. Cet exercice ne requiert aucun système de pointage, car votre succès entrepreneurial ne dépend pas des notes que vous vous attribuez. Vos réponses ont été influencées par de nombreux éléments et le but de cet exercice est de vous donner matière à réflexion lorsque vous songerez à travailler à votre compte.

*En route vers la retraite*

Avec ses conditions de travail non traditionnelles, le nouveau modèle de l'emploi a profondément modifié la retraite telle qu'on la connaît. De nos jours, rares sont ceux qui demeurent assez longtemps au sein d'une seule entreprise pour gagner une montre en or et la pension qui y est assortie. Résultat : la retraite avec ses temps libres illimités et son absence de travail rémunéré est moins répandue. Les impératifs financiers motivent de nombreuses personnes à continuer à travailler même après l'âge « normal » de la retraite. D'autres le font pour éviter d'avoir le cafard, surtout si leur conjoint(e) est encore professionnellement engagé(e). Cette étape de la vie est donc en voie de devenir un processus graduel plutôt qu'un événement.

On retrouve idéalement quatre étapes dans le nouveau modèle de retraite :
- la gestion de carrière stratégique ;
- la planification de la préretraite ;
- la semi-retraite ;
- la retraite complète.

En misant sur la gestion de carrière stratégique pendant votre cheminement professionnel, vous mettrez toutes les chances de votre côté afin d'accueillir la retraite comme un processus satisfaisant. Ceux qui choisissent de maintenir leurs compétences et leurs connaissances à jour s'ouvriront des portes lorsqu'ils voudront adopter un travail à temps partiel ou contractuel. Si vous optez pour des projets qui vous intéressent vraiment et qui par la même occasion vous font connaître, vous pourriez poser les premières pierres menant à une panoplie de perspectives de travail à horaire réduit. Puisque vos choix reposeront sur de nouvelles priorités, la gestion de carrière stratégique pourrait exiger certains sacrifices, dont une baisse de revenus au départ. Mais si vous souhaitez faire ce que vous aimez en route vers la retraite, cette décision pourrait en valoir la peine.

La planification de la préretraite est souvent amorcée par d'autres transitions. Une maison vide, un problème de santé ou le simple passage à une tranche d'âge (50 ans, par exemple) peut vous inciter à vouloir travailler moins d'heures ou carrément plus du tout. Ce sera le moment opportun pour établir votre planification financière selon vos besoins et vos attentes. Vous pourrez également dresser un bilan de votre carrière dans le but d'élargir les horizons de vos tâches actuelles. Découvrez les possibilités que vous offre la retraite en discutant avec des personnes cheminant actuellement dans ce processus. Observez de quelle façon les entreprises s'y prennent afin d'engager des individus en semi-retraite. N'oubliez pas de considérer quels aspects de vos compétences et de vos connaissances pourraient générer de belles possibilités de semi-retraite et repérez les créneaux qui pourraient être comblés par quelqu'un possédant votre expérience.

La semi-retraite est une étape de carrière de plus en plus populaire. Les gens n'ont habituellement plus besoin d'un salaire élevé puisque ce dernier est souvent équilibré par une partie des revenus de pension ou des revenus d'investissement. Cette étape pourrait être déclenchée par une entente de retraite anticipée ou tout simplement par votre désir de ralentir la cadence. Même les individus à qui l'on a offert une retraite anticipée reviennent souvent pour entamer des projets contractuels ou pour occuper un poste temporairement vacant. Plusieurs d'entre eux entreprennent une seconde carrière dans des secteurs reliés. Un ancien banquier peut devenir planificateur financier agréé, un comptable peut enseigner ou tenir les livres d'un organisme de charité, un cadre du milieu hôtelier peut devenir propriétaire d'une petite auberge.

La progression de la semi-retraite à la retraite peut se faire abruptement ou tout doucement au fil des années. En réduisant la fréquence des contrats, le volume de clients ou le nombre de journées de travail, vous pourriez ralentir le rythme. Le fait d'abandonner un travail rémunéré est fréquemment relié à un changement de style de vie comme un déménagement, des inquiétudes quant à votre état de santé ou alors le désir de voyager davantage, de jouer au tennis et de consacrer du temps à vos petits-enfants. Lorsque viendra le temps de vous retirer complètement, vous pourrez compter sur des activités communautaires ou de bénévolat afin de mettre à profit vos habiletés et demeurer impliqué sans avoir à vous plier à un horaire fixe ou assumer des responsabilités déplaisantes. En cultivant un intérêt pour les autres et un objectif de vie, vous pourriez insuffler une énergie sans pareille à vos vieux jours.

Ce sont vos choix. Déterminez ce qui vous importe et faites de cette transition une expérience inoubliable.

# Chapitre 8

# *Fixez vos objectifs*

*En quoi vos habiletés coïncident-elles avec les besoins du marché?*

Vous avez dressé le bilan de votre vie professionnelle, recueilli vos exemples de réalisations, identifié votre avantage stratégique et songé à vos valeurs. Le moment est venu de réunir tous ces aspects en une seule vision de votre perspective idéale d'emploi. Ensuite, examinez le marché du travail et déterminez les secteurs d'activité où vous pourriez vous investir. Combinez le tout aux conditions de travail que vous souhaiteriez obtenir, et voilà: vos objectifs seront fixés! Ce sont en fait des hypothèses de travail qui vous aideront à guider vos recherches. Le diagramme suivant illustre le processus de ciblage.

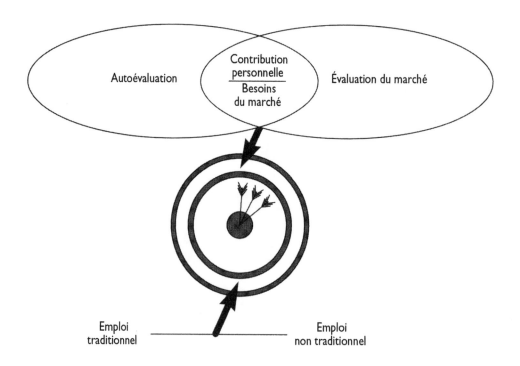

### *Autoévaluation – Votre emploi idéal*

Pour résumer le travail d'autoévaluation effectué aux chapitres 4 à 7, rédigez une définition de votre idéal de travail. Cette vision devra décrire les activités et les tâches qui vous valorisent et les types de cultures ou d'environnements que vous préférez, sans nommer de titres ou d'entreprises spécifiques. Elle s'orientera vers l'avenir tout en prenant racine dans vos talents et expériences. Au fur et à mesure que vous progresserez dans votre recherche d'emploi, servez-vous de votre vision comme pierre d'assise afin de rester sur la bonne voie.

Utilisez la feuille de travail suivante pour résumer votre idéal d'emploi. Partagez-le avec le réseau de personnes qui vous appuient et demandez-leur si cette description est pertinente. Avez-vous oublié d'y inclure des éléments clés?

*Un vendeur performant consacra la majeure partie de ses deux dernières années de travail à implanter de nouvelles technologies pour le soutien des ventes. La rigueur de ses tâches l'épuisant, il ne se sentait plus en contact avec ses compétences clés. En se remémorant ses réalisations et en identifiant son avantage stratégique, il se décrivit comme charismatique et compétitif. Il prétendait comprendre la dynamique émotionnelle qui se dégage de ventes réussies. La gestion des ventes l'intéressait peu, mais il souhaitait obtenir davantage de reconnaissance monétaire. Avec son prochain emploi, il espérait trouver plus de variété et d'occasions de voyager. En partageant sa vision avec son réseau de soutien, celui-ci lui suggéra de devenir conférencier spécialisé en motivation. Il suivit quelques cours, puis réussit à se joindre au circuit des professionnels dans ce domaine, et gagne à présent sa vie en prenant la parole lors de conférences portant sur les ventes.*

---

FEUILLE DE TRAVAIL 8.1
**Autoévaluation – Votre vision de la perspective idéale d'emploi**

---

Énumérez les aspects de votre avantage stratégique (chapitre 5) que vous souhaiteriez transférer à votre prochain emploi.

- Compétences

- Style

- Connaissances

- Champs d'intérêt

- Valeurs et sources de motivation

Quels rôles ou postes correspondent à votre avantage stratégique?

Décrivez le type de personnes dont vous aimez vous entourer dans votre travail (Chapitre 4).

Identifiez la culture et le type d'entreprises qui vous attirent le plus (Chapitre 4).

Quelles autres valeurs, obligations et priorités personnelles influenceront vos choix de carrière (Chapitre 6)?

Quelles sont vos exigences en termes de rémunération?

Quel serait votre lieu de travail idéal?

À quelles conditions accepteriez-vous une forme de travail non traditionnelle (Chapitre 7)?

De quelle façon la prochaine étape de votre carrière vous rapprocherait-elle de vos objectifs à long terme?

## *Évaluation du marché*

Évaluez les secteurs d'activité où vos compétences et vos connaissances peuvent s'avérer utiles. Le secteur dans lequel vous avez travaillé le plus récemment vous semblera probablement plus familier. Peut-être avez-vous déjà une bonne idée des perspectives d'emploi qui s'y trouvent? En ce qui a trait aux secteurs moins connus, effectuez des recherches préalables. Visitez quelques sites Internet et parlez-en à vos personnes-ressources. Au cours de votre enquête, vous devrez consulter des gens compétents qui ne font pas partie de votre réseau de soutien immédiat. La recherche et le réseautage fourniront des réponses aux questions qui émergent tranquillement. À ce stade-ci de l'exercice, vous émettez des hypothèses afin d'éclaircir vos pensées et d'organiser votre collecte d'informations. Au fil de votre progression, vous en apprendrez davantage sur les marchés qui vous intéressent. À quelques reprises, vous aurez probablement recours à cet exercice d'évaluation.

Tout d'abord, posez un regard réaliste sur le secteur d'activité au sein duquel vous étiez récemment employé. Utilisez la feuille de travail suivante pour consigner votre analyse. Puis, explorez d'autres secteurs au sein desquels vous souhaiteriez évoluer et complétez une évaluation du marché pour chacun d'entre eux.

...................................................................................................................................

**Pensez-y!** Lors de votre première ronde d'évaluation du marché, consultez votre réseau de soutien en premier lieu et, si vous le souhaitez, vos références. Vous ne serez pas fin prêt pour le réseautage actif avant d'avoir terminé de fixer vos objectifs initiaux ou réuni toutes vos ressources.

...................................................................................................................................

Consultez l'annexe A et jetez un coup d'œil au diagramme afin de voir où vous vous situez. Une fois votre évaluation du marché complétée, l'analyse de votre situation sera terminée et vous serez prêt à fixer vos objectifs.

---

FEUILLE DE TRAVAIL 8.2
**Évaluation du marché**

---

Marché ou secteur d'activité _____

Qui sont les principaux joueurs? Inscrivez les premiers noms qui vous viennent à l'esprit. Vous étofferez la liste plus tard.

Organisations   _____   _____
                     _____   _____
                     _____   _____

Personnes clés   _____   _____
                     _____   _____
                     _____   _____

Décrivez le terrain de jeu.

Quelles organisations sont les chefs de file? Prévoit-on des fusions ou des acquisitions? Y aura-t-il de nouveaux joueurs sur le terrain? Quelles organisations réussissent le mieux? Sur quoi fondez-vous cette opinion et qui est de cet avis?

Quelles sont les tendances actuelles? Ce marché fait-il face à des problématiques ou à des défis? Quel avenir semble réservé à ce secteur d'activité? Quelles compétences sont recherchées?

De quelle taille est ce marché? Combien de temps prévoyez-vous explorer les perspectives d'emploi qui s'y trouvent? Est-il assez vaste pour que vous y consacriez une recherche à temps plein? Quelles organisations recrutent?

Décrivez les règles du jeu.

Quelles compétences professionnelles et quelles études sont exigées? Le recrutement s'effectue-t-il seulement à l'intérieur de ce secteur d'activité?

Quelles sont leurs méthodes de recrutement? Les perspectives d'emploi sont-elles annoncées publiquement? Sur des sites Internet d'organisations? Par l'entremise de firmes de recrutement? Si oui, lesquelles? De bouche à oreille ou par réseautage?

### *Ciblage stratégique*

Pour vous fixer un objectif, choisissez un marché et émettez des hypothèses quant aux besoins qui pourraient correspondre aux aspects principaux de votre vision de l'emploi idéal. Vous pouvez aussi opter pour un rôle qui vous convient et considérer comment il pourrait s'avérer utile dans divers secteurs. Voici les possibilités : rester dans votre marché actuel ou en adopter un nouveau, accepter un poste semblable au vôtre ou changer complètement de tâches. Lors de cet exercice, le terme « marché » est synonyme de secteur d'activité.

Vos objectifs devront correspondre à une de ces parties du tableau :

Salaire plus élevé
Processus de recherche
plus court

| | |
|---|---|
| Même fonction<br>Marché différent | Même fonction<br>Même marché |
| Fonction différente<br>Marché différent | Fonction différente<br>Même marché |

Salaire moins élevé
Processus de recherche
plus long

Si vous êtes attiré par un poste semblable au sein du même marché, vous pourriez trouver un emploi plus rapidement, avec un salaire plus élevé, qu'en choisissant les trois autres options. Mais la partie en haut à droite ne représente pas à coup sûr la route optimale à suivre pour dénicher un nouveau travail en peu de temps. Les personnes qui ont travaillé dans le secteur des technologies de l'information ou des télécommunications à la fin des années 1990 et les vétérans des fusions de banques le savent très bien. Plusieurs d'entre eux ont dû réorienter leurs recherches vers d'autres postes et marchés. Ils ont obtenu du succès en adoptant le modèle inférieur gauche du tableau, celui qui représente la transition de carrière la plus difficile à entreprendre. Si celle-ci dure habituellement plus longtemps et s'accompagne souvent d'une plus faible rémunération que les autres options, elle peut toutefois prendre la forme d'un rafraîchissant nouveau chapitre dans votre parcours professionnel.

**Pensez-y !** Si vous croyez que la case supérieure droite est remplie d'embûches pour vous ou si vous cherchez à réorienter complètement votre carrière, cet exercice de ciblage vous aidera à identifier d'autres possibilités.

En utilisant la feuille de travail suivante, fixez-vous un objectif à la fois. Limitez les variables de chacun d'eux en considérant soit un marché et plusieurs rôles ou encore un rôle et plusieurs marchés. Cet exercice a été conçu pour vous aider à éclaircir vos idées. Si vous accordez trop de possibilités à un objectif, vous sacrifierez cette clarté.

Arrêtez lorsque vous aurez déterminé vos questions clés pour chacun des objectifs. L'identification de vos priorités et de votre échéancier fera partie de votre processus de planification au chapitre 14.

Une fois que vous vous serez fixé au moins trois cibles stratégiques, vous aurez terminé la deuxième phase illustrée à l'annexe A. Vous serez donc prêt à entreprendre la prochaine étape au cours de laquelle vous devrez réunir vos ressources. Le contenu de vos outils de marketing sera influencé par vos objectifs. Gardez-en un bien spécifique en tête lorsque vous mettrez à jour votre curriculum vitæ et préparerez votre présentation pour vos entrevues et votre réseautage. Vous pourrez revenir aux autres objectifs lorsque vous serez prêt à bouger.

*Dès le début de son expérience en transition de carrière, une professionnelle des ressources humaines œuvrant dans l'industrie des biens de consommation s'était fixé trois cibles. Elle était convaincue qu'elle pourrait trouver un emploi dans le même domaine, mais de niveau plus élevé, si elle optait pour une plus petite entreprise de son secteur d'activité. Elle songea également à postuler pour un poste de même niveau, mais dans le domaine des soins de santé. Son intérêt pour ce dernier apparut lorsqu'elle commença à s'occuper de sa nièce handicapée. Elle voulait aussi explorer la possibilité d'obtenir un poste de directrice adjointe d'un organisme sans but lucratif où elle pourrait s'impliquer davantage en aidant les enfants aux prises avec des problèmes de santé. Ces trois cibles lui indiquèrent une direction claire et distincte.*

FEUILLE DE TRAVAIL 8.3
**Vos cibles stratégiques**

Secteur(s) d'activité :

Organisation(s) ciblée(s) et leur taille :

Rôle(s), poste(s) ou titre(s) possibles en fonction de la taille des organisations :

Rémunération : Souhaitable _____ Minimum _____

Limites géographiques de la recherche : souhaitable _____
acceptable _____

Conditions de travail possibles :

De quelle façon vos habiletés correspondent-elles aux besoins de ce marché ?

Quel est l'aspect le plus attrayant de cette cible pour vous ?

Quelles questions vous aideront à définir le réalisme de cet objectif ?

Classez le niveau de priorité de cette cible (A, B, C) :

Expliquez ce niveau de priorité.

### Plan de vos activités de recherche

| Échéancier : | Échéancier révisé : | Échéancier révisé : |
|---|---|---|
| Date du début _____ | Date du début _____ | Date du début _____ |
| Évalué et révisé par : | Évalué et révisé par : | Évalué et révisé par : |
| Date _____ | Date _____ | Date _____ |
| Répartition du temps et de l'énergie : | Répartition du temps et de l'énergie : | Répartition du temps et de l'énergie : |
| % des activités hebdomadaires _____ | % des activités hebdomadaires _____ | % des activités hebdomadaires _____ |
| Heures/semaine _____ | Heures/semaine _____ | Heures/semaine _____ |

### *Conclusion*

Beaucoup de temps et d'efforts ont été consacrés à cette période de réflexion. Félicitations! vous êtes demeuré dans la partie. Vous êtes sur la bonne voie si vous façonnez votre futur à partir de ce que vous avez de mieux dans votre passé et d'unique dans votre présent. Peu importe le choix que vous ferez quant à vos perspectives d'emploi, l'évaluation et la planification que vous venez de terminer guideront vos décisions pour les années à venir.

À présent, vous devez acquérir ou rafraîchir vos compétences de mise en marché et de recherche afin de passer à l'action.

# Mobilisez vos ressources

*L'ingéniosité se trouve dans les détails.*

## *Objectifs*

Cette section vous aidera à créer le matériel et développer les compétences nécessaires pour poursuivre activement vos recherches. Vous y trouverez des explications détaillées et plusieurs exemples afin de vous guider. Vous êtes sur le point d'entamer le travail le plus méticuleux de votre transition. Les chapitres de la troisième partie abordent :

- la recherche d'information comme étape essentielle dans votre quête d'un emploi ;
- la cueillette de données portant sur des secteurs d'activité, des tendances et des organisations ;
- la mise sur pied d'un bon système de classement ;
- la rédaction d'un curriculum vitæ mettant en valeur vos compétences selon votre cible ;
- la conception de matériel, de biographies et de brochures supplémentaires ;
- une présentation en cinq volets afin d'exceller lors des entrevues ;
- la préparation aux entrevues ;
- la compréhension des diverses formes d'entrevues ;
- la rédaction efficace de votre correspondance.

## *Règles à suivre*

- Employez une variété de sources d'information, dont les documents sur papier, Internet et votre réseau de contacts.
- Assurez-vous de donner à votre curriculum vitæ la même direction que celle que prend votre carrière.
- Rédigez un CV axé sur vos réalisations et non sur une description détaillée de vos tâches.
- Dans votre curriculum vitæ, indiquez le plus de résultats quantitatifs possible lorsqu'il sera question de vos réalisations.
- Pratiquez les réponses que vous donnerez aux questions d'entrevue les plus difficiles.
- Adaptez chaque élément de votre correspondance selon les circonstances spécifiques et le destinataire.

## *Pièges à éviter*

- Bâcler votre curriculum vitæ afin de réintégrer plus rapidement le marché du travail.
- Vous présenter aux entrevues sans une bonne préparation.

- Manquer d'honnêteté quant aux raisons justifiant le départ de votre dernier emploi.
- Approcher une entreprise avant d'avoir recueilli suffisamment de renseignements à son sujet.
- Effectuer des recherches superficielles au lieu de les approfondir.
- Négliger la rédaction des lettres de remerciement.
- Dépenser trop de temps à concevoir des outils de marketing dont vous n'avez pas vraiment besoin.

Chapitre 9

# *La recherche d'information*

*L'information procure le pouvoir*

Nombreux sont ceux qui amorcent un changement de carrière sans connaître toutes les options qui s'offrent à eux. En ignorant ce qui se passe à l'extérieur de vos quatre murs ou des frontières de votre secteur d'activité, vous pourriez négliger d'explorer de nouvelles opportunités, même si une mine d'informations est facilement accessible. Avec un peu de détermination, vous trouverez tout ce dont vous avez besoin pour dénicher l'emploi qui vous convient.

........................................................................................................................................................

**Pensez-y!** Il y a peut-être longtemps que vous n'avez effectué des recherches approfondies. Ces tâches ne font sans doute pas partie de vos fonctions et la plupart des cadres délèguent ce type d'activité. Mais même si vous n'êtes pas habitué à effectuer des recherches, allez de l'avant. Vous pourriez vous surprendre à aimer fureter.

........................................................................................................................................................

### *L'importance des recherches dans la quête d'un emploi*
La recherche d'information est un outil essentiel pour mettre en œuvre et faire progresser votre recherche d'emploi. Vous pourrez réduire, élargir, réviser ou éliminer vos objectifs en recueillant de plus amples détails sur les postes, les entreprises, les secteurs d'activité et les tendances qui vous intéressent. Chaque renseignement à trouver doit être lié à l'atteinte de vos buts. Lorsque vous considérez la recherche d'information comme une des façons les plus importantes de parvenir à vos fins, les activités reliées à votre recherche d'emploi se diversifient et ne se résument pas seulement aux petites annonces ou à l'affichage des postes qui semblent correspondre à vos intérêts et à vos compétences.

*Un cadre des services financiers s'était fixé un objectif: dénicher un emploi qui lui permettrait d'utiliser son expertise en prévention de la fraude et en analyse de risque. Lors de ses recherches, il tentait de trouver des entreprises enregistrant un nombre croissant de réclamations d'assurances et de pertes dues à des fraudes. Après avoir identifié 40 sociétés au sein de quatre secteurs d'activité, ainsi que le responsable de chacune des entreprises, il en profita pour recueillir de la documentation qui lui permettrait de formuler des questions pertinentes lors de rencontres de réseautage. Il n'eut aucun problème à trouver des occasions de travail comme contractuel.*

Votre recherche vous aidera aussi à rédiger votre matériel promotionnel. À force de vous documenter, vous vous familiariserez avec des sujets pertinents que vous pourrez aborder avec les personnes que vous contacterez. Vous apprendrez aussi de quelle façon les entreprises et les secteurs d'activité emploient et interprètent des termes et des expressions spécifiques. Ainsi, vous pourrez insérer quelques mots clés dans votre curriculum vitæ et utiliser la terminologie du secteur d'activité dans vos lettres de présentation afin d'attirer l'attention souhaitée sur vos connaissances.

La recherche d'information est essentielle à la préparation aux entrevues. Vous devez vous renseigner le plus possible sur l'entreprise avant d'y mettre les pieds. Il est important de bien connaître le marché et le secteur d'activité, ainsi que les individus qui y sont influents. Lisez la documentation pertinente disponible et parlez de l'entreprise en question à vos conseillers et à vos personnes-ressources avant de vous présenter à un entretien.

La recherche d'information est liée au réseautage de deux façons: d'abord, elle vous permet de préparer vos appels et vos rencontres et, ensuite, elle représente un des objectifs poursuivis par vos activités de réseautage. Vous approfondirez cette notion lors d'un autre chapitre, mais, d'ici là, notez que la recherche d'informations est une des raisons que vous donnerez pour contacter et rencontrer des personnes qui peuvent vous aider dans votre quête. De plus, les renseignements recueillis sont souvent d'intérêt pour les gens que vous rencontrez lors du processus de réseautage.

......................................................................................................

**Pensez-y!** En effectuant des recherches et en partageant ce que vous avez découvert, vous serez considéré comme quelqu'un de renseigné et à l'affût des dernières tendances. Les employeurs potentiels voudront éviter que vous ne tombiez entre les mains de la concurrence.

......................................................................................................

Un des plus grands bienfaits de la recherche d'information est celui de vous garder actif sur le marché. En tentant d'identifier de nouvelles tendances, de comprendre des secteurs d'activité, d'évaluer des entreprises et de découvrir le nom des décideurs, de nouvelles idées surgiront afin d'élargir les horizons de votre quête et libérer votre pensée créatrice. Vous rencontrerez également des personnes qui pourraient vous prodiguer des conseils ou alors vous ouvrir des portes dont vous ne soupçonniez même pas l'existence.

### La recherche d'information: un processus en quatre étapes

Comme pour toute compétence ou habileté, votre recherche d'information aura plus de valeur si elle est bien effectuée. Une fois ces quatre étapes complétées, vous pourrez vous féliciter de votre bon travail.

**Recueillez les renseignements:**
- Concentrez vos recherches. Définissez clairement ce que vous souhaitez savoir, formulez vos questions clés et n'en dérogez pas.
- N'oubliez pas que l'information se trouve parfois là où vous l'attendiez le moins.
- Utilisez des ressources diverses.
- Considérez les personnes comme vos ressources principales lors de vos recherches.
- Soyez créatif. Devenez détective privé!

**Organisez-les:**
- Adoptez dès le début une classification, que ce soit l'archivage électronique ou les dossiers physiques.
- Mettez sur pied un système de renvoi afin de repérer vos renseignements de façon efficace.
- Inscrivez la source (titre de la publication, date et page) sur chaque coupure ou page imprimée.
- Organisez vos favoris dans votre navigateur Web.

**Assimilez-les:**
- Un processus de réflexion dynamique fait partie des éléments les plus importants pour maximiser la pertinence de vos recherches.
- Décelez les tendances qui s'en dégagent. Établissez des liens et soulignez les contradictions. Posez-vous des questions.
- De fil en aiguille, consignez vos idées, aussi éloignées du sujet soient-elles, afin d'y revenir plus tard.
- Prenez des notes au fur et à mesure que vos pensées mûrissent.
- Émettez des hypothèses. Tirez des conclusions.

**Utilisez-les:**
- Discutez de vos recherches avec vos conseillers, votre groupe de soutien et vos personnes-ressources.
- Devenez un fournisseur d'informations, armé de copies d'articles, d'adresses de sites Internet et d'astuces sur les sources de renseignements, comprenant les noms et les coordonnées de personnes compétentes.
- Parlez des données que vous avez glanées avec d'autres et demandez leur avis.
- Employez la recherche d'information comme outil de préparation pour votre réseautage et vos entrevues et cherchez les occasions d'en mentionner des éléments lors des rencontres.
- Laissez la recherche d'information jouer un rôle clé lors de vos évaluations de perspectives d'emploi.

**Pensez-y!** Un système complet de tenue de dossiers de recherche d'emploi nécessite l'usage d'un calendrier ou d'un agenda, d'une base de données pour répertorier les personnes-ressources, de fiches de correspondance classées par ordre alphabétique avec un renvoi aux entreprises ainsi que de dossiers distincts contenant des renseignements et des articles sur les individus, les entreprises, les secteurs d'activité et les tendances. En utilisant un bon système de classement, vous retrouverez votre information rapidement tout en évitant les dédoublements.

### *Les meilleures ressources sont humaines*

Les meilleurs fournisseurs et interprètes d'information sont les êtres humains. La plupart des individus aiment se faire demander leur opinion, surtout lorsque les questions sont spécifiques et réfléchies. Vous pouvez poser les mêmes à de nombreuses personnes, même si vous êtes certain d'avoir recueilli absolument tous les faits et les avis à ce sujet. Les gens se sentent flattés que l'on ait pensé à eux et on ne sait jamais quand une question suscitera de nouvelles idées.

L'éventail de points de vue obtenus lorsque vous interrogez vos personnes-ressources vous donne une perspective du «terrain» qu'aucune autre recherche ne peut offrir. Les renseignements de grande utilité vous viendront, pour la plupart, d'individus très francs dont vous devrez préserver l'identité ou dont vous ne pourrez divulguer les dires. Si vous tenez vraiment à savoir ce que c'est que de travailler chez Votre cible inc., informez-vous auprès de ceux qui ont les deux pieds dans l'entreprise. Ne vous fiez pas seulement à ce que racontent les communiqués ou à ce qu'affirment les analystes financiers. Vous pourriez découvrir une toute autre version en discutant avec d'autres personnes.

Dans certains cas, vous pourriez accompagner un employé et observer son travail afin de recueillir de l'information de première main. Cette option est d'autant plus intéressante si vous cherchez à réorienter complètement votre carrière. Il va sans dire que la nature du travail, le type d'entreprise et le poste convoité doivent pouvoir se prêter à la présence d'un observateur.

*Un employé d'une banque commerciale songeait à changer de cap après plus de 26 années de service au sein de la même institution. Il désirait donner des cours de commerce et avait effectué des recherches pour déterminer la formation qui lui serait nécessaire afin de décrocher un emploi de professeur au secondaire ou au collégial. Pour l'aider à prendre sa décision, il demanda à l'un de ses voisins qui enseignait dans une école secondaire s'il pouvait l'accompagner à ses cours pendant une semaine. Les dispositions furent prises et le banquier put se faire une idée réaliste de ce qui l'attendait. Il décida ensuite d'adopter l'enseignement à temps partiel dans un cégep comme étape transitoire.*

**Pensez-y !** Avoir des questions pour vos recherches est un bon prétexte pour communiquer avec les gens de votre réseau. Un rapide appel téléphonique ou un petit courriel accompagné d'une question spécifique vous permet de garder contact avec vos personnes-ressources et de les tenir informées de votre évolution.

### Orientez vos recherches

La meilleure façon de concentrer vos recherches est de cibler vos questions. Pendant votre processus de recherche d'emploi, vous aurez quatre sujets à approfondir : les tendances, les secteurs d'activité, les organisations et les individus. Les questions suivantes pourront vous aider.

### Questions pour identifier une tendance
- Quel sens donne-t-on aux termes employés pour la décrire (ex. : conformité) ?
- Quels sont les secteurs d'activité influencés par cette tendance ? De quelle façon ?
- Implique-t-elle un élément social, culturel, politique, démographique, géographique, technologique ou éthique ?
- Quels livres, articles, études ou enquêtes gouvernementales ont été publiés sur le sujet ?
- Est-ce le résultat d'une nouvelle législation ?
- Qui risque de bénéficier de cette tendance et qui risque d'en souffrir ? De quelle façon ?
- Quels avis circulent concernant cette tendance ? Qui dit quoi ?
- Selon cette tendance, quelles professions sont en voie de disparition et quelles sont les nouvelles portes qui s'ouvrent ?

• Afin de répondre à cette tendance, quelles compétences ou formation s'avéreront précieuses ?
• De quelle façon croyez-vous que cette tendance influencera votre changement de carrière ?

**Questions pour explorer un secteur d'activité**
• Quels facteurs ont influencé le développement de ce secteur d'activité ?
• Quelles en sont les tendances actuelles ?
• Existe-t-il des éléments qui peuvent limiter la croissance de ce secteur d'activité ?
• A-t-il été influencé par la législation ?
• Quels sont les facteurs écologiques qui ont un impact sur ce secteur d'activité ?
• Quels nouveaux produits ou services ont un effet sur la façon dont les affaires se développent ?
• Quel impact ont eu les nouvelles technologies sur ce secteur d'activité ?
• Les groupes de pression ou de consommateurs y exercent-ils une certaine influence ?
• Existe-t-il des facteurs qui pourraient avoir un impact sur la santé de ce secteur d'activité ?
• Qui en sont les analystes respectés ? Que disent-ils ?
• Quelles compétences sont recherchées ? Lesquelles sont en déclin ?
• Quelles entreprises sont les chefs de file de ce secteur d'activité ?
• Qui en sont les gourous ?

*Passionnée par la nutrition et la naturothérapie, une chercheuse dans un laboratoire pharmaceutique voulait en connaître davantage sur les biotechnologies. Elle examina d'abord les programmes offerts par les universités et dénicha une formation d'un an moyennant des coûts raisonnables. Puis, elle consulta un moteur de recherche, www.yahoo.ca, dans lequel elle inscrivit le mot « biotechnologie », ce qui généra 235 catégories et 811 sites Internet pertinents. Comme elle souhaitait demeurer au Canada, elle cliqua sur « Canada », réduisant le nombre de catégories à 19 et les sites à 49. Elle effectua un suivi des hyperliens pertinents qui la dirigeaient vers d'autres sites. En aboutissant sur celui d'Industrie Canada, www.strategis.ic.gc.ca, elle cliqua sur « Information d'affaires par secteur ». En utilisant le classement par ordre alphabétique, elle choisit « biotechnologie » et consulta les hyperliens, ce qui lui permit d'éliminer certains éléments de sa recherche jusqu'à ce qu'il ne reste que « technologie alimentaire » et « suppléments nutritifs ». Elle put ainsi trouver plus de 30 entreprises offrant précisément ce qu'elle cherchait.*
*Ensuite, elle visita le site www.canadiancareers.com et, en cliquant sur « Career Info », elle dénicha des ressources concernant les carrières, dont des professions en biotechnologie. Contrairement à la recherche précédente, celle-ci réussit à générer plusieurs noms d'entreprises et d'associations dans ce secteur d'activité. Dans les sections portant sur la biotechnologie, elle consulta la banque d'emploi du Conseil de ressources humaines en biotechnologie, qui contenait plus de 50 offres. Dans les sections portant sur la médecine alternative, elle visita le site de l'Association canadienne de naturothérapie. En dernier lieu, elle alla sur les sites www.monster.ca et www.workopolis.com afin de repérer quels types de postes étaient affichés dans ce secteur. C'est ainsi qu'elle trouva 57 perspectives d'emploi à explorer sur une possibilité de 231 parmi les secteurs biotechnologiques et pharmaceutiques. Grâce à Internet, elle put, en quelques heures seulement, brosser un portrait fidèle d'une option de carrière réaliste.*

**Pensez-y !** Si vos mots clés génèrent trop de résultats, limitez votre recherche en ajoutant plus de paramètres. Par exemple, «biotechnologie», «tendances» et «Québec» donneront des résultats plus ciblés employés ensemble. Si votre recherche ne produit aucun résultat, c'est qu'elle est trop précise ! Éliminez certains termes ou révisez la combinaison des mots clés jusqu'à ce que vous obteniez l'information désirée.

**Pensez-y !** Même si vous êtes un cadre, effectuez vos recherches comme si vous étiez un étudiant débutant dans le secteur. Cette méthode vous permettra de générer des mots clés, des noms d'entreprises, des associations et des renseignements à jour qui vous aideront à avancer et à élargir le champ de votre enquête.

## Questions pour connaître une organisation

- S'agit-il d'une organisation publique ou privée ? Que pouvez-vous découvrir au sujet des propriétaires ?
- A-t-elle récemment changé de main ou est-ce prévu prochainement ?
- Quelle est sa structure ? Possède-t-elle des filiales, des divisions, des bureaux décentralisés, etc. ?
- Combien compte-t-elle d'employés ? Dans combien de succursales sont-il répartis ?
- Quelles sont les personnes clés ? Qui siège au conseil d'administration ?
- Quel est l'historique de cette organisation ? S'est-elle agrandie, ou est-elle le résultat d'une acquisition ou d'un dessaisissement ?
- Quelle est sa situation financière ?
- Quels sont ses produits ou services ? (S'ils sont disponibles sur le marché, essayez-les.)
- Qui sont ses clients et pourquoi choisissent-ils de faire affaire avec elle ?
- Qui sont ses principaux concurrents et qu'est-ce qui la différencie des autres ?
- Comment commercialise-t-elle ses produits ou services ?
- A-t-elle émis des communiqués ou a-t-on écrit des articles à son sujet récemment ?
- Que planifie-t-elle entreprendre sous peu ?
- Comment les gens qualifient-ils sa culture ?
- Quelle est sa réputation à l'égard du traitement de ses employés, clients et fournisseurs ?
- Quelles œuvres de charité appuie-t-elle ?
- Que lui trouvez-vous d'attirant ? Seriez-vous intéressé à vous y joindre ?
- Quels seraient les inconvénients à travailler pour cette organisation ?

## Questions concernant les individus

- Quelles sont leurs coordonnées ? Assurez-vous de bien écrire le nom, le titre, l'adresse, le numéro de téléphone, etc.
- Que devez-vous connaître sur leur entreprise et leur secteur d'activité ?
- Quels sont leurs antécédents (emplois précédents, réalisations, formation) ?
- De quel genre de couverture de presse ont-ils pu bénéficier ?
- Quels sont leurs champs d'intérêt, leurs préoccupations et leurs objectifs personnels ?

- Qui vous les a recommandés? Pourquoi?
- Quels renseignements croyez-vous qu'ils possèdent?

Nous nageons dans une énorme quantité d'informations, et une tout aussi grande variété d'outils de recherche est disponible. Les pages suivantes vous indiqueront de bons points de départ. Au fur et à mesure que vous recueillerez de l'information sur le sujet de votre choix, plusieurs autres portes s'ouvriront sur d'excellentes ressources (en plus grand nombre que celles énumérées ci-dessous).

Si vous êtes novice dans la recherche sur Internet, voici un site qui vous fournira une bonne introduction:

- Réseau éducation-médias au www.media-awareness.ca/francais/ressources/projets_speciaux/toile_ressources/recherche_efficace. cfm

Pour obtenir des renseignements non accessibles sur Internet, rendez-vous à une bibliothèque ou à une librairie spécialisée où des personnes compétentes se feront une joie de vous indiquer les ressources appropriées.

### *Un inventaire d'outils de recherche*

#### Affaires en général et répertoires commerciaux
- Le site canadien des entreprises et des consommateurs (www.strategis.ic.gc.ca)
- Base de données sur les sources de financement ou sur l'aide gouvernementale (www.portaildesaffaires.ca)
- Répertoire Scott (www.scottsinfo.com)
- CRIQ Produits fabriqués et distribués au Québec (www.icriq.com)
- Centre de services aux entreprises du Canada (www.rcsec.org)
- Québec-Affaires, votre partenaire en affaires électronique (www.quebecaffaires.com)
- Agence du revenu du Canada (www.ccra-adrc.gc.ca)
- Branchez-vous! Le meilleur d'Internet (www.branchez-vous.com/canal/affaires)

#### Répertoires spécifiques
- Répertoire des entreprises du Québec (www.quebecweb.com/entreprise/introfranc.html) — tourisme
- Webfin (www.webfin.com) — finances
- Ressources entreprises (www.ressourcesentreprises.org) — développement économique

#### Répertoires d'associations
- Groupement des chefs d'entreprise (www.groupement.qc.ca/index.html)
- Réseau des femmes d'affaires du Québec (www.rfaq.ca)
- Regroupement des gens d'affaires (www.rga.ca/francais)
- Canada's Information Resource — liaisons automatiques du répertoire en ligne des associations et des services financiers (circ.micromedia.ca/hotlinks/associations/main.htm)
- Portail Web donnant accès à des ressources documentaires en gestion des ressources humaines et en relations du travail. (www.portail.rhri.com)

### Répertoires téléphoniques en ligne
- Canada 411 (canada411.ca)
- Pages jaunes (www.pagesjaunes.ca)
- jaune. ca (www.jaune.ca)

### Sites Internet d'organisations
Les renseignements sur une entreprise (son historique, sa structure, ses dirigeants, ses données financières et ses produits et services) se retrouvent habituellement sur son site Internet. Il est à noter que cette information a été rédigée par l'entreprise. Afin de repérer des adresses de sites, utilisez les répertoires ou les moteurs de recherches :
- www.toile.qc.ca
- www.yahoo.ca
- www.altavistacanada.com
- www.google.ca
- www.copernic.com
- www.lycos.com

### Rapports annuels
- Bourse de Montréal (www.m-x.ca/accueil_fr.php)
- Leader canadien sur les marchés financiers mondiaux (www.tsx.com/fr/index.html)
- Report Gallery (www.reportgallery.com) – une bibliothèque de rapports financiers en ligne
- SEDAR – Système électronique de données d'analyse et de recherche (www.sedar.com)
- U.S. Securities & Exchange Commission (www.sec.gov)

### Sites d'affaires
- Les Affaires (http://pme.lesaffaires.com)
- Globe and Mail Investor Web Site (www.globeinvestor.com)
- StockHouse Canada (www.stockhouse.ca)
- Conseils aux investisseurs (www.adviceforinvestors.com/indexbrand.fr.phtml)
- Wright Investors' Service (www.corporateinformation.com)

### Profils de secteurs d'activité
- Développement économique Canada pour les régions du Québec (www.dec-ced.gc.ca)
- Banque du Canada (www.bank-banque-canada.ca)
- Intégration des technologies d'affaires, comptables et bancaires (www.fortune1000.ca)
- Industrie Canada (www.ic.gc.ca) offre une foule de renseignements gouvernementaux, dont la base de données Strategis (www.strategis.ic.gc.ca).
- Statistique Canada (www.statcan.ca) publie de nombreuses données sur les conditions économiques et sociales au Canada. Certaines, tirées du recensement, sont également offertes gratuitement.
- GDSourcing Research and Retrieval (www.gdsourcing.com) vous aide à trouver des données statistiques gratuites.

- Développement des ressources humaines du Canada pour des informations pertinentes sur le marché du travail, la situation de l'emploi, liste d'entreprises par région ou catégorie d'emploi, et autres (www.qc.hrdc-drhc.gc.ca)
- Publications d'affaires qui classent les chefs de file par ventes, actifs et nombre d'employés.
  - Journal Les Affaires (www.lesaffaires.com)
  - Canadian Business – i500/tech 100 (www.canadianbusiness.com)
  - Profit 100 (www.profitguide.com/profit100)
  - Fortune 500 (www.fortune.com/fortune/fortune500)

## Journaux, publications commerciales et magazines en ligne

- *Journal de Montréal* (www.journaldemontreal.com)
- *Journal de Québec* (www.journaldequebec.com)
- *La Presse, Le Soleil, Le Droit,* etc. (www.cyberpresse.ca)
- *Le Devoir* (http://ledevoir.com)
- Journaux d'affaires (www.lesaffaires.com) : *Les Affaires, Affaires Plus, Commerce, PME, Finances Investissement, Forces…*
- *The Globe and Mail* (www.globeandmail.com)
- *Report on Business* (www.robmagazine.com)
- *Financial Post* (www.nationalpost.com/financialpost)

........................................................................................................................................................

**Pensez-y !** Le contenu de plusieurs journaux et magazines peut souvent être consulté grâce à des moteurs de recherches disponibles dans les bibliothèques publiques.

........................................................................................................................................................

## Agences de presse

- Le cyberjournal d'affaires internationales (www.commercemonde.com)
- Radio-Canada (http://radio-canada.ca/nouvelles)
- Business Wire (www.businesswire.com)
- Reuters Online (www.reuters.com et www.reuters.ca)
- CNW Telbec, chef de file canadien de la diffusion électronique de nouvelles et d'information (www.cnw.ca/fr)

## Portails

Quelques points d'accès vers un important volume d'informations.

- Navigation Plus (www.navigationplus.com)
- Business search engine (www.business.com)
- CEO Express (www.ceoexpress.com)
- MSN (www.msn.ca)

**Pensez-y!** Le site Internet sur les renseignements commerciaux d'Industrie Canada, Strategis (www.strategis.ic.gc.ca), permet de trouver de l'information actuelle sur des secteurs industriels spécifiques, les perspectives d'exportation, le potentiel des entreprises, les renseignements internationaux et les contacts d'affaires, les nouveaux processus et les plus récentes technologies, les spécialistes en gestion, les services de commercialisation, les études et les statistiques financières gouvernementales, la microéconomie, et beaucoup plus. Une mine d'or pour tous les chercheurs!

Chapitre 10

# *Rédigez un curriculum vitæ efficace*

*La qualité du résultat est proportionnelle à la qualité de l'effort.*

Un curriculum vitæ soigneusement préparé est essentiel pour répondre à des occasions intéressantes. Il doit indiquer à l'employeur potentiel vos compétences et votre expérience de façon claire et concise afin de le convaincre que vous possédez une valeur unique. La planification, l'énergie et la réflexion stratégique que vous investirez dans l'élaboration de votre curriculum vitæ sont autant d'ingrédients nécessaires à votre succès.

Avant de vous attaquer à sa rédaction, énumérez et décrivez les compétences que vous souhaiteriez utiliser lors de votre prochain emploi, le type de rôles qui vous intéressent et les milieux les plus propices à l'épanouissement de vos talents. Cette étape peut vous sembler accablante si vous n'avez pas, lors des chapitres précédents, dressé le bilan de votre carrière ou identifié votre avantage stratégique. Il serait sage de consacrer un peu de temps à ces questions si ce n'est déjà fait. Cependant, si vous connaissez bien vos compétences clés et la direction que vous désirez prendre, vous pouvez commencer à rédiger votre curriculum vitæ.

Règle numéro un : vous devez le concevoir vous-même ! Même si des services de rédaction sont disponibles, l'élaboration de votre CV vous mettra plus à l'aise avec les points dont vous discuterez lors de vos entrevues et votre façon de les exprimer. Choisissez quelqu'un qui pourra vous offrir des suggestions et des commentaires, mais chargez-vous vous-même du contenu. Vous vous connaissez mieux que quiconque et accomplirez un meilleur travail en réfléchissant et en mettant l'accent sur les aspects les plus importants de votre parcours, de vos réalisations et de vos intérêts professionnels.

......................................................................................................................................

**Pensez-y !** Ce que l'on apprend lors de sa rédaction est un des principaux avantages d'un curriculum vitæ. En prenant le temps de survoler votre carrière et d'élaborer les énoncés de vos réalisations, de vos forces et de vos compétences, vous aurez votre expérience en tête et pourrez facilement en parler lors d'une entrevue ou d'une rencontre de réseautage.

......................................................................................................................................

Afin d'éviter les pièges de la rédaction d'un curriculum vitæ et de guider votre approche, lisez attentivement les conseils suivants.

CONSEILS POUR RÉDIGER VOTRE CURRICULUM VITÆ

- Ne vous attendez pas à le finir au bout d'une heure ou deux. La création d'un bon curriculum vitæ doit mûrir pendant plusieurs heures, voire des jours. Après tout, vous voulez qu'il soit de première qualité!
- Même si vous en possédez déjà une version, recommencez votre CV à neuf. Vous pouvez utiliser l'ancien comme outil de référence.
- Créez un curriculum vitæ qui reflète vraiment votre expertise et vos forces. La version originale pourrait être suffisante pour couvrir plusieurs de vos objectifs (voir chapitre 8) si elle est jointe à une lettre d'accompagnement bien écrite qui met l'accent sur des caractéristiques spécifiques du marché ou des exigences du poste.
- Vous pourriez devoir rédiger différentes versions de votre curriculum vitæ selon les cibles en vue. Cependant, il serait sage d'en limiter le nombre.
- Plus qu'une simple question de rôles et de tâches, votre CV devrait illustrer ce que vous avez accompli. Indiquez des problèmes que vous avez dû résoudre, des gestes que vous avez posés et des résultats obtenus.
- Lorsque cela est possible, quantifiez les résultats de vos réalisations. «Effectuer des économies annuelles de 2 millions de dollars» ou «réduire le roulement du personnel de 20 à 12 %» forment des arguments de poids.
- Chaque énoncé de votre CV doit être factuel et véridique. Celui-ci sert de prémisses à une entente légale et à une relation de bonne foi avec votre employeur. En cas de fausse représentation, les conséquences pourraient s'avérer gênantes et coûteuses pour votre carrière.
- Les employeurs reçoivent parfois des centaines de curriculum vitæ pour chacun des postes affichés ou annoncés. Il vous faut émerger du lot. Vos compétences clés, votre expérience et votre style doivent être exprimés de façon claire et concise.
- Limitez la longueur de votre CV à deux pages, trois au plus. Toutefois, dans certains secteurs, tels les technologies de l'information, la science, la médecine ou l'enseignement universitaire, on s'attend à des curriculum vitæ plus détaillés. Si vous avez conclu d'importantes transactions, donné des présentations professionnelles, écrit des articles ou publié des études, faites-en mention sur une page distincte.
- La présentation est importante. Portez une attention particulière au format et à la mise en pages. Soignez votre grammaire et votre orthographe. Utilisez du papier de haute qualité et une imprimante laser. Cependant, n'allez pas croire qu'une belle apparence peut pallier un manque de contenu.
- Révisez soigneusement votre CV et demandez à d'autres personnes de le relire pour vous.
- N'oubliez pas que votre meilleur outil de marketing c'est vous-même, et non votre curriculum vitæ! Il vous aidera à obtenir une entrevue et vous fournira la documentation nécessaire pour appuyer vos dires, mais la décision de vous engager découlera de vos interactions et des affinités entre vous et les personnes rencontrées.

### *Mise en page du curriculum vitæ*

Lorsque vous commencerez à écrire, vous devrez faire des choix de mise en pages concernant la disposition de vos informations ainsi que la police et l'espacement. Le meilleur conseil à ce sujet est d'adopter la simplicité.

**Présentation chronologique**

Le curriculum vitæ chronologique est la norme dans l'organisation de l'information. Cette présentation décrit votre expérience de travail par ordre chronologique inversé, votre emploi le plus récent apparaissant en tête de liste. Cette méthode met l'accent sur le nom de vos employeurs, les dates, les titres et les tâches, ainsi que vos principales réalisations. Votre historique professionnel apparaît de façon séquentielle ce qui est avantageux lorsque vous présentez une carrière ascendante et une croissance continue de vos responsabilités sans absences prolongées de travail.

Les responsables du recrutement et des ressources humaines démontrent une préférence notable pour le curriculum vitæ chronologique. Ils y sont habitués et parviennent à y trouver rapidement ce qu'ils cherchent.

**Présentation fonctionnelle et chronologique**

Une autre possibilité est la combinaison fonctionnelle et chronologique. Le curriculum vitæ est alors organisé selon les éléments clés de votre expérience professionnelle (aussi appelés «activités fonctionnelles»). La portion chronologique de cette combinaison peut précéder ou suivre la section fonctionnelle et contient les renseignements d'usage comme le nom des employeurs, les dates, les titres, etc. Cette partie ne devrait pas occuper plus d'une page. L'exemple no 3 à la fin de ce chapitre illustre cette présentation.

Le curriculum vitæ fonctionnel et chronologique vous donne la possibilité de faire ressortir les thèmes récurrents de vos postes et expériences. Vous bénéficierez de cette méthode surtout si vos plus grands accomplissements commencent à dater. Cette présentation vous permet également de démontrer votre capacité à transférer vos compétences et vos réalisations, un atout lorsqu'on planifie un changement de carrière. Grâce à cette forme non linéaire, les interruptions de travail deviendront beaucoup moins apparentes. C'est d'ailleurs une des raisons pour lesquelles ce type de curriculum vitæ ne fait pas l'unanimité auprès des professionnels en ressources humaines.

---

**Pensez-y!** Il n'est pas recommandé d'utiliser une présentation strictement fonctionnelle. Ce type de CV peut contenir le nom de vos employeurs, mais n'indique aucune date. Il ne fait que retracer les grandes lignes de votre expérience selon le secteur. Un curriculum vitæ fonctionnel qui ne contient aucune donnée chronologique donnera l'impression que vous avez quelque chose à cacher.

---

Parmi les autres détails à considérer, il y a la police de caractère, l'espacement et la mise en pages. La simplicité facilitera l'envoi par télécopieur ou par courriel. On conseille l'utilisation d'une police de caractères de type Times New Roman ou Arial, d'une grosseur de 11 ou 12 points. Les marges doivent être d'au moins 3/4 de pouce à gauche et à droite, un pouce en haut et en bas. Le choix de la mise en pages est limité, car vous devez insérer beaucoup d'informations dans un espace restreint. Si l'usage créatif de colonnes ou de puces met l'accent sur certains éléments de contenu, il réduit aussi l'espace disponible, et il est préférable de laisser le plus de vide possible. Adoptez l'uniformité dans le choix des fontes de texte et d'en-tête, de l'espacement entre les lignes, les paragraphes et les sections ainsi que dans l'utilisation du soulignement ou des caractères gras. Utilisez du papier blanc ou blanc cassé.

Les exemples de ce chapitre illustrent plusieurs options de mise en pages.

## *Le squelette du curriculum vitæ*

**L'en-tête**

Utilisez un des exemples comme modèle. Commencez par vos coordonnées (nom, adresse et numéro de téléphone). Ne mettez pas l'initiale de votre second prénom à moins de l'utiliser fréquemment. Vous pouvez indiquer tout diplôme ou désignation professionnelle à la suite de votre nom, mais n'en faites pas trop. Vous voulez être perçu comme une personne qualifiée et compétente, et non comme quelqu'un de présomptueux.

Assurez-vous d'être à l'aise avec l'utilisation du courrier électronique. En inscrivant votre adresse de courriel sur votre curriculum vitæ, vous vous engagez à lire vos messages fréquemment. Si ceux-ci risquent d'être interceptés par votre secrétaire ou par votre adolescent à la maison, pensez à obtenir une nouvelle adresse pour vos recherches d'emploi.

Même si le profil suit immédiatement l'en-tête, il est préférable de le rédiger en dernier lieu puisqu'il résume l'information contenue dans le CV.

**Historique de carrière et réalisations**

Le corps de votre curriculum vitæ contiendra un survol de votre historique professionnel. L'objectif premier de cette section est de présenter vos compétences et vos talents. Vous voulez également démontrer votre niveau d'expertise et vos réalisations au sein des secteurs fonctionnels pertinents à votre profession.

......................................................................................................................................

**Pensez-y!** Les renseignements datant de plus de 10 ou 12 ans n'attireront pas vraiment l'attention. Si vous souhaitez souligner des réalisations plus anciennes, songez à adopter la présentation fonctionnelle et chronologique.

......................................................................................................................................

Cette section peut porter plusieurs titres, dont «Expérience professionnelle», «Réalisations professionnelles», «Historique d'emploi», etc. À vous de décider. Établissez un plan en inscrivant tous les employeurs précédents, les titres de postes et les dates par ordre chronologique inversé. Consultez d'anciens exemplaires de vos descriptions de tâches et de vos évaluations de rendement.

Examinez votre bilan de carrière et identifiez ce qui vous a procuré le plus grand sentiment de fierté. Remémorez-vous les défis qui ont enrichi votre expérience ou qui vous ont permis de vous surpasser. Tentez de recueillir entre 12 et 15 réalisations professionnelles ou points saillants de votre carrière, dont cinq plus récents.

Dans le corps du curriculum vitæ, présentez ces faits d'armes sous forme d'énoncés de réalisations, qui sont des descriptions concises d'une situation ou d'un défi particulier. Ils exposent vos actions et leurs résultats, et sont plus intéressants à lire que de simples descriptions de tâches. Ils donnent vie à vos habiletés et à vos champs d'intérêt en créant une image de vous en train d'exécuter le travail dans lequel vous excellez.

Résistez à la tentation de transcrire les phrases de vos descriptions de tâches dans votre curriculum vitæ ; le contraste avec les énoncés de vos réalisations est saisissant. Par exemple :
- Responsable du développement des affaires et du service à la clientèle dans la région métropolitaine.

devient :
- Reconnaît le besoin d'une approche mieux ciblée pour attirer de nouveaux clients grâce à la révision du programme de référence de la clientèle. Travaille avec une équipe de cinq directeurs des ventes au détail et élabore un programme visant à promouvoir une gamme complète de produits et de services. Réalise un gain de 15 % des ventes dans la région métropolitaine au cours des six premiers mois.

La deuxième version vous met davantage en valeur que la première. Pour écrire des énoncés de vos réalisations, utilisez la formule « situation-action-résultat » (chapitre 4) :
- Décrivez la **situation** ou le contexte du travail que vous avez connu, incluant les obstacles, les problèmes et les défis.
- Détaillez les **actions** que vous avez entreprises ou déléguées.
- Mettez en relief et quantifiez les **résultats** obtenus.

Commencez chaque énoncé de réalisation avec le verbe approprié (consultez « l'inventaire des verbes » qui suit pour vous inspirer). Décrivez votre réalisation à l'aide de quelques phrases courtes. Utilisez l'indicatif présent et un style s'apparentant à l'écriture journalistique. N'employez pas le « je ». Ajoutez du détail et de la profondeur à chaque réalisation en la quantifiant lorsque possible. Inscrivez la taille, les volumes, les pourcentages et les signes de dollar. Ceci permettra à votre lecteur de mieux comprendre votre niveau de responsabilité. Si vous êtes incertain du chiffre exact, utilisez des termes quantitatifs comme :

| | |
|---|---|
| environ | moins de |
| approximativement | variant entre _____ et _____ |
| plus de | |

Lorsque vous partagez le mérite avec d'autres, utilisez les termes suivants :

| | |
|---|---|
| avec l'assistance de | participe à |
| contribue à | partage le succès avec |
| avec le soutien de | travaille avec _____ afin de |

Vos employeurs potentiels veulent savoir que vous pouvez produire des résultats ; ce que vous avez accompli une fois, vous pourrez le répéter. Décrivez et quantifiez les conséquences de vos efforts en usant de formulations telles que :

améliore la performance du produit

améliore les processus

améliore le service à la clientèle

améliore le service de livraison

améliore le taux de recouvrement

améliore les marges bénéficiaires de _ %

améliore les relations avec les clients

augmente/améliore l'efficacité

augmente la satisfaction des clients

augmente la valeur des actions

augmente les parts de marché

augmente les ventes de __ %

atteint les objectifs de ventes

change du négatif en du positif

conserve un avantage concurrentiel

contribue à l'efficacité de l'équipe

crée des relations publiques positives

développe de nouveaux marchés

diminue les coûts des ressources humaines

élimine des dépenses d'infrastructure

évite des pertes potentielles

évite un problème potentiel

fait connaître le produit

forme une alliance stratégique

fournit de l'information plus exacte

fournit un avantage concurrentiel

génère de nouvelles affaires

génère des économies de __ $

identifie de nouveaux débouchés

obtient satisfaction en deçà du budget

organise de meilleures procédures

rationalise l'administration

rationalise l'exploitation

réduit le roulement des employés

réduit le temps d'inactivité

réduit le temps de traitement

réduit les coûts

réduit les cycles de rotation

réduit les erreurs

réduit les inventaires

réduit les plaintes des clients

remonte le moral de l'équipe

remplit ses engagements

remporte un prix pour __

résout des problèmes

respecte une échéance urgente/exigeante

satisfait aux exigences de l'entreprise

sécurise l'appui du gouvernement

sensibilise les clients

Une fois que vous aurez écrit les énoncés de vos réalisations, déterminez ceux qui représentent le mieux la direction de carrière que vous voulez suivre et mentionnez-les en premier pour chaque poste occupé. Trouvez des réalisations pour chaque secteur fonctionnel dans lequel vous étiez impliqué et pour chaque champ de responsabilité. Relisez l'analyse de votre avantage stratégique (chapitre 5) et assurez-vous que les énoncés de vos réalisations l'illustrent bien.

Aucune autre partie du curriculum vitæ n'aura un aussi grand impact sur la réussite de votre recherche d'emploi que l'*identification de vos réalisations clés*. Vous devez absolument y consacrer temps et effort.

......................................................................................................................................

**Pensez-y!** Ne surchargez pas votre CV. En accumulant trop d'éléments dans une seule page ou en espaçant tout en quatre ou cinq pages, vous n'impressionnerez pas votre lecteur. Un curriculum vitæ dense ou long ne sera pas lu attentivement.

......................................................................................................................................

## Inventaire de verbes

### Obtention de résultats

accélérer
accomplir
accroître
achever
acquérir
améliorer
atteindre
augmenter
autoriser
avancer
bâtir
conduire
élargir
établir
excéder
fournir
gagner
innover
introduire
lancer
produire
rationaliser
redéfinir
réduire
rehausser
repositionner
résoudre
restructurer
réussir
satisfaire
sauvegarder
sécuriser
solidifier
soutenir
surmonter
surpasser
systématiser
transformer
unir

### Service à la clientèle

écouter
gérer
négocier
promouvoir
rencontrer
résoudre
satisfaire
servir
suivre
traiter

### Exécution de tâches

adapter
administrer
allouer
analyser
appliquer
arranger
calculer
cataloguer
classer
compiler
concilier
contrôler
développer
documenter
enregistrer
équilibrer
estimer
évaluer
exécuter
expédier
fabriquer
filtrer
finaliser
générer
implanter
inspecter
maintenir
modifier
opérer

organiser
perfectionner
planifier
préparer
prévoir
produire
programmer
projeter
recueillir
récupérer
régler
réussir
réviser
servir
spécifier
structurer
traiter
travailler avec
valider
vérifier

### Gestion

améliorer
analyser
assigner
atteindre
capitaliser
consolider
contracter
coordonner déléguer
développer
diriger
établir des priorités
évaluer
fixer des objectifs
former
générer
gérer
guider
inspirer
mener
mobiliser

motiver
normaliser
orchestrer
organiser
orienter
planifier
produire
programmer
rajeunir
recommander
recruter
renforcer
résoudre
réviser
sélectionner
s'engager
siéger
sous-traiter
superviser

### Ventes

atteindre
augmenter
cibler
commercialiser
convaincre
démarcher
élaborer
expliquer
faire campagne
fermer
finaliser
générer
influencer
lancer
négocier
persuader
proposer
réserver
vendre

## Création

adapter
changer
concevoir
créer
diriger
dynamiser
élaborer
émettre
établir
façonner
fonder
former
générer
illustrer
imaginer
initier
instituer
intégrer
introduire
inventer
lancer
personnaliser
remplacer
revamper
revitaliser
structurer

## Recherche

comprendre
diriger
enquêter
enregistrer
évaluer
inspecter
localiser
mettre en tableau
observer
organiser
piloter
prédire
recueillir
réseauter
résumer
réviser
simplifier
systématiser
tester
traduire
vérifier

## Communications

animer
annoncer
arbitrer
assigner
aviser
clarifier
collaborer
communiquer
comprendre
concilier
confirmer
correspondre
critiquer
défendre
désamorcer
développer
diriger
donner une
conférence
écouter
écrire
éditer
éduquer
enquêter
être l'auteur de
formuler
influencer
informer
interpréter
interviewer

juger
modérer
négocier
orienter
parler
persuader
préparer
présenter
promouvoir
prouver
qualifier
questionner
réaliser
reconnaître
rédiger
reléguer
renforcer
répondre
représenter
résoudre
servir de médiateur
traduire
transcrire
verbaliser

**Pensez-y!** Écrivez avec soin ; il est difficile de rédiger de façon claire et concise. Éliminez les mots et les phrases répétitives, et repérez les idées qui peuvent être combinées.

## Information supplémentaire
À la fin de votre curriculum vitæ, signalez toute autre information pertinente dans les catégories suivantes.

## Formation :
Indiquez les diplômes que vous possédez et le nom de chaque institution qui vous les a délivrés. Les dates sont optionnelles. Vous pouvez les marquer, mais sachez qu'elles donneront des indices quant à votre âge. Si vous n'avez pas encore terminé vos études, mentionnez-le à l'aide de l'expression «en cours».

## Langues :
Utilisez les termes «bilingue», «conversationnel» ou «parlé et écrit» afin de décrire votre niveau d'expertise dans d'autres langues.

## Développement professionnel ou perfectionnement :
Indiquez le nom de l'institution, le titre du cours et la date d'achèvement. Ajoutez toutes les formations pertinentes fournies par vos anciens employeurs. N'exagérez pas en énumérant chaque cours que vous avez suivis.

## Affiliations professionnelles :
Écrivez le nom de votre organisme en entier, puis notez sa forme abrégée si nécessaire. Indiquez les services que vous avez gérés et vos fonctions lors d'événements et de conférences.

## Implications communautaires :
Mentionnez les actes de bénévolat et les campagnes de financement auxquels vous avez participé au cours des dernières années. Soulignez les fonctions particulières que vous avez occupées.

## Compétences informatiques :
Indiquez les logiciels et les langages informatiques qui font partie intégrante de votre travail. Normalement, vous n'avez pas à énumérer les logiciels tels que Word et Excel.

## Reconnaissance et distinction :
Les prix démontrent que vous avez été reconnu pour votre excellence. Ils ajoutent un atout précieux à votre curriculum vitæ. Vous pouvez y inclure ceux décernés dans votre vie professionnelle et ceux attribués pour vos actes de bénévolat, en spécifiant pourquoi vous les avez remportés.

## Publications :
Les publications comprennent les articles, les chroniques ou les livres dont vous êtes l'auteur ou auxquels vous avez contribué.

**Champs d'intérêt :**

L'ajout des champs d'intérêt est optionnel, surtout si vous êtes de niveau cadre. Si vous choisissez de les inclure, indiquez vos passe-temps, vos activités physiques et de plein air, et vos champs d'intérêt spécifiques. Ces derniers prouveront que vous menez une vie active, bien équilibrée et que vous savez gérer votre stress. La personne qui vous fait passer une entrevue peut également mentionner un de vos champs d'intérêt dès le début afin de briser la glace et détendre l'atmosphère.

### *Énoncé de votre profil*

La dernière partie, et non la moindre, de votre curriculum vitæ est l'énoncé de votre profil. Aussi unique que votre empreinte digitale et en tant qu'exposé promotionnel, il devrait :
- attirer immédiatement l'attention du lecteur en résumant vos atouts et les thèmes présents dans le corps du CV ;
- vous différencier en présentant votre avantage stratégique ;
- donner un aperçu fidèle de vos compétences, de votre expérience et de votre style personnel.

Ajoutez-lui quelques accroches publicitaires pour le rendre plus convaincant.

Les expressions « profil de carrière » et « objectifs de carrière » sont parfois utilisés indistinctement. Cependant, l'objectif de carrière décrit habituellement le poste ou les fonctions que l'on recherche. Situé au début du curriculum vitæ, l'objectif de carrière était autrefois populaire, mais, pour la plupart des gens, généralement trop vague pour avoir un impact ou alors tellement précis qu'il limitait les options d'emplois potentiels.

**Pensez-y !** En plus des profils, on retrouve généralement des objectifs de carrière lorsqu'il est question de postes techniques ou informatiques.

Vous éprouverez probablement plus de difficulté à rédiger l'énoncé de votre profil que les énoncés de vos réalisations, car il vous faudra résumer. Prenez votre temps. Comme les employeurs ont tendance à lire cette section en premier, un énoncé de profil bien écrit peut faire toute la différence. Malgré le temps et les efforts requis, plusieurs s'aperçoivent que cette partie de leur curriculum vitæ leur permet de cristalliser leur réflexion, d'augmenter leur confiance en eux et de les convaincre de leur potentiel.

**Pensez-y !** L'énoncé de votre profil affirme certaines choses à votre sujet et confirme ce que vous pouvez apporter à une entreprise. Les énoncés de vos réalisations en fournissent la preuve.

Grâce à l'énoncé de votre profil, vous pouvez montrer à votre lecteur dans quelle catégorie de professionnels vous vous situez. Êtes-vous un gestionnaire de projets ou un responsable du développement commercial ? Un professionnel en ressources humaines ou un spécialiste en relations de travail ? Ce choix est important car il a l'effet de limiter ou d'augmenter le nombre de postes accessibles.

L'énoncé de votre profil devrait également donner au lecteur une meilleure idée :
• des secteurs d'activité parmi lesquels vous cumulez de l'expérience ;
• du nombre d'années de travail que vous avez accumulées (optionnel) ;
• de votre niveau de séniorité ;
• de vos plus grandes forces et compétences ;
• de certains aspects de votre personnalité.

Voici un exemple :

*Directeur possédant une expertise dans l'application de technologies de pointe à des problématiques commerciales. Expérience en gestion d'équipes de projets multidisciplinaires avec comme mandat d'augmenter l'efficacité opérationnelle et de réduire les coûts dans plusieurs secteurs, dont la vérification interne, l'assurance qualité et l'exploitation. Excellentes compétences et 15 années d'expérience au sein d'entreprises de services financiers et de fabrication. Capacité de motiver divers spécialistes à collaborer activement au sein d'un milieu de travail proactif.*

Utilisez le modèle suivant afin de créer le brouillon de votre profil.

**Titre ou catégorie professionnelle** (titre qui décrit votre profession, par ex. : avocat, gestionnaire du marketing, directeur des services financiers, etc.) **qualificatif** (adjectif, par ex. : axé sur les résultats, dynamique) avec plus de (nombre total) **années d'expérience en** (type de travail, par ex. : analyse financière, recrutement, gestion de l'exploitation, etc.) **dans le secteur** (soyez spécifique, par ex. : des services financiers). **Compétences particulières en** (nommez-en trois, par ex. : réduction des coûts, développement d'affaires et mise sur pied d'équipes). **Engagé à** (décrivez votre style de gestion, de direction ou interpersonnel).

Si votre titre porte à confusion ou n'est pas approprié, optez plutôt pour un autodescripteur plus générique. Quelques exemples :

| | | |
|---|---|---|
| bâtisseur d'équipes | généraliste | organisateur |
| cadre | gestionnaire | planificateur |
| chef de file en | gestionnaire de projet | professionnel |
| chef d'équipe | initiateur | responsable de |
| collaborateur | innovateur | spécialiste |
| communicateur | médiateur | stratège |
| coordonnateur | motivateur | |
| expert en | négociateur | |

D'autres façons d'introduire vos forces :

| | | |
|---|---|---|
| adepte de | désireux de | fait ses preuves avec |
| apporte une approche ___ à | déterminé à | met l'accent sur |
| capable de | digne de | possède de bonnes bases en |
| capacité démontrée de | doué pour | possède une excellente |
| combine (ceci) à (cela) | engagé à | connaissance de |
| comprend l'importance de | éprouve de la fierté à | prêt à |
| crée de la valeur ajoutée en | excelle dans | reconnu pour |
| démontre | | spécialiste en |

Vous devez être à l'aise avec chaque mot contenu dans l'énoncé de votre profil. Assurez-vous que vos réalisations fournissent des preuves à l'appui et trouvez une expérience à raconter qui pourrait illustrer chacun des points évoqués.

**Pensez-y!** Testez l'énoncé de votre profil en le montrant à un proche qui connaît bien votre secteur d'activité. Ce profil devrait fournir une description claire et appropriée de vous-même.

### Curriculum vitæ électronique et autres technologies

La plupart du temps, c'est en ligne ou par courrier électronique que vous enverrez votre curriculum vitæ à des employeurs potentiels en réponse à une offre d'emploi. Il existe un protocole à suivre concernant le format de votre CV. Si vous êtes un novice ou n'utilisez Internet que pour vos courriels, ne paniquez pas! Il existe de nombreuses ressources qui vous aideront à créer un curriculum vitæ électronique et à utiliser ces technologies informatiques.

**Pensez-y!** Pour obtenir des instructions simples concernant la mise en pages et l'envoi de votre CV électronique, consultez le Coin du C.V. à l'adresse www.cv.monster.ca. Le livre *Les CV qui ouvrent les portes* (Éditions Reynald Goulet inc.) s'avère aussi un excellent outil.

Le terme « curriculum vitæ électronique » est utilisé pour décrire les variations d'un CV conçu dans MS Word ou WordPerfect et adapté pour Internet. Vous n'avez pas besoin de modifier le contenu de votre curriculum vitæ électronique; votre document original de format Word peut facilement être formaté pour l'acheminement en ligne.

La forme de curriculum vitæ électronique la plus simple est en version ASCII (American Standard Code for Information Interchange). Elle est imperméable aux virus informatiques et compatible avec les systèmes de gestion de CV utilisés par plusieurs entreprises, agences de recrutement et sites Internet d'emploi, mais elle élimine la mise en page. Certaines formes plus avancées de CV électroniques comprennent les sites Web personnels ou les dossiers de présentation en ligne. Leur utilité lors d'une recherche d'emploi est évaluée lors du chapitre 11.

### *Options de formats du curriculum vitæ électronique*

Il existe plusieurs types de formats pour le curriculum vitæ électronique. L'option la plus simple et la plus populaire (que vous avez d'ailleurs probablement déjà utilisée), est l'envoi d'un document Word en tant que fichier attaché dans un courriel. Cette méthode est acceptable seulement lorsque le destinataire est une personne spécifique qui a été prévenue ou qui s'attend à le recevoir à la suite d'une conversation ou d'une rencontre avec vous. Avec les milliers de CV naviguant dans le cyberespace et le risque élevé de contamination des pièces jointes par des virus, un document MS Word ou WordPerfect attaché à un courriel non sollicité risque d'être supprimé sur-le-champ.

Les recruteurs et les sites Internet d'emploi spécifient habituellement la façon dont ils souhaitent recevoir votre information. Vous devez suivre leurs instructions à la lettre. Si vous y dérogez, votre curriculum vitæ sera éliminé avant même d'être lu par quelqu'un. Tous ces formats sont décrits dans le tableau suivant.

Types de formats pour votre curriculum vitæ électronique

| Type | Extension du fichier | Description, avantages et limites | Utilisation |
|---|---|---|---|
| **Texte ASCII**<br>– s'envoie par courriel<br>– peut être copié/collé dans le corps d'un courriel<br>– version texte seulement<br>– non mis en pages | .txt (texte) | • Ne contient pas de mise en pages décorative pouvant être transposée sur des courriels et des formulaires électroniques sur Internet.<br>• Compatible avec tous les systèmes informatiques.<br>• Facilité à y effectuer une recherche.<br>• Se conforme à la police par défaut du destinataire, rendant l'apparence impossible à modifier une fois que le CV a quitté votre système.<br>• Perd ses sauts de ligne originaux lorsque le destinataire le fait parvenir à d'autres.<br>• D'apparence ordinaire. | • Pour coller le CV ou une partie du CV dans un formulaire en ligne à partir d'un site Internet d'emploi, d'une agence ou d'une entreprise.<br>• Pour régler les problèmes de compatibilité entre les systèmes. |
| **RTF**<br>– mis en pages<br>– impression facile<br>– Rich Text Format (RTF) | .rtf | • CV en format ASCII auquel on peut appliquer des options de mise en pages (gras, italique, indentation, etc.).<br>• Envoyé comme fichier joint par courriel.<br>• Compatible avec tous les systèmes informatiques.<br>• Assez protégé contre les virus, du moins davantage que des documents Word ou WordPerfect en fichier joint.<br>• Plus belle apparence que le format ASCII. | • Pour envoyer un document formaté.<br>• Pour régler les problèmes de compatibilité entre les systèmes.<br>• Seulement lorsqu'on accepte le fichier attaché. |
| **PDF**<br>– fichier Acrobat<br>– imagerie numérique<br>– format imprimable<br>– impression facile | .pdf | • CV sauvegardé en PDF (Le Portable Document Format d'Adobe) qui peut être affiché sur Internet.<br>• Compatible avec tous les systèmes informatiques.<br>• Maintient l'apparence du document initial.<br>• Sans virus.<br>• Vous devez posséder le logiciel PDF Writer.<br>• Le destinataire doit télécharger le visualiseur PDF Acrobat Reader. | • Lorsque spécifié comme étant acceptable.<br>• Lorsqu'il importe que le contenu et la mise en page du CV soient conservés intégralement.<br>• En tant que document téléchargeable à partir de votre site Internet. |

**Types de formats pour votre curriculum vitæ électronique (suite)**

| Type | Extension du fichier | Description, avantages et limites | Utilisation |
|---|---|---|---|
| **CV affiché sur un site**<br>–CV en ligne<br>–CV sur Internet<br>–CV sur page Web | Selon le site | • CV soumis à un site Internet qui affiche habituellement des postes ou qui appartient à une entreprise.<br>• Vous donne accès (souvent à l'aide d'un mot de passe) à une technologie vous permettant de modifier, de copier/coller, d'envoyer par courriel ou de supprimer votre CV.<br>• Texte seulement la plupart du temps; donne une apparence moyenne.<br>• Vous force souvent à utiliser un format rigide et prédéfini.<br>• Soulève des inquiétudes quant à la confidentialité. Celle-ci risquerait d'être compromise et vos renseignements pourraient demeurer en ligne indéfiniment. Des cas de vol d'identité sont déjà survenus. | • Sur des sites Internet d'emploi.<br>• Sur des sites d'entreprises et certaines bases de données d'agences de placement.<br>• Sur des sites spécialisés, tels que des sites spécifiques à un secteur d'activité ou à une association professionnelle. |
| **CV ou dossier de présentation en ligne**<br>–CV HTML<br>–CV sur Internet<br>–CV en ligne<br>–CV sur page Web | .html<br>.htm<br>.xml ou<br>.xhtml | • CV en ligne possédant sa propre adresse. Accessible en tout temps à condition d'être branché sur Internet.<br>• Un dossier de présentation en ligne s'apparente à un petit site Internet commercial avec une possibilité de contenu quasi illimitée. Il devrait posséder des outils de navigation bien en évidence.<br>• Tous deux peuvent contenir des hyperliens, des graphiques, des fichiers audio, vidéo ainsi que des photos.<br>• Peut inclure d'autres formats de vos renseignements comme options téléchargeables (ex.: PDF, MS Word).<br>• Compatible avec tous les systèmes informatiques.<br>• Sans virus.<br>• Aucune confidentialité à moins de protéger votre site par un mot de passe.<br>• Nécessite une certaine connaissance des logiciels de conception de sites Internet ou alors la sollicitation d'un concepteur. | • Essentiel à toute PME et à certains consultants et contractuels.<br>• Lorsque l'on souhaite présenter des renseignements qui ne s'impriment pas (ex.: matériel audio et vidéo).<br>• Quand il est essentiel de projeter une image branchée. |

### Numériser un curriculum vitæ électronique

Tout curriculum vitæ réalisé avec un logiciel de traitement de texte qui a été envoyé par la poste ou par télécopieur, peut être numérisé manuellement ou automatiquement par reconnaissance optique de caractères (ROC) dans un système de suivi des candidats.

Un curriculum vitæ destiné à être numérisé doit être simple. Il peut contenir des caractères gras ou des énumérations à puces, mais la fantaisie s'arrête là. Selon la technologie que possède votre destinataire, plusieurs éléments (colonnes, lignes verticales, barres, italique, perluètes, signes de pourcentage et caractères spéciaux) pourraient ne pas être bien reconnus. Évitez d'agrafer ou de plier votre CV si l'employeur risque de le numériser.

**Pensez-y !** À moins d'avis contraire, optez toujours pour le courriel lorsque vous répondez à une offre ou pour envoyer votre curriculum vitæ à une agence de recrutement ou de placement. La sauvegarde d'informations transmises par courriel est beaucoup plus simple pour les recruteurs que l'utilisation de la technologie ROC.

### Curriculum vitæ en format CD-ROM et vidéo

Désormais, à la maison comme au bureau, les graveurs de CD font partie des meubles. Il ne suffit que de quelques clics pour sauvegarder votre curriculum vitæ sur un CD à votre image si vous possédez la technologie adéquate. Si le disque rond est la forme la plus populaire, vous pouvez également produire des CD semblables à des cartes professionnelles afin de les glisser dans un boîtier et les offrir comme s'il s'agissait de cartes ordinaires. Ces disques peuvent contenir une quantité phénoménale d'informations, dont des graphiques et des photos. Cependant, le CD est plus coûteux que le papier et, avant de pouvoir en lire le contenu, il faut l'insérer dans un ordinateur et ouvrir le document.

**Pensez-y !** Un sondage effectué auprès des plus grandes agences de recrutement au Canada a démontré que le curriculum vitæ envoyé par courriel a toujours la cote comparativement aux CD-ROM. Les étapes supplémentaires nécessaires à la lecture des renseignements contenus sur un disque compact sont contrariantes et le volume d'informations superflues ne fait souvent que ralentir le processus.

L'option du CV en format vidéo est récente. L'employeur sollicite un tiers afin de filmer les postulants qui doivent répondre spontanément à une série de questions de base. Ce court document vidéo est alors visionné par l'employeur qui peut écouter les réponses du candidat tout en évaluant des indices non verbaux tels que l'apparence, le langage corporel et le ton de la voix afin de déterminer s'il souhaite lui faire passer une entrevue en personne.

Les curriculum vitæ en format CD-ROM et vidéo sont encore nouveaux et il sera intéressant de voir s'ils deviendront monnaie courante.

**Mots clés**

Peu importe le format choisi, votre curriculum vitæ doit contenir des mots clés. Si vous avez conçu un CV convaincant et axé sur vos réalisations, tous les mots clés pertinents qui se rapportent à vous et à vos objectifs devraient déjà s'y trouver. Toutefois, il ne serait pas mauvais de procéder à une seconde vérification…

CONSEILS POUR TROUVER VOS MOTS CLÉS

- Utilisez la terminologie propre à votre secteur d'activité ou à votre profession. Employez des descripteurs et un langage spécifique. Par ex. : gestion de risque, arbitrage, approvisionnement, capitalisation boursière, méthode juste-à-temps, ISO.
- Servez-vous de la terminologie du leadership et de la gestion. Si votre entreprise possède une liste de compétences ou de principes de leadership, puisez-y votre inspiration. Retournez au chapitre 5 et assurez-vous d'avoir indiqué dans votre curriculum vitæ les mots que vous aviez utilisés pour décrire votre style, vos compétences et vos connaissances.
- Énumérez vos accréditations scolaires et professionnelles avec votre nom dans la partie supérieure de votre CV.
- Si vous êtes bilingue ou multilingue, énumérez les langues maîtrisées.
- Glanez les mots clés contenus dans les petites annonces. Révisez votre curriculum vitæ afin d'y ajouter des mots qui vous semblent pertinents et répétez-en quelques-uns dans votre lettre d'accompagnement.

Même si les recherches par ordinateur peuvent repérer des mots clés à n'importe quel endroit d'un document, tentez de placer les plus importants d'entre eux au début et au centre ou de les faire ressortir, peu importe la méthode. Consultez l'exemple de curriculum vitæ nº 4 à titre de référence.

## *L'étape suivante*

Lorsque vous serez satisfait de votre CV, demandez aux gens de votre réseau de soutien ou à vos personnes-ressources de le relire et de le commenter. Le bon sens vous aidera à choisir les suggestions dont vous devrez tenir compte. Mais ne laissez pas les révisions devenir le point central de vos efforts.

*Un spécialiste en formation commit l'erreur de demander à 15 personnes de relire son curriculum vitæ. Trop occupé à appliquer toutes les suggestions, il ne prit pas le temps de consulter les offres d'emploi. C'est ainsi qu'il faillit rater une excellente occasion.*

Voilà ! Une fois que vous aurez adopté une mise en pages finale et révisé soigneusement votre CV, vous serez prêt pour la prochaine étape. Vous devriez avoir entre les mains un puissant outil de marketing décrivant en des termes concis et convaincants où vous étiez et où vous souhaitez vous rendre dans votre cheminement professionnel.

Un des réels avantages du travail effectué lors de la préparation de votre curriculum vitæ est la satisfaction et l'enthousiasme que vous ressentirez, souvent pour la première fois, à la vue de tout ce que vous avez accompli. Utilisez cette énergie positive pour présenter votre CV au monde extérieur. Et n'oubliez pas qu'aussi bon soit-il, vous devez tout de même vous assurer de l'envoyer aux bonnes personnes !

*Exemples de curriculum vitæ*

*À retenir de l'exemple n° 1*

**PDG et chef de la direction**
**Industrie du service alimentaire, franchises**
- Le profil est concis et fort. Le lecteur découvre immédiatement son niveau de leadership, son domaine d'expertise et l'étendue de son expérience.
- Ce curriculum vitæ respecte un ordre chronologique mais présente une variante du format habituel. Les réalisations choisies ont été classées de façon à suivre parfaitement les données chronologiques. Des noms de marque sont mentionnés à chaque énoncé, à une exception près. Même si les dates ne sont pas spécifiquement indiquées, le lecteur sait immédiatement à quel poste correspond chaque réalisation.
- À un niveau de « chef de la direction », ce sont les résultats qui parlent d'eux-mêmes. Un curriculum vitæ d'une page est suffisant pour décrire l'information essentielle.
- La formule « situation-action-résultat » est implicite à chaque énoncé de réalisation. L'utilisation de pourcentages brosse un portrait de la situation « avant-après ».
- Le style et la mise en pages de ce CV sont dépouillés. L'utilisation de caractères gras fait ressortir les résultats exceptionnels.
- Avec des résultats aussi convaincants, l'ajout de renseignements sur la formation et les champs d'intérêt n'est pas nécessaire.

Exemple de curriculum vitæ nº 1

# NOM

Adresse  Travail : (000) 000-0000
Ville, province  Cell. : (000) 000-0000
Canada, code postal  Courriel : courriel@isp.ca

**Leader et entrepreneur**
**Pionnier dans le franchisage au Canada**
**Reconnu pour avoir acquis et restructuré avec succès plusieurs chaînes de magasins**
**Possède une excellente connaissance de l'industrie alimentaire canadienne, américaine et internationale**

METS RAPIDES CHINOIS LTÉE 1998-2005
**Président-directeur général et chef de direction**
CENTRES DE SERVICES PME INC. 1996-1998
**Président-directeur général et chef de direction**
SUB SENSATIONS INC. 1992-1996
**Président-directeur général et chef de direction**
CORPORATION GROS BURGER LTÉE 1989-1992
**Vice-président directeur et chef de l'exploitation**
MULTINATIONALE IMPORTANTE INC. 1986-1989
**Vice-président et directeur, division franchisage**
TUYAUX D'ÉCHAPPEMENT ROBUSTES 1980-1986
**Vice-président et directeur**

## QUELQUES RÉALISATIONS

Repositionne, dynamise et développe la chaîne de restauration Mets Rapides Chinois au Canada (590 restaurants, 150 millions de dollars en ventes, 5 000 employés) – **augmente les ventes de 72 % et double le profit net**.

Développe une chaîne internationale de centres de service pour propriétaires de petites entreprises grâce au franchisage – **accroît les ventes de 60 % et le profit net de 400 %**.

Développe la chaîne de restaurants Sub Sensations au Canada (de 65 à 110 unités) et aux États-Unis (de 50 à 142 unités). Implante six unités au Royaume-Uni – **les ventes augmentent de 571 % aux États-Unis et de 70 % au Canada en quatre ans**.

**Pilote la fusion de quatre entreprises** d'alimentation rapide possédant des cultures organisationnelles distinctes avec Sub Sensations – chaîne internationale générant des ventes de 75 millions de dollars au sein de ses 185 unités.

**Lance des franchises Gros Burger** à Taïwan, en Corée du Sud, à Hong Kong, aux Philippines, à Singapour, en Malaisie, en Thaïlande et en Australie et ouvre quelques restaurants au Royaume-Uni.

**Fonde Tuyaux d'échappement robustes au Canada à l'âge de 20 ans.** Dirige jusqu'en 1986 le développement d'un comptoir local en 910 magasins générant plus de 48 millions de dollars en ventes.

AUTRES POSTES DE DIRECTION

Association de l'industrie alimentaire    Association des franchiseurs canadiens
Remorques réfrigérées    Œuvres de charité pour enfants
Fancy Fries Corporation, Londres, Angleterre    Jones International Limited, Hong Kong

*À retenir de l'exemple n° 2*

**Vice-président exécutif et chef de l'exploitation**
**Secteur hôtelier, industrie du voyage et du tourisme**

- Le profil permet au lecteur de découvrir, en quelques mots seulement, le niveau d'ancienneté, l'étendue de l'expérience et les qualités de leadership du candidat. Les preuves d'une longue carrière couronnée de succès sont irréfutables. Les déclarations formulées dans ce profil sont confirmées par les réalisations présentées dans le corps du curriculum vitæ.

- Une description des fonctions apparaît immédiatement sous le titre « Vice-président exécutif et chef de l'exploitation ». Il s'agit davantage d'un énoncé stratégique utilisé pour expliquer l'entreprise et l'importance du poste.

- L'ordre chronologique a été adopté pour ce CV.

- Les réalisations sont de niveau stratégique. Assumer la responsabilité des résultats est un thème fréquemment exprimé par le pourcentage des augmentations et l'accent placé sur la rentabilité.

- Le troisième point confirme l'étendue des activités de formation d'équipes.

- Comme Eastview Management Ltd n'est pas une entreprise très connue, l'auteur a exposé brièvement les activités qu'exercent cette dernière. La description du poste présente les noms d'hôtels réputés.

- Même s'il est très clair que l'individu s'est joint à Eastview Management Ltd en 1975, aucune date spécifique n'est mentionnée pour les postes avant 1984. L'auteur n'a pas révélé son âge, mais a plutôt offert au lecteur les preuves d'une longue expérience internationale.

- Les fonctions assumées avant 1984 ont été résumées par titre et par lieu de travail à la dernière page du curriculum vitæ. Ce choix indique que les premières expériences de l'individu ont été progressives et ont permis son évolution vers les fonctions de cadre qui ont suivi.

Exemple de curriculum vitæ n° 2

## Nom

**Adresse** • **Ville, province** • **Code postal** • **Tél. rés.** • **Courriel**

### Profil

Hôtelier à l'échelle internationale, j'ai acquis une vaste expérience en exploitation et en développement straté-gique au sein de deux des plus importantes chaînes d'hôtels multimarques au monde. J'ai généré d'excellents résultats en terme de croissance du portefeuille et j'ai réussi à développer des rapports durables entre les marques. J'ai amélioré la performance financière et j'ai mis sur pied des équipes de gestion exceptionnelles. J'ai acquis une réputation d'intégrité dans le domaine et ce, dans toutes les transactions conclues avec les groupes d'investisseurs, les promoteurs, les propriétaires, les franchiseurs et les partenaires des sociétés en participation. J'agis à titre de mentor pour de nombreux professionnels de l'industrie hôtelière.

### Expérience professionnelle

***Hospitalité Internationale***                                                                    ***1997-2005***
***Vice-président exécutif et chef de l'exploitation***
*Assurer le développement et la croissance d'un portefeuille d'hôtels de type service complet sous plusieurs marques. Revenus de 300 millions de dollars, 8 000 chambres, 3 500 employés.*

- Négocie les conditions de l'entente de franchise et du contrat de gestion du premier Hotel Prestige au Canada. Génère une croissance différentielle des revenus sans investissement en capital de la part de la société et pose la pierre angulaire pour le développement des marques Prestige à venir au Canada.
- Crée et entretient un solide rapport avec Hotels Distinction (Super Suites, Hotel Royal et Cinq étoiles) afin d'assurer les conditions de franchisage les plus intéressantes.
- Améliore le calibre de la gestion à tous les niveaux dans l'ensemble de la société. Met sur pied et dirige une équipe de cadres supérieurs qui comprend le vice-président directeur de l'exploitation, sept vice-présidents régionaux, le vice-président des ventes et du marketing, le vice-président des aliments et des breuvages ainsi que des directeurs en gestion de revenus, en ressources humaines et en gestion de propriétés immobilières.
- Élabore un plan d'immobilisations détaillé sur cinq ans en vertu duquel tous les hôtels doivent inclure une analyse de récupération de tous les placements de capitaux afin d'atteindre les objectifs ambitieux de l'entre-prise en terme de rendement de capital investi.
- Dirige les ventes et les activités de marketing d'un portefeuille multimarques afin de gagner 10 % des parts de marché de la concurrence.
- Augmente le potentiel d'occupation et le RevPar de 14 % en 1997 et 1998, générant ainsi des marges brutes d'exploitation et des profits toujours supérieurs à la moyenne nationale du secteur, et ce, depuis les quatre dernières années.
- Crée le rôle de vice-président régional de l'exploitation afin de soutenir et de guider plus efficacement les directeurs d'hôtel de chacune des régions exploitées par la société.
- Met en place des processus de vérification afin d'analyser la gestion des aliments et des boissons de chaque hôtel et d'identifier les possibilités d'augmenter les revenus et la marge de profit.

**Eastview Management Ltd**                                      *1975-1997*
*La plus importante société indépendante de gestion d'hôtels multimarques en Amérique du Nord.*

**Vice-président exécutif et chef de l'exploitation**            *1984-1997*
*Assurer le développement du portefeuille de l'entreprise, qui comprend 56 hôtels, dont plusieurs de marques différentes, au Canada, aux États-Unis et en Europe, incluant Caribbean Inns, Hotels Vacances, Guest Plaza, Les Suites du Roi et Independents and Resort Hotel Properties.*

- Gère une équipe de direction qui comprend quatre vice-présidents régionaux, trois coordonnateurs de ventes régionales, deux directeurs nationaux des ventes et du marketing, deux directeurs au service de design, un directeur des achats et deux coordonnateurs des aliments et des boissons.
- Conclut de nombreux contrats pour la société, négocie les conditions de tous les contrats de gestion des hôtels et maintient des rapports avec tous les propriétaires en plus de générer 27 nouveaux contrats d'hôtels au cours d'une période de 10 ans.
- Amorce des rapports avec les communautés financières et immobilières en agissant en tant qu'intermédiaire entre les chaînes d'hôtels internationales, les partenaires de co-entreprise potentiels, les propriétaires d'hôtels et les investisseurs, créant ainsi un réseau étendu d'investisseurs pour d'éventuelles occasions de croissance.
- Élabore et réalise la décentralisation opérationnelle de la société, en passant d'une hiérarchie centrale à quatre régions autonomes.
- Conçoit un plan stratégique répondant à tous les aspects de la croissance de l'entreprise, dont un programme national d'achat, un programme de reconnaissance des employés et l'introduction d'étages de luxe dans chacun des hôtels à service complet.
- Rencontre des experts en aliments et en boissons afin d'élaborer de nouveaux concepts et de s'attaquer aux exploitations dont les marges sont basses.
- Crée des postes de coordonnateurs des ventes régionales afin de maximiser le potentiel de ces dernières.

*Autres postes de direction :*
*Vice-président, région de l'ouest, Eastview Management Ltd*
*Directeur général, Relaxation Inns, région du centre*
*Directeur général, Paradise Hotel, Hong Kong*
*Directeur général, Revita House, Madrid*
*Directeur de restaurant, Premier Resort Corporation de la Californie*
*Gestionnaire de restaurant, Stone Manor, Londres*

## Formation et associations professionnelles

Directeur de plusieurs comités et organisations, dont :
L'Association de l'industrie touristique de l'Amérique du Nord
Administrateur d'hôtel certifié (A.H.C.), Institut Éducationnel, AH & MA
Programmes de formation en gestion à l'Université Hôtels De Luxe

## Champs d'intérêt

Ski, cyclisme, cuisine, jardinage, théâtre, tennis, voyages

*À retenir de l'exemple nº 3*

**Vice-président**
**Exploitation de commerce au détail franchisé**

- Afin d'illustrer l'ampleur de ses habiletés, cet individu a choisi la combinaison chronologique et fonctionnelle.
- Si votre entreprise n'est pas très connue, ou si vous désirez mettre l'accent sur sa taille ou son produit, n'hésitez pas à inclure une petite description qui, en conservant les caractères gras, fera partie de l'en-tête.
- La description de votre mandat ou de votre rôle fournit un contexte au lecteur. Avec le mandat en arrière-plan, les résultats ressortent mieux. Dans cet exemple, l'importance du rôle est simplement exprimée par l'énoncé «sous la direction du président».
- Si vous choisissez d'inclure une description de votre rôle ou de votre mandat, placez-la directement sous le titre de votre poste.
- En utilisant les caractères gras pour les en-têtes des fonctions de chaque rôle, votre lecteur peut en parcourir l'information et en identifier rapidement les composantes clés.
- Ce curriculum vitæ est truffé de résultats quantifiés. La capacité de l'auteur à livrer la marchandise est irréfutable.
- À la fin de la section historique, l'emploi de la phrase «Les postes occupés avant 1986…» laisse entrevoir une plus vaste expérience sans alourdir le CV ou divulguer l'âge de l'auteur. Dans ce type d'énoncé, vous pouvez mentionner le titre du poste, le nom de l'entreprise, les secteurs fonctionnels ou une combinaison de ces informations.

**Exemple de curriculum vitæ n° 3**

---

NOM
Adresse
Ville, province, code postal
Bureau :      Cell. :      Courriel :

## PROFIL

Cadre supérieur dans le secteur du détail, axé sur la stratégie et les résultats. Plus de 20 ans d'expérience pertinente dans l'exploitation de boutiques, le marchandisage et les ressources humaines. Motivateur et bâtisseur d'équipes, capable d'élaborer et d'implanter des programmes novateurs pour le service à la clientèle et le marchandisage.

## ANTÉCÉDENTS PROFESSIONNELS

**KIOSQUE BIEN CONNU ET CIE**                                                    **2001-2005**
*Exploitant agréé de Sightlines Inc., gérant 80 lunetteries à travers le Canada : 52 succursales et 28 franchises.*

### VICE-PRÉSIDENT

*Sous la direction du président, planifier et diriger une stratégie inversée pour permettre au marketing et à l'exploitation de rendre l'entreprise profitable en moins de 18 mois. Définir les besoins en termes de ressources humaines et de service à la clientèle afin d'assurer que toutes les boutiques atteignent leur potentiel de ventes.*

OPÉRATIONS

- Dresse des budgets pour les ventes, la marge brute et les salaires. Les coûts de main-d'œuvre sont réduit de 14,2 %, les ventes bondissent de 7,1 % et la marge brute augmente de 2,4 %.
- Réduit les retours de 25 % et institue des procédures de contrôle de qualité en laboratoire en effectuant quotidiennement des vérifications aléatoires de lunettes avant l'expédition.
- Renégocie les conditions auprès de la plupart des fournisseurs, réduisant ainsi les coûts de 25 %, augmentant le délai de paiement à 180 jours et générant de nouvelles ententes quant à l'expédition. L'encaissement s'améliore grâce au respect des conditions de paiement.
- Conçoit un guide d'exploitation pour les gestionnaires de boutiques et une liste de vérification en magasin afin d'accroître l'efficacité et de simplifier la gestion.

DÉVELOPPEMENT DE PROGRAMMES

- Implante une boutique prototype pour tester de nouvelles stratégies, standardiser le processus de planification d'événements promotionnels et préparer une éventuelle expansion.
- Organise des présentations itinérantes pour les fournisseurs qui doublent les ventes lors de journées d'événements.
- Instaure des programmes de versements mensuels ou échelonnés pour les clients, de concert avec les services de droit, de publicité et de crédit de Sightlines Inc.

- Élabore des stratégies de marketing et d'exploitation afin de lancer un service de correction de la vue par le laser.

## DÉCORAMA LTÉE                                                              1979-2001
*Chaîne canadienne de détaillants spécialisée en recouvrement de fenêtres, comptant 145 boutiques: 85 magasins sous bannière et 60 franchises.*

## VICE-PRÉSIDENT DE L'EXPLOITATION                                          1993-2001
*Sous la direction du président, gérer l'ensemble des opérations au détail, diriger deux directeurs et six gestionnaires de district, le directeur des ressources humaines, un consultant en relations publiques, des formateurs, le service de la paie, six représentants commerciaux et près de 1 000 employés (incluant les magasins franchisés).*

### RENTABILITÉ ET CONTRÔLE DES COÛTS

- Identifie le besoin de réduire les ruptures de stock dans les magasins afin d'éviter de perdre des ventes. Crée un programme d'expédition automatique adapté au volume du magasin pour mieux anticiper les périodes de pointe et réduire les ruptures de stock.
- Réalise une analyse et détermine que les ventes augmentent en moyenne de 10 % lorsque les magasins franchisés sont convertis en magasins sous bannière. Recommande et gère la conversion de 30 succursales.
- Reconnaît le besoin de créer un système de paie automatisé pour contrôler les coûts de main-d'œuvre de 6 millions de dollars. Élabore une démarche afin d'évaluer les magasins générant approximativement le même volume de ventes. Réduit les coûts de main-d'œuvre de 14 %.

### MARCHANDISAGE/MARKETING

- Identifie le besoin d'améliorer l'apparence générale des magasins, des vitrines et des pratiques de marchandisage. Organise les promotions mensuelles et améliore la précision de l'information fournie aux magasins par les directeurs de district. Augmentation des ventes de 10 %.
- Présente des programmes de marchandisage, des rencontres hebdomadaires entre directeurs et des documents vidéo bimensuels afin de survoler les promotions en cours: création de présentoirs standardisés, implantation de listes de vérification pour le service à la clientèle, gestion des effectifs en général, le marchandisage et conception d'albums photos.
- Élabore une stratégie à long terme permettant de restructurer l'exploitation des magasins et de créer un environnement plus autonome grâce à la réduction du nombre de directeurs de district. Conçoit des systèmes de communication entre les boutiques afin d'assurer une constante circulation d'informations.

### SYSTÈMES INFORMATIQUES

- Élabore une stratégie à long terme pour les systèmes informatiques menant à la mise sur pied d'un système de points de vente qui permet d'implanter les éléments suivants:
  - amélioration du service à la clientèle en autorisant les magasins à consulter les inventaires des autres boutiques;
  - création d'un système d'imagerie pour restructurer la fonction d'achat du siège social;

– identification des meilleurs vendeurs dans chaque service;
– équilibrage des inventaires dans les magasins sous bannière.

### SERVICE À LA CLIENTÈLE

- Identifie le besoin d'améliorer la productivité du personnel et des services. Implante un programme nommé «L'approche client en moins de 10 secondes».
- Détermine, avec l'aide des directeurs et du personnel, les politiques et les procédures qui vont à l'encontre de notre vision du service à la clientèle. Autorise les employés à gérer directement les plaintes des clients. Élabore une nouvelle politique de remboursement et de gestion des plaintes des clients en moins de 24 heures.

### FORMATION ET DÉVELOPPEMENT

- Élabore une formation plus efficace pour le personnel des ventes, les directeurs et les propriétaires de magasins afin d'assurer que les clients soient toujours reçus de façon courtoise par des conseillers compétents.
- Conçoit un programme de formation de directeurs et produit des vidéocassettes de formation afin de maintenir les employés à jour.

## VICE-PRÉSIDENT, RESSOURCES HUMAINES                              1986-1993

- Implante et gère toutes les politiques de l'entreprise, dont les régimes de rémunération et d'avantages sociaux pour les magasins, le centre de distribution et la division de la fabrication.
- Gère les relations de travail avec les 450 employés des entrepôts et des usines. Négocie les conventions collectives et assure la continuité des affaires lors des grèves.

LES POSTES OCCUPÉS AVANT 1986 INCLUENT CEUX DE DIRECTEUR DES RESSOURCES HUMAINES, COORDONNATEUR DES RESSOURCES HUMAINES ET COORDONNATEUR DE LA FORMATION.

## FORMATION

Baccalauréat ès arts, Économie, Université de Montréal

## CHAMPS D'INTÉRÊT

Basket-ball, karaté, tennis, musique classique

*À retenir de l'exemple nº 4*

**Directeur des ressources humaines**
**Domaine de la santé**
- Ce curriculum vitæ emploie des mots clés au début de chaque énoncé de réalisation afin d'en simplifier la numérisation et de mettre l'accent sur chaque spécialité. Cette technique assure également une lecture rapide et efficace.
- Si certains mots clés ne sont utilisés qu'une seule fois (ex. : communications), plusieurs sont répétés (ex. : formation et développement).
- Il est difficile de quantifier les réalisations en ressources humaines, car il est souvent question de processus. Faute de pourcentages, mentionnez le nombre d'employés afin de donner au lecteur une idée de la taille de l'entreprise.
- La candidate a modifié le format chronologique en regroupant les deux périodes passées à l'Ordre des dentistes du Québec. Elle indique clairement que le poste au centre de santé régional était en remplacement d'un congé.
- Le dernier poste précise qu'il a été occupé « de 1998 à aujourd'hui », ce qui indique que la personne travaille toujours à l'Ordre.
- Lorsque vous employez des lignes horizontales dans un document, assurez-vous qu'elles soient minces et discrètes, afin d'éviter qu'elles ne forment des barrières lors de la lecture.

........................................................................................................................................

**Pensez-y!** La clarté est l'objectif essentiel à atteindre lors de la rédaction d'un CV. Il n'existe pas de règles ou de conventions pour chaque situation particulière que vous pourriez devoir décrire (poste contractuel, retour auprès d'un ancien employeur). Fiez-vous à votre bon sens et assurez-vous d'énoncer clairement les faits.

........................................................................................................................................

Exemple de curriculum vitæ nº 4

---

**NOM, CRHA**
Tél.:                                                                                            Adresse
Courriel:                                                            Ville (province) code postal

---

**PROFIL**

Professionnelle en ressources humaines ayant acquis de l'expérience dans tous les aspects de ce secteur d'activités grâce à des rôles de direction et de gestion de projets. Considère la gestion des ressources humaines comme une partie intégrante de la planification des affaires, de la prestation de services, des systèmes d'information et du processus budgétaire. Riche expérience avec les logiciels de gestion des ressources humaines. Personne dynamique qui élabore et implante des programmes en utilisant des compétences éprouvées en relations de travail et en communications.

---

**EXPÉRIENCE**

**ORDRE DES DENTISTES DU QUÉBEC**
**Coordonnatrice de projets, ressources humaines**                    **1998 à aujourd'hui**
**Coordonnatrice de projets, services aux membres,**                         **1996-1997**
*Développement organisationnel:* Documente tous les processus de ressources humaines et implante de nouvelles procédures administratives. Crée de la documentation pour simplifier et contrôler la diffusion des communications internes entre les directeurs et le service des ressources humaines et de la paie. Réexamine et documente les processus d'équité salariale et en informe le personnel.

*Formation et développement:* Conçoit et anime des séances de formation: une de 18 heures sur l'amélioration des processus pour le personnel des ressources humaines et une de quatre heures pour un petit groupe de service à la clientèle (60 employés). Élabore une stratégie axée sur la clientèle.

*Avantages sociaux:* Améliore la gestion d'un régime de retraite comprenant 200 membres et assure sa conformité à la loi. Prépare une description détaillée du système d'administration dans le cadre d'un appel d'offres pour obtenir un nouveau système informatique. Instaure un système de suivi sur Excel.

*Informatique:* Réévalue les besoins du service des ressources humaines, permet à un groupe de directeurs de déterminer leurs besoins informatiques, puis prépare une requête à distribuer aux fournisseurs. Coordonne actuellement le processus de sélection de logiciels de gestion des ressources humaines.

*Communications:* Coordonne les activités de huit membres du personnel pour répondre à une ligne d'assistance téléphonique et gère, en trois jours, plus de 1 000 appels de dentistes n'ayant pas reçu leur numéro de scrutin lors du publipostage. Améliore le processus d'adhésion tout en procurant des outils de communication sur le terrain pour plus de 300 dentistes. Propose et élabore un système informatisé afin de retracer les communications avec plusieurs milliers de dentistes.

**CENTRE DE SANTÉ RÉGIONAL**
**Directrice des ressources humaines (remplacement d'un congé)** 1997-1998

*Administration:* Supervise une assistante aux ressources humaines, gère la paie et les avantages sociaux, coordonne les réunions de la sécurité et de la santé au travail. Fournit au chef de l'exploitation des rapports sur le budget du service, le recrutement et tout changement concernant l'embauche, la mutation, le licenciement et l'indemnisation.

*Recrutement et sélection:* Administre le budget et élargit le processus de recrutement pour y intégrer les professionnels et les employés de soutien spécialisés.

*Gestion du rendement:* Introduit et assure l'implantation d'outils et de processus de gestion de rendement au siège social. Conseille la direction et les employés sur les questions de gestion du rendement.

*Développement organisationnel:* Participe aux activités d'un groupe de travail visant à restructurer le service du secrétariat et anime des séances pour faciliter le processus de changement.

*Formation et développement:* Forme un comité qui se penche sur l'orientation des employés et siège à ce comité afin d'améliorer le programme déjà existant. Coordonne la journée d'orientation, conçoit et anime la partie concernant les ressources humaines. Présente une vidéo sur les environnements de travail changeants et anime une période de discussion par la suite.

*Informatique:* Implante un système informatique de gestion des ressources humaines. Forme un groupe de travail interdisciplinaire responsable de l'identification des besoins informatiques en ressources humaines et prépare la demande pour un système informatique qui répond à ces besoins.

**INSTITUT BIEN-ÊTRE**
**Agente de dotation et de développement, coordonnatrice de l'équité en emploi** 1994-1997

*Formation et développement:* Propose, crée et administre un programme centralisé de développement du personnel qui inclut les politiques, les procédures, l'assurance qualité et le budget. Conçoit et anime de la formation sur la sélection, la Charte des droits, l'équité en matière d'emploi et le développement professionnel. Conçoit et anime une séance pour les clients sur l'exploration des différences. Forme les directeurs des offices de la protection de la nature sur le harcèlement au travail.

*Développement organisationnel:* Rédige et interprète des politiques. Conçoit et implante une politique concernant le harcèlement au travail et une stratégie de communication contenant des procédures pouvant être employées comme modèles par les hôpitaux, la Commission des droits de l'homme et les avocats de la société.

*Recrutement et sélection:* Élabore et implante des stratégies de recrutement, comprenant les descriptions de tâches, les affichages de postes, les publicités, la réception des curriculum vitæ, la préparation des entrevues et la vérification des références.

*Gestion du rendement:* Oriente tous les employés quant à leur rôle dans la gestion du rendement et assiste les directeurs dans le règlement de problématiques à ce sujet.

*Avantages sociaux:* Accueille tous les nouveaux salariés dans le régime d'avantages sociaux qui leur est alloué. Assiste les employés lors d'enquêtes reliées aux demandes de réclamations.

*Rémunération:* Utilise un outil d'évaluation de rendement afin d'analyser la classification des emplois et recommande de nouveaux niveaux de rémunération. Communique les modifications annuelles et occasionnelles au service de la paie.

*Informatique:* Élabore, en utilisant dBase, un système informatisé de gestion des ressources humaines incluant un module d'équité en matière d'emploi.

*Équité en matière d'emploi:* Conçoit et implante une stratégie de communication pour des initiatives d'équité en matière d'emploi, comprenant des séances d'information, des articles de bulletin et des journées portes ouvertes. Élabore et complète un recensement des effectifs avec un taux de réponse de 98 %. Met sur pied et dirige le comité d'équité en matière d'emploi. Prépare des propositions et des rapports administratifs/financiers, lorsque requis par l'hôpital et son association.

### HÔPITAL COMMUNAUTAIRE
**Agente d'équité en matière d'emploi**                                    **1993-1994**

*Gestion du rendement:* Négocie et coordonne les ateliers «Conception d'outils d'évaluation de rendement» animés par un consultant externe. Met au point des outils de gestion et des rapports d'évaluation basés sur les résultats générés par les séances.

*Formation et développement:* Élabore et anime des séances de sensibilisation en réponse aux besoins des employés. Les sujets incluent le budget, les modes d'épargne sur le salaire, les options de cheminement de carrière et la sensibilisation quant à l'équité en matière d'emploi.

*Description des tâches:* Propose et effectue les analyses des exigences physiques de toutes les descriptions de tâches.

*Équité en matière d'emploi:* Élabore et implante des initiatives axées sur les femmes au travail. Conçoit une stratégie s'étendant sur une période de cinq ans visant à créer le comité d'équité en matière d'emploi. S'assure que les coûts du programme demeurent raisonnables. Prépare des propositions et des rapports administratifs/financiers, lorsque requis par l'hôpital.

### FORMATION

**Attestation en gestion des ressources humaines**
Association des professionnels en ressources humaines, 1999

**Maîtrise en administration publique**
Université de Sherbrooke, 1993

**Baccalauréat ès arts**
Université Concordia, 1992

*À retenir de l'exemple nº 5*

**Directeur de succursale**
**Services aux particuliers et aux entreprises**

- Il s'agit ici d'un curriculum vitæ d'ordre chronologique. L'expérience de l'auteur se prête parfaitement à cette présentation puisqu'il a constamment gravi les échelons en termes de responsabilités. La disposition du CV met l'accent sur cette progression.
- La mise en page est attrayante, car elle laisse respirer le contenu grâce à la marge de gauche. Il y a par contre moins d'espace disponible pour décrire les réalisations. L'auteur a donc résumé ses expériences de façon claire et efficace. Le lecteur remarque rapidement les points saillants de la carrière d'un directeur de succursale compétent, axé sur le développement des affaires.
- Côté contenu, le premier point est davantage une description de tâches qu'un énoncé de ses réalisations. Cette disposition fonctionne lorsque l'utilisation de caractères gras ou italiques pourrait porter à confusion.
- En incluant des faits quantifiés, le lecteur peut facilement apprécier son niveau de responsabilités. Les tâches de l'auteur regorgent de chiffres de ventes et sans ceux-ci, ce curriculum vitæ serait incomplet.
- Le dernier point de la première page mentionne son implication dans sa communauté, renforçant ainsi la déclaration apparaissant dans son profil. Insérer un énoncé important et convaincant à cet endroit s'avère une bonne idée. Les lecteurs qui ne font que survoler le CV liront la dernière partie de la page.
- La description de l'expérience de travail la plus récente de l'individu contient sept points importants. Son rôle précédent en utilise quatre, et celui d'avant, seulement trois. Cette méthode est idéale pour donner davantage de poids à ses plus récentes réalisations et démontrer une progression quant à ses responsabilités.
- Cette disposition et l'utilisation de trames et de colonnes seront difficilement numérisables si le lecteur emploie une technologie plus ancienne. L'auteur court également le risque de perdre sa mise en pages lors d'un envoi par courrier électronique. Il pourrait donc inclure un exemplaire « texte seulement » de son curriculum vitæ lors d'un envoi par courriel à une société qui fera probablement usage d'un numériseur.

## Exemple de curriculum vitæ n° 5

Nom
Adresse                                              Téléphone : (111) 222-3333
Ville, province                                      Télécopieur : (111) 222-4444
Code postal                                          Courriel : votrenom@compagnie.com

**Profil**  Professionnel des services financiers, je réponds aux besoins spécifiques des clients des secteurs commercial et agricole depuis de nombreuses années. Mon expertise comprend le développement des affaires et la gestion des ventes.

Je crée des liens durables avec le client en comprenant chacune de ses exigences et en proposant des solutions adaptées. Je suis doué pour la motivation d'équipes et déterminé à produire des résultats. J'éprouve de la fierté à représenter mon employeur en m'impliquant activement dans la communauté.

## Expérience

**Banque ABC**                                                            **1981-2005**

**Directeur de succursale,**
**Villes 1 et 2**                                                          **1993-2005**

- Gère une succursale de services et dirige l'exploitation quotidienne avec une équipe de sept personnes au sein d'une communauté de 3 000 individus qui compte une grande base rurale.
- Permet une expansion de 28 % des parts de marché pendant une période de cinq ans tant au niveau des prêts que des dépôts, grâce à une qualité exceptionnelle du service à la clientèle et à l'octroi judicieux de prêts.
- Évalue les demandes de prêt des clients et analyse l'information financière afin d'assurer la réduction des dettes et la capacité de remboursement. Recommande et guide l'implantation de solutions financières adaptées afin de répondre aux besoins des clients.
- Gère un portefeuille de crédit commercial de 125 emprunteurs et de 30 non emprunteurs. Le montant des demandes d'emprunt des clients individuels varie entre 10 000 et 1,8 million de dollars.
- Introduit 80 clients à une nouvelle initiative gouvernementale qui offre des subventions aux individus et aux sociétés agricoles lors de périodes de ralentissement économique. Des dépôts totalisant plus de 2 millions de dollars sont enregistrés en 18 mois. À cette époque, il s'agit du plus important volume de dépôts de toutes les succursales de cette banque au Québec.
- Collabore de près avec le représentant commercial afin de fournir des services de courtage ainsi que des conseils en investissements et en planification financière aux investisseurs débutants. En 18 mois, accumule des dépôts excédant 2,5 millions de dollars, dont 70 % provenant de nouveaux clients.
- Appuie de nombreux événements locaux et des campagnes de financement afin de renforcer les liens avec les communautés ; recueille un don de 20 000 $ d'un client pour aider à mettre sur pied le Camp Fleur Sauvage pour les enfants.

**Directeur adjoint, ville 3**                                     **1988-1993**

- Administre le renouvellement des marges de crédit pour environ 80 clients agricoles et agit en tant que directeur de comptes pour environ 20 nouvelles relations au cours d'une période de cinq ans. Travaille avec chaque commerçant afin de personnaliser leurs services bancaires.
- Supervise le service de crédit personnel et assure un excellent service à la clientèle afin de favoriser la croissance du volume.
- Gère les opérations quotidiennes d'une équipe de 10 personnes et administre les initiatives de marketing et de vente des services aux particuliers.
- Produit des rapports mensuels pour tous les secteurs fonctionnels, axés particulièrement sur les ventes. Rencontre le directeur de succursale régulièrement pour fixer des objectifs mensuels de performance et revoit l'exploitation et la performance de l'établissement.

**Responsable des prêts aux particuliers**                         **1983-1988**

- Perfectionne un système de suivi des clients afin d'assurer que le renouvellement des hypothèques soit géré de façon proactive. Atteint un taux de conservation de 100 % en six mois.
- Génère une croissance des emprunts personnels et du portefeuille des hypothèques de 20 à 32 millions de dollars en travaillant de près avec la base de clients déjà existante et avec les clients à l'externe (avocats, courtiers hypothécaires et courtiers immobiliers).
- Reprend un portefeuille de crédits agricoles et augmente le nombre de comptes de 120 % tout en restant centré sur les prêts personnels.

**Directeur en formation**                                         **1981-1983**

- Est repêché à l'université pour se joindre au programme d'entraînement de deux ans de la banque.

**Développement professionnel**   De nombreux programmes de formation internes dont :
- Gestion I, II et III
- Analyse de crédit
- Fonds commun de placement
- REÉR

**Formation**   Baccalauréat en commerce, Université Dalhousie

**Intérêts**   Golf, baseball, théâtre communautaire, voyages

*À retenir de l'exemple n° 6*

**Consultant en technologies de l'information**
**Services financiers**

- Cet individu a réussi à effectuer la transition d'employé salarié à travailleur autonome. Son curriculum vitæ inclut les réalisations tirées de son travail contractuel.
- L'accent est mis sur l'alignement des technologies avec les objectifs stratégiques de l'entreprise. Les économies quantifiées, le respect des délais et l'augmentation de la productivité sont aussi des produits livrables au niveau cadre.
- Lorsque les résultats ne peuvent être appuyés par des preuves, indiquez des prévisions (comme au troisième point).
- Les repères temporels ajoutent de l'impact à vos réalisations. Par exemple, les phrases « avait été annulé deux semaines avant son implantation » et « à implanter en 18 mois » évoquent l'urgence.
- Écrivez les sigles en entier et démystifiez le jargon. Par exemple, au troisième point, « FFPM » est clarifié, au quatrième point, le terme « Infrastructure Clé Publique » est mentionné, puis au cinquième point, le sigle « ICP » est employé. C'est une façon simple et efficace de s'assurer de la compréhension du lecteur.
- Le développement professionnel continu permet de démontrer sa détermination à être à l'avant-garde. Ce spécialiste des technologies de l'information a choisi des cours de gestion pour développer son potentiel de leadership.
- Des exemples de biographies, un curriculum vitæ abrégé et un exemple de brochure pour ce consultant sont inclus dans le prochain chapitre.

--------------------------------------------------------------------------------

**Pensez-y !** Si le travail contractuel fait partie de vos objectifs, laissez votre CV devenir la fondation de vos outils de mise en marché. Lorsque vous l'aurez rédigé, les autres éléments seront plus faciles à composer. À la fin de chaque contrat, vous devrez mettre votre curriculum vitæ et vos outils de marketing à jour.

--------------------------------------------------------------------------------

**Exemple de curriculum vitæ n° 6**

**NOM**
Adresse
**Ville, province, code postal**
**Tél. Courriel Site Internet**

### PROFIL

Cadre supérieur en informatique, visionnaire, possédant une expertise reconnue dans l'alignement de stratégies techniques avec les objectifs organisationnels. Applique des compétences intuitives et analytiques afin de réaliser des projets interreliés et axés sur une vision stratégique. Capable d'implanter un programme en se basant sur les fondations déjà existantes. Possède plus de 20 ans d'expérience dans la gestion de projets d'architectures d'exploitation pour des systèmes essentiels et à haute disponibilité.

### EXPÉRIENCE PROFESSIONNELLE

**Jean Chagnon**
**Consultant en technologies de l'information**                    **2002 à aujourd'hui**

- Dirige un projet d'impartition de l'impression de relevés, l'insertion sélective et l'envoi des relevés des consommateurs. Le projet est planifié et implanté pour respecter l'échéancier des clients. Négocie une entente concurrentielle de plus de 12 millions de dollars avec un fournisseur de services.
- Réactive un projet de fermeture d'un important centre de données qui avait été annulé deux semaines avant son implantation. Travaille avec le cadre délégué et d'autres intervenants provenant des entreprises impliquées. Redéfinit le projet et le réalise selon l'échéance et en deçà du budget.
- Traduit une stratégie d'affaires imprimée et des plans d'amélioration pour une entreprise de services en un programme de projets interreliés à implanter en 18 mois. Ce dernier se penche sur trois faiblesses (l'efficacité, la réputation du service et la productivité) identifiées dans l'analyse des FFPM (forces, faiblesses, possibilités, menaces). Les économies dépasseront 3 millions de dollars annuellement.

**BANQUE TRADITIONNELLE**                                        **1981-2002**
**Vice-président, gestion des risques**                    **2001-2002**

- Dirige une équipe qui planifie et implante le matériel informatique, les logiciels, le réseau, les opérations, le soutien et la gestion des systèmes pour la sécurité de l'infrastructure clé publique (ICP) utilisée par les systèmes de transactions bancaires en ligne et d'opérations de courtage. La conception à haute disponibilité permet d'éviter les interruptions de services lors de problèmes liés aux systèmes informatiques et aux logiciels.
- Élabore une stratégie technique pour les systèmes de sécurité et sécurise les réseaux en employant une ICP, ce qui permet d'offrir des services sûrs et confidentiels aux clients par des canaux électroniques et de mettre sur pied un espace de travail virtuel pour le personnel de la banque.

**Vice-président, services techniques et télécommunications**         **1999-2001**

- Développe une vision pour les systèmes informatiques critiques de la banque. Procure un cadre d'applications pour le transfert vers de nouveaux logiciels, des bases de données et des plateformes informatiques nécessaires pour soutenir les besoins grandissants de la société. La stratégie incorpore également les exigences du bogue de l'an 2000 et de nouvelles fonctions.
- Implante des processus de planification aux services techniques et des télécommunications afin de concentrer les efforts de 270 employés sur des objectifs stratégiques prédéfinis, de permettre la prise de décisions à des niveaux moins élevés, une plus grande disponibilité et un service ininterrompu.
- Réoriente les ressources en créant un nouveau service de soutien sans augmenter le budget, chiffré à 110 millions de dollars. Ce projet permet de fournir un support au matériel et aux logiciels informatiques pour le serveur centralisé de la banque servant à l'exploration de données.

**Directeur général adjoint, services informatiques**                    **1994-1999**

- Dirige le projet qui intègre les opérations informatiques et le soutien technique à la suite de l'acquisition de Seaview Trust. Le projet dépasse les attentes des utilisateurs et se réalise en cinq mois au lieu de huit. Les économies atteignent 8 millions de dollars.
- Restaure la crédibilité des processus de prévision, de planification et de contrôle qui servent à justifier le besoin d'acheter du matériel informatique, des logiciels et des bases de données. Les méthodologies revampées introduisent le concept de gestion d'actifs afin d'assurer que les investissements en infrastructure fournissent un résultat financier à la Banque.
- Entretient des liens étroits avec les fournisseurs, surtout EMC, IBM, STK, Hitachi, Tandem et Amdahl, afin de comprendre leur point de vue sur les éléments opérationnels et les directions que prendront leurs futurs produits. Influence le développement des fournisseurs, en les sensibilisant aux besoins du système bancaire canadien et de la Banque Traditionnelle en particulier.

**Directeur général adjoint, recherche en développement de systèmes**     **1989-1994**

- Dirige des recherches sur les systèmes experts, l'automatisation du développement des applications et les systèmes CASE (Computer Automated System Evaluation). Ces recherches permettent un investissement de 4 millions de dollars dans le développement de l'automatisation et de la formation. L'accumulation des augmentations annuelles en terme de productivité se situe entre 2 et 25 fois le taux de base.
- Guide l'équipe de fournisseurs affectés à régler le problème du réseau en pleine croissance et des applications de la base de données dépassant les capacités technologiques de la Banque. Gère un programme d'implantation d'une solution impliquant sept autres projets reliés afin de mettre à jour le serveur, l'ordinateur hôte, la base de données, les télécommunications et le logiciel du système d'application sans entraîner d'inconvénients pour les 1 200 succursales du pays.

LES FONCTIONS OCCUPÉES AVANT 1989 INCLUENT DE NOMBREUX POSTES DE DIRECTION À LA BANQUE TRADITIONNELLE ET DES RÔLES DE SPÉCIALISTE TECHNIQUE À LA BANQUE D'ÉTABLISSEMENT.

## PERFECTIONNEMENT

Indicateur de type Myers-Briggs, formation réussie
Compétences de gestion, Groupe de gestion de la qualité
Restructuration, Seaforth and Company

## FORMATION ET ASSOCIATIONS PROFESSIONNELLES

Membre de l'Association canadienne de l'informatique (ACI)
Baccalauréat en mathématiques, sciences informatiques, Université de Waterloo

*À retenir de l'exemple n⁰ 7*

**Directrice de publication**
**Secteur communautaire**
- Les fonctions de cette personne sont demeurées sensiblement les mêmes pendant six ans, tandis que son niveau de responsabilité augmentait au fil des mandats stimulants. Durant cette période, elle a porté plusieurs chapeaux en même temps. Afin d'expliquer ces circonstances inhabituelles, l'auteure a regroupé les titres et a décrit ses réalisations dans une présentation de curriculum vitæ fonctionnelle.
- Même si les accomplissements associés à la publication de poèmes lyriques sont remarquables, ils pourraient, au premier coup d'œil, ne pas sembler transférables à un autre poste. Aussi, elle a choisi de mettre l'accent sur ses réalisations plus générales de publication, de gestion, de direction artistique et de développement de nouveaux médias.
- La combinaison des présentations fonctionnelle et chronologique a été adoptée afin de mettre en valeur ses compétences transférables.
- Des mots clés comme « publication électronique », « nouveau média », « CD-ROM » et « site Internet » sont intégrés au CV.
- Il est important de noter le développement professionnel s'effectuant dans le cadre de métiers ou de secteurs d'activité qui changent rapidement en raison de la technologie, l'innovation ou la concurrence. L'étendue des connaissances de cette personne en ce qui concerne l'informatique de pointe ou les développements du secteur impressionne.
- Son expérience au sein d'associations démontre sa détermination à se tenir à jour et à s'impliquer dans les changements s'opérant dans son secteur d'activité. Elle a inclus des adhésions anciennes et actuelles afin de brosser un portrait de son engagement. Il est important d'indiquer seulement les associations dont vous êtes actuellement membre ou bien de les différencier des anciennes si vous voulez toutes les mentionner. Les dates sont habituellement employées (ex. : « 2001 à aujourd'hui » ou « 2001 à 2002 »).
- Il se dégage de ce curriculum vitæ une expérience multidisciplinaire dans le monde de la publication et des compétences à jour dans le domaine des médias électroniques.

**Pensez-y !** Mentionnez sur la première page les compétences que vous souhaitez le plus utiliser lors de votre prochain emploi. Assurez-vous de les mettre bien en évidence.

Exemple de curriculum vitæ n° 7

**NOM**

Adresse
Ville, province
Code postal

Tél.: (domicile)
Tél.: (travail)
Courriel:

## PROFIL

Directrice de projets, innovatrice et énergique, possédant une riche expérience en planification, en gestion de budgets et en gestion d'équipe dans le secteur communautaire. Connaissances acquises en édition, en développement de ressources, en multimédia et en droits d'auteur. Éprouve de la fierté à créer et à lancer des idées originales. Apprécie les tâches complexes l'appelant à utiliser toutes ses compétences. Entretient un environnement de travail dynamique et professionnel qui favorise l'engagement et l'innovation.

## EXPÉRIENCE PROFESSIONNELLE

### LES PUBLICATIONS DU MONDE

Exploitée par une Église confessionnelle, cette maison d'édition comprend un service de conception et de production de livres et de ressources imprimées et, depuis peu, de publications électroniques.

| | |
|---|---:|
| **Directrice générale** | **2000 à 2005** |
| **Directrice, service de l'édition et du graphisme** | **2000 à 2005** |
| **Directrice, service des communications** | **1994 à 2005** |

#### ÉDITION ET GESTION

- Gère plusieurs projets pour le service de création et de production, incluant la recherche, la planification du travail, l'administration et l'évaluation.
- Repositionne le catalogue de 12 nouveautés chaque année pour les marchés nord-américains afin de toucher un plus vaste public, d'augmenter les ventes de droits à l'étranger et d'étendre le marché d'exploitation.
- Mène les processus d'acquisition et d'édition afin d'acheter, de produire et de vendre des nouveautés et des ouvrages plus anciens. Génère des revenus prévus de 177 000 $ par année. Supervise les rédacteurs en chef et l'équipe de rédaction, le personnel de la publicité et les pigistes.
- Gère une équipe de 11 employés et quelques consultants à la pige, selon les exigences des projets, avec un budget de 2 millions de dollars.
- Participe, avec trois autres directeurs généraux, à un groupe de travail national, où il est question de politiques, de stratégies de communication et de budgets. Dirige le comité exécutif national.

#### DIRECTION ARTISTIQUE ET DÉVELOPPEMENT DE NOUVEAUX MÉDIAS

- Élabore un premier CD-ROM de cantiques avec les paroles, la musique, des fichiers audio, des renvois à des informations et un calendrier de suivi personnel. Effectue une étude de marché et gère le développement, la production et la libération des droits sur les œuvres électroniques. Les revenus devraient excéder les coûts de mise en marché en un an.
- Lance le concept et produit un disque compact audio de musique spirituelle pour le marché nord-américain, avec notamment certains artistes canadiens et des chorales connues.
- Crée le premier logiciel d'images confessionnel, qui remporte un tel succès que le volume deux suit l'année d'après. Produit le premier guide de l'Église sur disque.
- Travaille sur des équipes de projets avec des collègues de la production télévisuelle, vidéo et de sites Internet, des ventes au détail, du marketing et de la publicité.

### DROITS D'AUTEUR ET PROCÉDURES

- Instaure des procédures et des contrats de libération de droits d'auteur pour plus de 2 000 œuvres individuelles et 1 500 détenteurs de droits d'auteur à travers le monde pour un nouveau recueil d'hymnes.
- Garantit des licences de musique pour deux disques compacts et des droits numériques pour des logiciels de musique.
- Informe le personnel et les bénévoles sur les droits d'auteur pour les ressources imprimées, audio et électroniques.
- Documente la création de contrats pour l'imprimé et le multimédia en communiquant avec des avocats spécialisés dans les droits d'auteur. Élabore des politiques et des procédures afin de protéger le matériel imprimé et électronique de l'Église.

### GESTION DE PROJETS ET MANDATS SPÉCIAUX

- Publie les *Poèmes lyriques de tous les jours*, qui est vendu à plus de 280 000 exemplaires, en plus de cinq éditions, générant ainsi 7 millions de dollars en revenus bruts, incluant les produits dérivés.
- Conçoit et implante des stratégies de production, de droits d'auteur et de marketing afin de créer un produit de grande qualité tout en respectant le délai et le budget.
- Reconnaît le besoin d'un système de gestion d'informations complexe pour toutes les entrées textuelles et musicales afin de créer 12 index, une base de données permanente et un programme de redevances. Dirige un consultant lors de la création d'un logiciel adapté à ces besoins.
- Crée et supervise les processus de production et de conception (graver la musique, gérer les horaires et l'épreuvage, etc.).
- Conçoit une stratégie de marketing, guide et conseille l'équipe de publicité.
- Coordonne l'élaboration des éditions et des produits reliés : CD d'enseignement, éditions de paroles seulement avec reliure de cuir et logiciels de cantiques.
- Supervise les ventes, les questions de droits d'auteur, les redevances et les produits dérivés.
- Fournit des conseils à deux autres Églises canadiennes concernant des questions de production et de droits d'auteur pour leur projet de recueil d'hymnes.

### PUBLICATIONS SCOLAIRES

- Participe, parmi 10 maisons d'édition nord-américaines, à un comité d'orientation pour le développement d'un programme pour les « écoles du dimanche », avec une prévision de profits se chiffrant à 500 000 $ en Amérique du Nord.
- Prodigue, en tant que consultante artistique sur le projet, des conseils créatifs et techniques aux cinq directeurs artistiques de l'Amérique du Nord.

**Les fonctions occupées avant 1989 incluent celles de directrice du service de graphisme, de la production imprimée ainsi que rédactrice.**

## ÉVÉNEMENTS NATIONAUX ET INTERNATIONAUX

- Planifie et met sur pied des kiosques lors d'importants salons à New York, Toronto et Montréal ; ainsi que lors de lancements, de séances de signature et d'événements à Ottawa, Calgary, Québec, Sherbrooke et Trois-Rivières.
- Gère le lancement international de *Poèmes lyriques de tous les jours* pour la Société des poètes lyriques du Canada.
- Les femmes dans les communications, événement international, à Bangkok (Thaïlande)

## DÉVELOPPEMENT PROFESSIONNEL

**Cours spécialisés : 2002 à 2005**

- Publication sur le Web (Collège du Centenaire)
- Les bases de la gestion de publication (Université Simon Fraser)
- Le commerce électronique et la loi
- Les droits numériques et lois sur les droits d'auteur

**Cours supplémentaires**

- Règles canadiennes sur le droit d'auteur (Institut canadien)
- École de communication et de design (Collège artistique du Québec)
- Gestion de publication (Magazine Association of America, New York)
- Gestion de publication, contrôle de production (Leading Seminars, Atlanta, Boston)
- Comment diriger une maison d'édition (Leading Seminars, San Diego)
- Atelier de gestion (Financial Times, Ottawa)
- Publicité et design (New York)
- Publipostage, marketing et promotion pour les organismes sans but lucratif (Able Publishing, Chicago)
- Campagnes de financement sans but lucratif (Centre canadien de philanthropie)

## ASSOCIATIONS

Association des professionnels de l'édition, 2000 à ce jour
Association nationale des éditeurs, 2001 à ce jour
Conseil de l'édition canadienne, 2001 à ce jour
Association des éditeurs de l'église, 1990 à 1998
Canadian Chapter, American Marketing Association, 1989 à 1995

## FORMATION

**Université McGill**
Baccalauréat en littérature

**University of Western Ontario**
MA, École de journalisme

## CHAMPS D'INTÉRÊT

Écriture, aquarelle, piano et jardinage

*À retenir de l'exemple n° 8*

**Gestionnaire de projet**
**Technologies de l'information – services financiers**

- On n'applique pas les mêmes règles pour les curriculum vitæ concernant les postes du domaine informatique. Si l'expérience est pertinente, le CV peut dépasser les deux ou trois pages normalement allouées.
- Il est conseillé d'y inclure des objectifs de carrière.
- Le profil équilibre le contenu technique du curriculum vitæ en mettant l'accent sur les compétences de service à la clientèle, de gestion et de travail d'équipe, qui sont toutes valorisées lorsque vient le temps d'accéder à un poste de direction.
- Un tableau est utilisé dans la section sur les compétences du candidat afin de les énumérer et de les classer par type.
- La durée (en mois) des mandats de chaque poste est indiquée. Les employeurs des technologies de l'information veulent savoir à quel moment et pendant combien de temps vous avez utilisé une technologie en particulier.
- Les réalisations du candidat démontrent un éventail de compétences (dépannage, formation, soutien aux ventes et gestion d'équipe).
- Dans la section portant sur la formation, le candidat ne tente aucunement de masquer qu'il n'a pas terminé ses études supérieures. Il est important de les mentionner, même si vous avez changé d'orientation en cours de route.

....................................................................................................................................................

**Pensez-y!** Évitez d'être vague ou trompeur concernant des études en cours ou interrompues avant l'obtention de votre diplôme. Indiquez toute formation pertinente et employez des termes tels que «en cours», «cours complétés» ou «deux années de programme complétées».

....................................................................................................................................................

Exemple de curriculum vitæ n° 8

## NOM

Adresse, ville (province) code postal
Tél. dom. :        Tél. Cell. :
Courriel :        Site Internet :

## OBJECTIF

Apporter ma contribution à l'entreprise en tant qu'ingénieur en logiciel et gestionnaire de projet de niveau cadre.

## PROFIL

Gestionnaire de projet expérimenté et axé sur le client, reconnu pour produire des résultats concrets tout en respectant les budgets et les échéanciers. Dirige et motive efficacement ses équipes, permettant aux individus d'accomplir d'excellentes performances dans des environnements multitâches et exigeants. Reconnu comme étant un coéquipier créatif, entièrement dévoué à la qualité du service et à la satisfaction du client.

## COMPÉTENCES

| | |
|---|---|
| **Gestion** | Gestion de projet, gestion du rendement, recrutement, coaching, implantation de technologies, service à la clientèle et gestion des fournisseurs. |
| **Technique** | Conception d'applications client/serveur, systèmes de communications asynchrones. Conception et convivialité d'interfaces utilisateurs. |
| **Langages** | SQL, C, C ++, Visual Basic, Forth, Assembler, MagicPC |
| **Bases de données** | Sybase, MS Access, Btrieve, dBase III |
| **Outils de développement** | Microsoft Project, Office, Outlook, Word, Excel, Crystal Reports |
| **Systèmes d'exploitation** | MS Windows NT 4.0,/95/3.x, MS-DOS |
| **Réseaux** | Windows NT 4.0, TCP/IP, Novell |
| **Minisystèmes** | Tandem, Data General |

## EXPÉRIENCE PROFESSIONNELLE

**Société 1**                                                      **1993 à 2005**
**Directeur de projet – systèmes d'accès pour clients    oct. 1998 à déc. 2005**
• Dirige une équipe de cinq personnes dans le soutien et l'intégration d'une application pour des fiducies et des clients en valeurs mobilières. Le système permet de fusionner les produits de 16 bits et de 32 bits, formant ainsi une application compatible avec WIN 95/98 et NT 4.0. La version comprend quelques améliorations supplémentaires et est livrée deux semaines plus tôt que prévu.

- Identifie des caractéristiques pour perfectionner la fonction d'accès par ligne commutée du client. Des améliorations considérables sont apportées en ce qui concerne la vitesse de transmission des données du répéteur multiport Tandem à la station de travail du client, rendant ainsi le produit viable pour des clients de plus grande envergure.
- Anime des formations, des démonstrations et des conférences pour l'équipe de soutien portant sur diverses techniques de dépannage afin de rendre les employés du service plus autonomes.
- Fournit le soutien technique pour l'installation de produits, supporte le personnel de bureau et les responsables de la formation.
- Réalise des analyses et la mise à jour du code de PC-Investment Manager, une application MS-DOS, qui est par la suite certifiée prête pour l'an 2000. Ceci permit le redéploiement des ressources pour le développement d'un produit de remplacement du NT.
- Développe diverses applications avec VB 5.0.

**Analyste technique principal –**
**services bancaires électroniques**                    **mai 1997 à déc. 2001**
- Conçoit une interface client dans Visual Basic pour la plateforme de communications EBB de 16 bits de la banque.
- Crée une fonction de diffusion pour relayer les messages importants aux clients de la banque.
- Convertit un entrepôt de données DOS en utilisant un protocole de communication mis à jour. L'application a été certifiée prête pour l'an 2000 et continue d'être employée dans le nouveau millénaire.
- Fournit un soutien de production aux clients de la banque.

**Analyste des systèmes techniques –**
**services bancaires électroniques**                    **nov. 1993 à mai 1997**
- Gère le développement du «PC Investment Manager», une application DOS écrite en MS C 6.0.
- Implante une fonction de transmission de fichiers de PC à PC pour l'ensemble des services bancaires électroniques.
- Convertit le «PC Disbursement Auditor» en une version de langue française.

**Société 2**                                           **fév. 1993 à nov. 1993**
**Programmeur**
- Conçoit des interfaces utilisateurs pour des systèmes de gestion d'énergie et de contrôle du climat en utilisant MS C 5.0.
- Code des composantes de communication PLC en utilisant l'assembleur FORTH et Motorola 6502.

## Société 3 — juin 1991 à fév. 1993

**Spécialiste en soutien de produit et ingénieur en logiciel**

- Fournit un soutien de produit pour EASYL, une tablette de numérisation sensible à la pression.
- Conçoit un système de correction électronique basé sur la fonction spline cubique pour la tablette de numérisation.
- Implante un algorithme dans un assembleur Motorola 68HC11.
- Crée un programme de contrôle de production infographique pour le EASYL en utilisant le Lattice C pour Amiga.

## Société 4 — fév. 1990 à juin 1991

**Gestionnaire du soutien technique**

- Supervise une équipe de deux personnes; surmonte les barrières linguistiques et culturelles pour adapter des solutions de conception japonaise afin de satisfaire les attentes de clients américains.
- Élabore des interfaces utilisateurs PC/AT pour une tablette de numérisation sensible à la pression et un système de vérification de signatures grâce à l'usage de GW-Basic, dBase III et Paradox.
- Fournit du soutien aux ventes et au service après vente.

## Société 5 — juin 1986 à fév. 1990

**Programmeur-analyste**

- Met au point des applications financières et comptables en utilisant Business Basic sur un Data General Eclipse S140.
- Crée des macros Lotus 123 pour le personnel de la comptabilité sur IBM PC/XT.
- Conçoit une fonction d'accès à distance permettant à un Commodore 64 d'imiter un terminal Dasher D-100, introduisant ainsi pour la première fois l'édition plein écran aux programmeurs Data General.

## FORMATION

**Formation interne de la banque:**

- Concepts et fonctions de Tandem, gestion de la croissance personnelle et gestion de projet ABT.

**Centre de formation** — 1984 à 1985

- Programmation et analyse de systèmes.
- Langages: COBOL, FORTRAN, RPG II, BASIC, méthodologie de la conception de bases de données structurées.

**Université** — 1981 à 1984

- 11 cours complétés en sciences appliquées et ingénierie électrique.

## LOISIRS

Golf, tennis, musique, guitare et équipement MIDI, infographie Visual Basic.

Chapitre 11

# *Concevez du matériel de marketing supplémentaire*

*L'emballage n'est pas important; il est nécessaire.*

La conception de matériel de marketing supplémentaire et de papeterie adaptée à vos objectifs reflète l'image d'une personne confiante et professionnelle. Cette image vous aidera à communiquer vos messages. La conception de votre matériel devra être uniforme afin qu'il s'en dégage une impression particulière. Voici quelques articles que vous pourriez y inclure:
- carte d'affaires;
- en-tête de lettre (votre nom ou celui de votre entreprise);
- enveloppe et étiquette assorties à votre en-tête;
- page de transmission de télécopie;
- carte de remerciement;
- papier pour mémos (pour des notes informelles);
- biographies de différentes tailles;
- résumé de votre curriculum vitæ;
- cédérom contenant votre curriculum vitæ;
- brochure détaillant vos services;
- portfolio;
- site Internet.

Consultez le tableau de la page suivante afin de déterminer le matériel qui vous convient.

### *Que vous faut-il?*

L'article essentiel à tout chercheur d'emploi est la carte d'affaires. Vous pourriez aussi songer à imprimer des en-têtes de lettre, des enveloppes et des cartes de remerciement. Cependant, avec l'usage de plus en plus généralisé du courrier électronique sur le marché du travail, ces derniers ne sont plus indispensables. Tout ce dont vous avez besoin pour votre correspondance de recherche d'emploi peut être réalisé avec un logiciel et une imprimante laser.

Si vous cherchez à décrocher un poste contractuel ou à lancer votre propre cabinet de consultation, il vous faudra de la papeterie d'apparence professionnelle et, bien sûr, des cartes de visite. De plus, vous aurez besoin de biographies et d'un résumé de votre curriculum vitæ afin de les inclure à vos offres. Ceux-ci sont en fait un condensé de votre formation, de votre expérience et de vos compétences. Les biographies sont rédigées sous une forme narrative tandis que les résumés adoptent le style d'énoncés de votre CV, mais sur une page seulement. Les clients potentiels exigent habituellement une biographie lorsqu'ils nécessitent une autorisation pour retenir vos services, ou s'ils en font la sous-traitance et désirent présenter vos expériences à leur client. Les consultants et les sous-traitants possèdent souvent une brochure décrivant leur produit, service ou spécialité. Plusieurs d'entre eux entretiennent aussi un site Internet. Chacune de ces options vous sera détaillée au cours de ce chapitre.

| Type de matériel | Recherche d'emploi | Travail contractuel ou de consultation | Petite entreprise |
|---|---|---|---|
| Carte d'affaires | indispensable | indispensable | indispensable |
| Résumé de votre curriculum vitæ | utile | indispensable | indispensable pour services professionnels |
| Cédérom contenant votre curriculum vitæ | optionnel | optionnel | optionnel |
| En-tête de lettre | optionnel | optionnel | indispensable |
| Enveloppe de qualité (couleurs assorties à votre en-tête) | indispensable | indispensable | indispensable |
| Enveloppe imprimée ou étiquette d'adresse | optionnel | optionnel | optionnel |
| Page de transmission de télécopie | optionnel | indispensable | indispensable |
| Papier ou cartes pour mémos | optionnel | optionnel | optionnel |
| Biographie d'une page | pas nécessaire | indispensable | indispensable pour services professionnels |
| Version courte de la biographie | pas nécessaire | indispensable | indispensable pour services professionnels |
| Portfolio | optionnel | optionnel | optionnel |
| Site Internet | essentiel pour certains, mais pas pour la plupart | optionnel | indispensable |

**Pensez-y!** Les cartes et le papier pour mémos sont optionnels. Si vous cherchez du travail contractuel ou des mandats de consultation, ils dégagent une image professionnelle. Mais si vous n'en avez pas, on ne le remarquera pas.

Les cédéroms contenant le curriculum vitæ, une photo et d'autres articles de marketing connaissent une popularité grandissante.

Les portfolios conviennent davantage à ceux qui créent des produits que l'on peut apprécier visuellement. Ils sont indispensables pour certains chercheurs d'emploi, sous-traitants et consultants. Des échantillons d'écrits, de site Internet, d'art, de matériel de formation, de dessins, de publicités imprimées et tout ce qui s'y apparente devraient être recueillis et affichés en ligne ou disposés dans un cartable de photos et de matériel imprimé.

Pour les individus qui se lancent en affaires, ce sont plutôt le type de produit ou service et la stratégie de marketing qui détermineront le besoin de matériel. Il existe un éventail de possibilités. Ceux dont les plans de marketing et de publicité sont plus ambitieux gagneront à solliciter de l'aide professionnelle. Cependant, la brochure est indispensable pour toute petite entreprise. Des biographies seront nécessaires si celle-ci offre un service professionnel. Certains conçoivent également un site Internet pour le lancement de leur PME.

**Pensez-y!** Fiez-vous à votre bon sens quant à la nécessité réelle de matériel de marketing ou de papeterie supplémentaire. Ne dépensez pas argent et efforts à concevoir des articles à moins qu'ils ne soient essentiels à vos communications avec les décideurs.

### Songez à un site Internet

La valeur d'un site Internet varie considérablement selon le secteur d'activité et les fonctions occupées au sein de celui-ci. Le taux de rendement du capital investi ainsi que les attentes et les habitudes de visionnement de votre public cible constituent des facteurs déterminants. Vous devez constamment prendre le pouls de votre créneau et vous tenir à jour sur ce que font vos concurrents. Si ceux-ci possèdent des sites Internet, il vous en faut un. Si votre secteur d'activité s'oriente de plus en plus vers le commerce électronique, vous pourrez vous positionner en conséquence. Un employeur ou un client potentiel qui valorise l'utilisation des technologies pourrait favoriser le candidat dont le site Internet est le plus actuel, si tous les autres facteurs s'équivalent.

Pour les chercheurs d'emploi plus traditionnels, il est rarement pertinent de concevoir un site Internet. Cela dit, ce dernier est indispensable à toute personne cherchant un emploi auprès de sociétés en multimédia. Les concepteurs de sites Internet et multimédias et les gens travaillant dans la production de cédérom ou en diffusion interactive se doivent de créer un site qui puisse refléter leurs habiletés dans ce domaine. De nombreux spécialistes en TI, en communications, en relations publiques, en publicité et en marketing ont besoin de démontrer leur capacité à gérer la conception d'un site Internet, lequel sert aussi à afficher leur portfolio. Un site personnel pour appuyer la recherche d'emploi est une tendance en croissance.

**Pensez-y !** Il y a quelques années, tout le monde se disait capable de concevoir et de programmer son propre site Internet. Aujourd'hui, il vaut mieux être un spécialiste en la matière. Alors si vous en créez un, assurez-vous qu'il soit de bonne qualité.

Si vous songez à vous lancer en affaires, qu'il s'agisse d'un cabinet de consultation ou d'une petite entreprise, vous devez posséder un site Internet. Cela correspond à une inscription dans les pages jaunes, mais comme les attentes quant à la qualité et à l'interactivité ne cessent d'augmenter, il est difficile de déterminer l'investissement à y consacrer. Solliciter l'aide d'un spécialiste est une sage décision.

*Pour illustrer les besoins qui justifient l'utilisation d'un site Internet, voici l'histoire de deux voisins travailleurs autonomes dont le bureau se situe à la maison. La première personne, une conseillère financière, n'affiche que ses coordonnées et ses services sur une page Web très simple, créée à petit coût par son fournisseur Internet. Elle est convaincue que cela suffit à ses besoins. Si elle choisissait d'offrir un service à valeur ajoutée à ses clients à partir de son site, il lui faudrait concevoir des modèles interactifs coûteux, ce qui nuirait à son engagement à fournir un service personnalisé. À l'opposé, son voisin, un agent immobilier, ne pourrait se passer d'un site Internet de première qualité. Il doit fournir de l'information en temps réel et des possibilités de visites virtuelles pour travailler efficacement avec ses clients. Par chance, son épouse, habile avec les technologies, met à jour ses compétences en conception et en programmation en même temps que le site de son mari.*

### *Élaborez votre matériel dès le début de vos recherches*
N'hésitez pas à développer votre matériel de marketing avant d'attaquer activement le marché. Le perfectionnement de ces outils de communication prendra du temps et le fait de réfléchir au message que vous souhaitez diffuser aide souvent à clarifier le produit ou service que vous offrez. De plus, il sera avantageux d'avoir ces articles sous la main lorsque vos efforts de marketing auront pris de l'ampleur.

**Pensez-y !** Les biographies sont immanquablement exigées à la dernière minute. Il est donc pratique d'en posséder quelques versions de différentes longueurs, qui mettent l'accent sur certaines forces, compétences et sur les services que vous offrez.

En concevant votre matériel de marketing à l'avance, vous devrez cependant courir le risque d'avoir à ajuster votre message selon les besoins et les champs d'intérêt particuliers de vos clients potentiels. Au fil de vos rencontres, vous vous familiariserez avec le jargon de leur secteur d'activité et adopterez de nouvelles façons d'expliquer vos services.

La meilleure stratégie est de rédiger les textes de votre matériel avant de prospecter le marché du travail. Songez à ce que vous souhaitez obtenir en matière d'image et de style, mais, à ce stade-ci, n'utilisez pas les options de luxe et coûteuses. Imprimez ce que vous avez préparé sur du papier de qualité avec une imprimante laser. Une fois votre matériel évalué par votre réseau de soutien et certains clients potentiels, et si vous êtes satisfait du contenu, songez à améliorer la qualité de la production. Changez seulement si vous croyez qu'un style plus relevé vous aidera à mieux communiquer votre message. Votre matériel doit projeter une image appropriée, mais la plupart des clients apprécient davantage la qualité de votre travail que la somme d'argent investie dans vos outils de marketing.

---

**Pensez-y!** Passer du temps à concevoir du matériel est habituellement une bonne excuse pour retarder les efforts de marketing et de réseautage. Vous devez sortir et rencontrer des gens. Votre matériel viendra toujours en deuxième, derrière votre présentation personnelle!

---

### *Développez une image*

En investissant un peu de temps et d'argent, vous pouvez créer une image qui reflétera votre style et qui plaira à votre public cible. Elle peut être discrète et modérée ou alors un peu plus créative et flamboyante simplement grâce à la sélection de papier, de couleur, de mise en pages et d'autres éléments de conception. Utilisez les conseils suivants afin d'éclaircir vos choix.

#### CONSEILS POUR DÉVELOPPER UNE IMAGE

- Commencez par consulter d'autres outils de marketing. Recueillez les échantillons des articles dont vous avez besoin et utilisez les idées de conception et de mise en pages que vous préférez. Les magasins de fournitures de bureau et les imprimeries ont parfois des catalogues d'exemples.
- Choisissez attentivement la couleur et la texture de votre papier. Le blanc est toujours pratique; vous n'aurez pas de problème à assortir vos enveloppes ni à télécopier ou à photocopier. Vous pouvez ajouter de la couleur avec un logo ou un autre élément décoratif. La texture est également importante. Le papier de haute qualité est plus dispendieux, mais la qualité vaut son pesant d'or dans la création de votre image.
- Des polices de caractères différentes peuvent créer une image de marque distinctive. Choisissez-en une et utilisez-la exclusivement pour la création de vos en-têtes. Variez votre style en utilisant (sans exagérer) des caractères gras, italiques, majuscules et minuscules, sans toutefois changer la fonte. Assurez-vous que votre typographie s'imprime clairement en tout petit pour les étiquettes et les bas de page.
- De bons choix de police de caractères incluent : Times, Tahoma, Arial, Helvetica et Garamond. Vous pouvez aussi vous procurer des logiciels à petit prix contenant des fontes supplémentaires au magasin de fournitures de bureau.
- Vous pouvez choisir parmi une vaste palette de couleurs. L'impression d'une d'entre elles ou du noir est considérée comme un travail d'une couleur. Si vous en choisissez plus d'une, vos coûts augmenteront considérablement. Pour une commande de moins de 500 exemplaires, la plupart des imprimeries produiront le matériel en couleur de façon numérique à prix raisonnable. Pour de plus grandes quantités, il serait plus économique d'opter pour une impression offset numérique en quadrichromie (quatre couleurs).
- Utilisez des couleurs très foncées pour les titres, les logos et les en-têtes afin d'assurer une bonne lisibilité, et seulement du noir pour le texte principal.

- La couleur de l'encre sera différente une fois imprimée sur du papier couché, non couché et de couleur. Consultez un échantillon de vos choix de couleurs d'encre imprimés sur le type de papier désiré avant d'en commander.
- Travaillez l'alignement de la mise en pages. Les éléments comme votre nom, la date, la pagination, le logo et le slogan doivent toujours apparaître au même endroit sur chaque page. Soyez constant lorsque vous centrez et alignez à gauche ou à droite votre texte.
- Faites preuve de créativité avec les éléments de style tels que les contrastes, les bordures, les lignes, les puces et autres symboles. Employez-les de façon uniforme; ces détails conceptuels pourraient constituer votre signature.
- Vous n'êtes pas obligé d'avoir un logo. Si vous décidez d'en utiliser un, demandez à un graphiste de le concevoir. Les logos maison ne dégagent habituellement pas une image professionnelle.
- Assurez-vous que votre création ne présente aucun problème pour la photocopieuse et le télécopieur.
- Vous pourriez solliciter l'aide d'un concepteur graphique. Les imprimeries et les magasins de fournitures de bureau peuvent habituellement vous fournir des références.
- Si vous engagez un concepteur, montrez-lui des échantillons d'en-têtes, de cartes, de brochures, de publicités ou de couvertures de livres qui reflètent bien votre style. Puis laissez libre cours à son imagination pour ensuite évaluer ses concepts en vous posant les questions suivantes:
  - Le message est-il lisible?
  - Le concept reflète-t-il mon style et crée-t-il l'impression souhaitée?
  - Le contenu est-il approprié?
  - Y a-t-il quelque chose à ajouter avant de donner mon approbation?
- Que vous travailliez avec un concepteur ou directement avec une imprimerie, vous avez toujours le droit de voir l'épreuve. Vous êtes responsable du contenu, de la révision et de l'apparence du produit final. À moins d'en avoir les moyens, les couleurs de votre épreuve ne correspondront pas tout à fait à celles de votre document final. Demandez une pastille de couleur lorsque vous recevrez votre épreuve. Vérifiez minutieusement la mise en pages ainsi qu'une version coupée, rognée et pliée du produit final, si nécessaire.

......................................................................................................................................

**Pensez-y!** Ne concevez pas d'éléments de design simplement au nom du design. Le message doit être clair, lisible et pertinent. Comme le disait si bien Shakespeare: «plus de contenu, moins d'art».

......................................................................................................................................

La conception de chaque article de communication et de marketing exige le respect d'une certaine procédure. Les conseils suivants vous permettront d'obtenir des résultats qui vous aideront dans votre recherche d'emploi.

CONSEILS POUR ÉLABORER DU MATÉRIEL DE MARKETING

### Cartes d'affaires

- La typographie utilisée pour votre nom et vos coordonnées sur votre carte d'affaires devrait être la même que celle utilisée pour votre curriculum vitæ et votre matériel de marketing. Si vos coordonnées risquent de changer pendant votre recherche d'emploi, optez pour des méthodes moins coûteuses et planifiez la réimpression de vos cartes d'affaires.

- Songez à vous donner un titre qui explique vos principales compétences ou connaissances. Par exemple, sous votre nom, vous pourriez indiquer «Solutions de commerce électronique», «Consultant en ressources humaines», «Gestionnaire de projet» ou «Approvisionnement stratégique». Mais ne vous sentez pas forcé: si vous n'êtes pas à l'aise avec ce type de titres, n'en utilisez pas.
- Au verso de la carte, pensez à inclure de l'information comme votre mission ou un résumé concis de vos services.
- Optez pour la taille normale d'une carte d'affaires et utilisez un carton rigide. Utilisez des éléments de design cohérents avec votre matériel et papeterie.
- N'encombrez pas l'espace au recto ni au verso de la carte.

### En-têtes, enveloppes et étiquettes

- La plupart des gens peuvent créer leur propre en-tête avec un logiciel et l'imprimer sur du papier de qualité à l'aide d'une imprimante de qualité laser.
- En matière de rapport qualité-prix, le blanc est la meilleure option de couleur. Il vous sera plus facile de trouver des enveloppes et vous n'aurez pas de difficultés à photocopier ou à télécopier vos documents. Si vous optez pour une couleur et une qualité de papier distinctes, procurez-vous-en amplement afin de pouvoir produire le reste de votre matériel. Les enveloppes doivent y être assorties.
- La conception de l'en-tête de lettre, des enveloppes et des étiquettes doit être uniforme.
- Avant d'approuver un en-tête, imprimez-le sur une vraie lettre. L'ensemble des éléments de style est-il cohérent?
- Les étiquettes de taille normale pour enveloppes de format commercial seront trop petites pour contenir des éléments de style en plus de votre adresse. Celles conçues pour de plus grandes enveloppes peuvent être imprimées avec vos éléments, permettant ainsi à vos colis de refléter votre image.

### Cartes et papier pour mémos

- Des notes manuscrites sur des cartes imprimées ne conviennent pas au style de chacun. Cependant, si vous êtes à l'aise avec ce concept, il s'agit d'une bonne solution de rechange lorsque la correspondance d'affaires officielle semble excessive. Et comme les notes manuscrites sur des cartes imprimées sont plutôt rares, elles sont remarquées et appréciées.
- Des cartes vierges à un pli font l'affaire et peuvent être achetées dans n'importe quelle boutique de cartes de vœux. Celles où le mot «merci» est inscrit sont également des choix appropriés.
- Si vous voulez personnaliser davantage la carte, vous pourriez imprimer votre nom et celui de votre entreprise sur le dessus. La conception devra refléter votre image et vous devrez vous procurer des enveloppes assorties. Vous aurez probablement besoin d'aller dans une imprimerie pour effectuer ce type de travail. Remettez-leur des échantillons de vos autres documents et vérifiez attentivement l'épreuve.
- Le papier pour mémos et les blocs-notes sont très utilisés. Un petit mot informel, manuscrit et fixé à votre correspondance peut parfois remplacer une lettre et rappelle à votre destinataire les champs d'intérêt que vous partagez.
- L'imprimerie qui a produit votre en-tête vous recommandera une taille et les créera pour vous. Encore une fois, ils devront refléter le reste de votre matériel.
- Lorsque vous devez écrire à la main, assurez-vous que le message soit bref et lisible.

### Feuille de transmission de télécopie
- Un modèle offert par un de vos logiciels de traitement de texte est suffisant, mais une feuille de transmission personnalisée ajoute une touche professionnelle.
- Utilisez votre en-tête de lettre, mais gardez celle-ci simple, car vous ne voulez pas embêter le destinataire avec des graphiques et des ombrages qui consomment trop d'encre.

### Biographies
- Les clients exigent souvent des consultants, des sous-traitants et de certains propriétaires d'entreprise qu'ils incluent des biographies dans leurs soumissions.
- Écrivez une biographie d'environ 300 à 500 mots, en ne dépassant pas une page. Rédigez une version plus courte d'une centaine de mots, ainsi qu'un résumé de 50 mots. Ces versions raccourcies sont souvent les plus difficiles à composer, mais lorsqu'elles seront nécessaires, vous serez bien content de les avoir écrites à l'avance, même si vous avez quelques mises à jour à effectuer.
- La version longue de votre biographie devrait être imprimée avec votre en-tête. Vous pouvez aussi concevoir une page spéciale en employant les mêmes éléments de style que dans l'en-tête.
- Optez pour le style de rédaction d'un communiqué de presse. Employez la troisième personne du singulier, comme si vous décriviez quelqu'un d'autre.
- Indiquez vos compétences professionnelles ainsi qu'un résumé de vos expériences qui sont pertinentes au travail convoité. N'entrez pas dans les détails, mais inscrivez des réalisations. Nommez les sociétés reconnues où vous avez travaillé et mentionnez vos titres. Incluez les associations professionnelles et les appellations qui pourraient renforcer votre crédibilité.
- Vous pourriez utiliser l'une des versions courtes pour votre brochure.
- Les exemples à la fin de ce chapitre vous aideront.

### Résumé de votre curriculum vitæ
- Le résumé du CV est souvent utile pour les consultants, les sous-traitants et certains propriétaires d'entreprise. Il peut servir d'introduction sous forme de pièce jointe à une lettre de marketing, de document à présenter lors d'une rencontre ou encore, accompagner une lettre de suivi.
- Sa conception doit refléter celle du curriculum vitæ et ne pas dépasser une page.
- Commencez par l'énoncé de votre profil. Mettez l'accent seulement sur vos principales réalisations et incluez de l'information portant sur vos expériences professionnelles.
- Ne surchargez pas la page.
- Ne l'utilisez pas pour répondre à une offre d'emploi affichée dans les journaux ou sur un site web. Pour ne pas être écarté lors du premier processus de sélection, vous devez fournir votre historique en entier.
- Utilisez l'exemple à la fin de ce chapitre comme guide.

### Brochure décrivant vos services
- Concevez une brochure afin de mettre l'accent sur vos principaux arguments de mise en marché. Vous pourriez y inclure le type de services offerts et leurs avantages, des études de cas, le profil des associés, la mission, des témoignages de clients et leur nom (avec leur permission).
- Vos coordonnées devraient être clairement indiquées.
- La rédaction de votre brochure vous aidera à clarifier vos idées concernant les services que vous proposez et ce qui vous différencie de vos concurrents.

• Réalisez une ébauche du contenu, concevez la mise en pages et montrez-la à votre réseau de soutien. Songez à la faire imprimer professionnellement seulement lorsqu'elle aura été approuvée par certains de vos clients.

• Le résultat doit être épuré et représentatif de votre image. Les gens sont parfois tentés d'être plus créatifs avec leur brochure qu'avec le reste de leur matériel. Évitez d'en produire une qui s'écarte trop de votre facture visuelle.

• Vous pouvez opter pour une page de taille normale, imprimée des deux côtés et pliée en trois panneaux en utilisant un papier plutôt épais ou légèrement cartonné.

• Inspirez-vous de l'exemple de la brochure à trois plis à la fin de ce chapitre.

## Portfolio

• La plupart des individus qui utilisent un portfolio exercent une profession où les normes pour ce type de matériel de marketing sont bien connues.

• Élaborez votre dossier en gardant en tête votre public cible et en y incluant un vaste éventail d'éléments. Ce qui suscite de l'intérêt pourrait vous surprendre.

• Maîtrisez bien son contenu et planifiez de quelle façon vous allez le parcourir avec votre client ou employeur potentiel.

• Si la présentation de votre dossier nécessite l'utilisation de technologies telles que PowerPoint, soyez au rendez-vous en avance afin de vérifier le bon fonctionnement de l'équipement.

• Présentez chaque élément de la meilleure façon possible, sans précipitation.

## Site Internet

• Avant d'entamer sa création ou de solliciter un concepteur, déterminez quel type de personnes vous souhaitez attirer sur votre site et ce que vous avez l'intention d'y afficher.

• Adaptez votre conception aux habitudes, aux besoins et aux attentes de votre public cible.

• Si vous n'avez pas à y inclure d'autres fonctions ou informations interactives que celles contenues dans le reste de votre matériel, votre site devrait s'avérer peu coûteux.

• Si vous avez occupé des fonctions techniques et devez illustrer vos habiletés en conception et en programmation, créez votre propre site. Sinon, confiez-le à un spécialiste.

• Il existe de nombreux concepteurs, dont votre fournisseur d'accès Internet, qui peuvent se charger de la création d'un site à un prix raisonnable. Avant de choisir, évaluez ceux qu'ils ont conçus par le passé.

• Consultez des sites qui vous plaisent et communiquez avec l'entreprise afin de demander qui en est le concepteur.

• Si vous préférez le créer vous-même et en faire une expérience d'apprentissage, certains centres de formation offrent des cours de conception de sites Internet. Cependant, ne laissez pas le temps consacré à cette tâche empiéter sur celui de vos activités de réseautage et de marketing.

• Évitez d'y inclure des éléments graphiques qui prennent trop de temps à télécharger ou à imprimer.

• Soyez prêt à mettre son contenu à jour régulièrement.

• Si vous en publiez l'adresse dans votre matériel de marketing, assurez-vous que votre site soit de première qualité.

........................................................................................................................

**Pensez-y!** Les gens n'ont pas le temps de consulter du matériel volumineux. Mieux vaut opter pour la simplicité.

........................................................................................................................

Exemple d'une biographie complète

## Jean Chagnon

La carrière de Jean Chagnon s'étend sur plus de 20 ans et il possède une expérience variée dans l'implantation de stratégies visant à atteindre les objectifs organisationnels des services informatiques. Il fait preuve d'habiletés analytiques et intuitives remarquables afin de mener à terme des projets complexes et interreliés. En plus de son expérience en gestion d'équipes spécialisées, son éventail de compétences englobe les logiciels, l'équipement informatique, la planification, la gestion de projet et les architectures opérationnelles pour systèmes vitaux. Déterminé à optimiser la technologie déjà existante, Jean apporte des idées indispensables quant à la valeur des nouvelles technologies pour les affaires et leurs façons de maximiser le taux de rendement du capital investi. Il entretient des rapports avec les fournisseurs qui permettent à l'impartition de s'élever au niveau du partenariat synergique.

Depuis le démarrage de son cabinet de consultation, Jean a pu mettre à profit son expertise en solutions informatiques chez Concepts inc., Processeurs intégrés ltée et Paradigme International. Ses contrats incluent un programme de projets interreliés s'échelonnant sur 18 mois et visant à améliorer l'efficacité de l'exploitation grâce à l'innovation technologique, ce qui se traduit par une économie de coûts estimée à plus de 3 millions de dollars. Il a également réussi à conclure une entente d'impartition sur cinq ans d'une valeur de 12 millions de dollars en plus d'avoir préservé le projet de la fermeture d'un centre de données risquant d'être annulé.

En tant que vice-président à la Banque Traditionnelle, Jean a combiné les connaissances accumulées lors de ses postes précédents en gestion opérationnelle, ainsi que ses responsabilités techniques et stratégiques afin d'être à la tête d'une initiative de centralisation du traitement se chiffrant à 100 millions de dollars. Il a également dirigé l'équipe de conception et d'implantation d'un serveur Internet complexe, résistant aux pannes et sécuritaire, pour des services bancaires et de courtage en ligne. Dans ses fonctions précédentes, il a dépassé toutes les attentes en dirigeant l'intégration et le soutien technique informatique à la suite de l'acquisition de Major Trust Cie, générant ainsi des économies de plus de 9 millions de dollars.

Sa compréhension rapide des priorités et des défis organisationnels, de même que sa capacité de négocier, de diriger et de conseiller avec doigté font de lui un choix idéal pour travailler avec les équipes internes, les fournisseurs et les gestionnaires.

8910, rue Principale
Montréal (Québec) H3T 3H3
Bureau : (514) 555-1212    Téléc. : (514) 555-1212    Courriel : jchagnon@isp.ca

## Exemples de biographies abrégées

### Jean Chagnon, Consultation technique et stratégique en informatique

Ayant consacré plus de 20 ans à implanter des stratégies techniques pour atteindre des objectifs organisationnels, Jean possède une expertise qui englobe les logiciels, l'équipement informatique, la planification, la gestion de projet et l'architecture opérationnelle de systèmes vitaux pour le secteur des services financiers. Il est déterminé à optimiser la technologie et à analyser la valeur des nouvelles technologies pour les affaires afin de maximiser le taux de rendement du capital investi.

Parmi les contrats de consultation qu'il a obtenus de trois institutions financières de taille, notons un programme de projets interreliés qui améliore l'efficacité opérationnelle et génère une économie de 3 millions de dollars par année, un projet d'impartition se chiffrant à 12 millions de dollars ainsi que la fermeture d'un centre de données chancelant. Comme vice-président à la Banque Traditionnelle, il a dirigé une initiative de centralisation du traitement de 100 millions de dollars, implanté un serveur Internet sécuritaire pour les services bancaires en ligne et géré l'intégration technique de Major Trust Cie.

**Jean Chagnon:** Visionnaire des techniques de l'information, possédant plus de 20 ans d'expérience en gestion dans le domaine des services financiers. Travaille sur l'alignement stratégique de la technologie selon les objectifs organisationnels en implantant d'importantes initiatives comme la centralisation des processus, les solutions de services bancaires électroniques et les intégrations d'acquisitions. Expert en optimisation de technologies existantes et en maximisation du taux de rendement du capital investi à l'aide des nouvelles technologies.

**Exemple de résumé du curriculum vitæ**

## Jean Chagnon
8910, rue Principale
Montréal (Québec) H3T 3H3

Bureau: (514) 555-1212          Téléc.: (514) 555-1212          Courriel: jchagnon@isp.ca

Visionnaire des technologies de l'information, cumulant plus de 20 ans d'expérience dans l'implantation de stratégies visant à atteindre les objectifs organisationnels dans le secteur des services financiers. Expertise développée dans les logiciels, l'équipement informatique, la planification, la gestion de projet et l'architecture opérationnelle pour systèmes vitaux. Possède d'excellentes compétences intuitives et analytiques afin de mener à terme des projets interreliés. Déterminé à bâtir à partir de technologies déjà existantes tout en apportant des idées pour profiter des nouvelles technologies et maximiser le taux de rendement du capital investi.

### RÉALISATIONS

- Élabore une vision stratégique pour un système de traitement centralisé d'une valeur de 100 millions de dollars et dirige l'équipe d'implantation.
- Conçoit le plan du soutien de la gestion des systèmes et de l'exploitation de la plateforme d'un serveur pour les 1 200 clients d'une division bancaire.
- Gère la conception et l'implantation d'une opération autonome et résistante aux pannes pour un serveur Internet sécuritaire, fournissant une clé de chiffrement pour les services bancaires et le courtage en ligne. Atteint un niveau de disponibilité de 100 %.
- Dirige l'équipe de planification tactique afin de réévaluer l'efficacité de la structure organisationnelle, ce qui entraîne une réaffectation de 10 % du personnel au soutien des nouveaux services.
- Gère des projets de relocalisation de centres de données, d'intégration du soutien technologique, de mises à jour et d'automatisation de technologies complexes.
- Tisse des liens étroits avec les fournisseurs pour assurer l'efficacité des acquisitions et influence les orientations de développement de ces derniers afin d'appuyer la vision technique.
- Réoriente et restructure un projet chancelant visant à relocaliser les unités d'imprimerie, d'insertion, de chèques et d'opérations dans deux nouveaux sites.
- Gère le projet d'une entente de sous-traitance sur cinq ans se chiffrant à 12 millions de dollars.
- Dirige une équipe de conception qui produit un programme de projets interreliés de 18 millions de dollars visant à améliorer l'exploitation des affaires avec des économies prévues de 3 millions de dollars par année.

### CHEMINEMENT PROFESSIONNEL

| | |
|---|---|
| Jean Chagnon, Consultation technique et stratégique en informatique | 2000 à aujourd'hui |
| Banque Traditionnelle, siège social | 1978 à 2000 |
| Vice-président, évaluation des risques et recherches | 1998 à 2000 |
| Vice-président, télécommunications et services techniques | 1995 à 1998 |
| Directeur adjoint, service d'équipement informatique | 1990 à 1995 |
| Directeur adjoint, recherche en développement de systèmes | 1986 à 1990 |
| Avant 1986, occupe divers postes de gestion à la Banque Traditionnelle. | |

**Exemple de brochure**

En utilisant votre ordinateur, il est facile de produire une brochure à trois panneaux, imprimée recto verso, de taille normale et d'apparence professionnelle.

Lorsque la brochure est pliée pour des raisons de présentation ou d'envoi, il est important que les coordonnées soient faciles à repérer. L'ajout de photos est optionnel, mais vous permettra de donner une touche personnelle à votre image.

L'ordre des éléments est important. Le texte doit contenir une progression logique.

Les deux pages suivantes illustrent la mise en pages de votre brochure lorsqu'elle sort de l'imprimante. Reproduisez-la recto verso et pliez-la soigneusement.

# JEAN CHAGNON

Consultation technique et
stratégique en informatique
Bureau: (514) 555-1212

jchagnon@isp.ca

Bureau: (514) 555-1212
Téléc.: (514) 555-1212
Courriel: jchagnon@isp.ca

Adresse: 8190, rue Principale
Montréal (Québec) H3T 3H3

Photo

## PROFIL

CONSULTANT EN TECHNOLOGIES DE
L'INFORMATION POSSÉDANT UNE
EXPÉRIENCE DANS L'IMPLANTATION DE
STRATÉGIES TECHNIQUES VISANT À
ATTEINDRE LES OBJECTIFS
ORGANISATIONNELS. APPLIQUE
D'EXCELLENTES COMPÉTENCES
INTUITIVES ET ANALYTIQUES AFIN DE
COMPLÉTER DES PROJETS INTERRELIÉS
AXÉS SUR LA VISION STRATÉGIQUE.

GÈRE AVEC SUCCÈS DES PROJETS QUI
OPTIMISENT L'UTILISATION DE
TECHNOLOGIES EXISTANTES AFIN DE
GÉNÉRER DES SOLUTIONS D'AFFAIRES
EFFICACES.

POSSÈDE UNE VASTE EXPERTISE EN
LOGICIELS, ÉQUIPEMENTS
INFORMATIQUES ET PLANIFICATION,
AINSI QU'UNE EXPÉRIENCE
CONSIDÉRABLE EN GESTION DE
PROJETS ET ARCHITECTURE
OPÉRATIONNELLE POUR DES SYSTÈMES
VITAUX.

## HISTORIQUE

La carrière de Jean Chagnon s'étale sur 20 années passées dans le secteur informatique relié aux services financiers. Il a occupé des postes de direction dans lesquels il a été responsable de l'organisation du soutien, de l'architecture et des stratégies pour gérer les logiciels d'exploitation, les bases de données et les réseaux nationaux d'une banque canadienne générant des revenus de 250 milliards de dollars.

La riche expérience de Jean englobe :

- l'application de technologies novatrices au profit de l'entreprise ;
- la gestion du soutien opérationnel de systèmes vitaux ;
- la planification stratégique de systèmes de transaction ;
- l'organisation de l'intégration du soutien technique et de l'exploitation des TI ;
- la gestion de projets complexes.

Ses plus récentes recherches incluent:

- ☐ la productivité du développement ;
- ☐ la sécurité des réseaux ;
- ☐ les clés de chiffrement publiques ;
- ☐ le protocole SET (Secure Electronic Transactions) ;
- ☐ la gestion avancée des systèmes.

## SERVICES OFFERTS

- ☑ Élaboration de stratégies techniques pour les systèmes centralisés supportant les orientations commerciales.

- ☑ Conception de l'orientation stratégique des systèmes de gestion et d'exploitation informatiques.

- ☑ Gestion de la planification, l'organisation et l'implantation de projets techniques complexes.

- ☑ Création de programmes de développement informatique afin de soutenir les stratégies commerciales et technologiques.

- ☑ Élaboration d'architectures et de conceptions techniques pour des systèmes vitaux.

- ☑ Conception et gestion de projets visant à intégrer les opérations informatiques, les centres de données et les services de soutien à la suite de fusions et d'acquisitions.

- ☑ Sous-traitance de projets et élaboration de processus de gestion des services.

## APPROCHE

La stratégie en technologies de l'information vise à exprimer comment les actifs technologiques soutiendront les objectifs de l'organisation.

La stratégie en technologies de l'information supporte les solutions d'affaires en permettant d'investir dans les biens technologiques qui offrent une valeur sûre tout au long de leur durée de vie économique.

La stratégie en technologies de l'information est un succès lorsqu'elle met à profit les capacités de l'entreprise afin de gérer, d'exploiter et d'appuyer les fonctions d'affaires.

La disponibilité et l'envergure des technologies sont essentielles à l'atteinte des objectifs financiers et commerciaux de l'entreprise. Comme pour toute stratégie, ces systèmes cruciaux nécessitent des architectures et des conceptions robustes ainsi qu'un soutien efficace.

# Chapitre 12

## *Réussissez votre entrevue*

*Ce n'est pas toujours la personne la plus compétente qui obtient le poste,*
*mais celle qui a le mieux réussi son entrevue.*

Tout ce que vous avez accompli jusqu'à présent dans votre transition de carrière sera mis à l'épreuve lors des entrevues. En vous y préparant soigneusement, vous serez à même d'évaluer si votre description de vous-même et celle de vos réalisations reflètent les objectifs que vous vous êtes fixés. Vous pourrez aussi déterminer si votre cible correspond vraiment à votre idéal. Ce faisant, vous serez en mesure de vous rendre à votre entrevue, confiant de récolter le fruit de vos efforts.

Lorsqu'une entreprise vous convoque, c'est parce que l'information contenue dans votre lettre de présentation et votre curriculum vitæ répond aux exigences préliminaires. Vous entrez donc dans le processus d'entrevue avec l'auditoire de votre côté. L'employeur potentiel espère que vous serez le bon candidat pour le poste afin qu'il puisse conclure ses recherches avec succès et souhaiter la bienvenue à la personne idéale. Le travail de l'individu qui vous fait passer l'entrevue est de s'assurer que vos compétences et votre expérience répondent aux exigences et que vos style, personnalité et autres attributs s'intégreront à la synergie et à la culture de l'entreprise.

Les entrevues fonctionnent à double sens. Pendant que l'employeur potentiel évalue si vous êtes la personne qu'il lui faut, vous analysez le poste, l'entreprise et ses employés. À mesure que vous progressez dans ce processus, vous devez vous assurer que ce travail répond à vos critères. Le poste et l'entreprise doivent tous deux satisfaire vos besoins et vos attentes en ce qui concerne vos valeurs, vos préférences et vos objectifs de carrière.

### *Préparation à l'entrevue*

De nos jours, il ne suffit plus de bien se vêtir, d'être ponctuel et de répondre spontanément aux questions. Vous devez comprendre le processus, anticiper les objectifs et les questions de l'employeur potentiel, planifier et pratiquer vos réponses. Tout ceci peut vous sembler plus facile à dire qu'à faire si vous manquez d'entraînement! Nombreux sont ceux qui n'ont pas eu à passer d'entretiens d'embauche depuis des années. Si vous n'avez fait que changer de postes au sein de la même entreprise, il se pourrait que les dernières entrevues n'aient été que d'amicales formalités.

Évitez d'être trop confiant si vous possédez déjà de l'expérience en tant que recruteur. Il faut changer de mentalité lorsqu'on se retrouve de l'autre côté de la table. Dans l'art de l'entrevue, on note plusieurs styles et approches; vous devez être flexible, attentif et préparé. On pourrait vous poser des questions auxquelles vous n'auriez jamais songé et la méthode employée pourrait vous être complètement inconnue. Ne laissez pas un faux sentiment de confiance entraîner un manque de préparation assorti d'une performance décevante.

Parmi les préalables pour bien réussir ses entrevues, il faut avoir déterminé son avantage stratégique, établi des critères clairs quant à son emploi idéal, préparé un curriculum vitæ axé sur ses réalisations et effectué la recherche nécessaire. Si vous n'avez pas consacré le temps requis à ces éléments, faites-le sans tarder. Si vous avez fait vos devoirs jusqu'à présent, vous devriez être prêt à préparer votre présentation orale.

### *Les cinq messages clés*

Une excellente façon de vous préparer aux entrevues est de concevoir et pratiquer un texte composé de cinq parties qui répondent aux questions le plus fréquemment posées aux chercheurs d'emploi. Ces déclarations peuvent être dites d'une traite, mais elles sont plus souvent divisées afin d'être utilisées de façon indépendante. En les préparant et en les pratiquant en un scénario cohésif, vous mémorisez la liste des thèmes qu'il vous importe d'aborder lorsqu'il est question de votre carrière. Ces phrases seront utiles non seulement pour vos entrevues, mais aussi pour vos rencontres de réseautage et vos conversations informelles. Ces déclarations incluent :

| | |
|---|---|
| **Votre profil** | 30 secondes |
| **Vos principales forces** | 15 à 30 secondes |
| **Le survol de votre carrière et de vos réalisations** | 5 à 7 minutes |
| **La raison de votre départ** | 30 secondes à 1 minute |
| **Vos objectifs** | 1 à 2 minutes |

### *Votre profil*

Il s'agit de votre profil dans votre curriculum vitæ, mais sous forme orale. Vous devez y mentionner votre dernier titre et une brève explication de celui-ci s'il peut porter à confusion. Cette partie doit aussi indiquer le nombre d'années d'expérience que vous cumulez, le type de secteurs d'activité parmi lesquels vous avez travaillé et le nom de certaines entreprises (si elles sont connues). Vous devez y décrire votre champ d'activité, votre niveau d'ancienneté et l'étendue de vos expériences. Terminez avec un énoncé qui témoigne de vos avantages uniques (si celui-ci s'intègre bien).

Ce profil devrait d'abord être conçu à voix haute, ne l'écrivez pas tout de suite! Songez à différentes formulations et peaufinez le tout jusqu'à ce que les mots coulent naturellement. Puis, inscrivez tout ce que vous avez dit : fragments de phrases, termes techniques, pauses, etc. Répétez-le à plusieurs reprises sans consulter vos notes. Cette déclaration devra être pratiquée régulièrement afin qu'elle soit gravée dans votre mémoire.

---

**Pensez-y!** Pour préparer les quatre prochaines parties, consignez seulement les éléments clés de vos déclarations. Ne les écrivez pas en entier afin de les apprendre par cœur; vous pourriez sembler mal à l'aise et manquer de naturel. Souvenez-vous des grandes lignes de chacune d'elles et comptez sur l'entraînement à voix haute pour augmenter votre niveau de confort. Vous trouverez des tournures qui correspondront à votre propre façon de vous exprimer.

---

## Vos principales forces

Nommez trois ou quatre de vos plus grandes forces sous forme de brefs énoncés. Vous pouvez commencer par: «Mes principales forces sont…». Puis, utilisez seulement un mot ou alors des phrases très courtes pour la suite (ex.: «l'écoute et la compréhension des besoins de mes clients, la résolution des problèmes et la gestion d'équipes multidisciplinaires»). N'entrez pas dans les détails ou les explications laborieuses. Cherchez à créer un impact; les exemples suivront dans la déclaration portant sur le survol de votre carrière.

Si vous avez omis d'indiquer un énoncé de ce qui vous rend unique dans votre profil, vous pouvez le faire ici. En une seule phrase, résumez la combinaison particulière de vos forces, compétences et expériences de travail et la valeur que ceux-ci représentent. Bref, parlez de votre avantage stratégique.

**Pensez-y!** Lorsque la déclaration concernant vos «principales forces» se retrouve hors du contexte de la présentation globale, vous devez offrir de brefs exemples.

Le profil et le résumé de vos principales forces doivent être évoqués ensemble et ne devraient pas durer plus d'une minute. Ces deux déclarations sont essentielles pour faire bonne impression. Elles décrivent qui vous êtes et ce que vous faites.

## Le survol de votre carrière et de vos réalisations

Cette partie vient appuyer vos deux premières déclarations en offrant des preuves de ce que vous affirmez. Introduisez-la en mentionnant vos intentions à votre interlocuteur. Dites: «Laissez-moi effectuer un survol des points saillants de ma carrière. Je vais me concentrer sur les dernières années.» Suivez l'ordre chronologique, du plus ancien jusqu'à ce jour, et parcourez les 10 dernières années de votre parcours professionnel en mentionnant les dates, le nom des entreprises, les titres, les fonctions et les mandats, vos réalisations et les raisons de votre départ. N'employez pas la chronologie inversée, votre interlocuteur pourrait s'y perdre.

**Pensez-y!** À mesure que vous expliquez votre cheminement professionnel, il est important de fournir une raison crédible pour chaque changement. Ainsi, vous répondrez à la question «Pourquoi avez-vous quitté cet emploi?» avant qu'elle ne vous soit posée. De cette façon, vous créerez un climat de confiance et capterez l'attention de l'employeur potentiel.

Préparez votre survol de carrière en divisant votre historique en chapitres. Cette division est arbitraire; vous pourriez la faire en fonction des entreprises, des postes occupés au sein de la même organisation, des périodes ou des projets. Remontez jusqu'à une dizaine d'années environ. Mentionnez vos expériences antérieures seulement si elles ont été significatives pour vos compétences, vos champs d'intérêt ou vos objectifs, et uniquement si elles sont toujours pertinentes aujourd'hui. Aidez votre interlocuteur à vous suivre en indiquant les dates et le nom de chaque entreprise et service.

Parlez de vos réalisations à chaque chapitre. Mentionnez-en peu au début de votre historique à moins qu'elles ne vous aident à appuyer un changement de carrière. Choisissez soigneusement vos récits selon chaque entrevue. Racontez-les sous forme abrégée, de chapitre en chapitre. Laissez l'employeur potentiel choisir quand une explication plus détaillée ou une discussion serait utile.

Pour chaque réalisation, utilisez la formule «situation-action-résultat». Si vous vous appliquez pour bien décrire la situation en incluant le point de départ, le mandat, les défis, les risques, etc., le reste de l'histoire prendra forme tout naturellement. Ancrez solidement votre récit avec des raisons justifiant vos gestes pour que votre cheminement paraisse logique et prudent. Quantifiez les résultats, tout en y incluant ceux non quantifiables comme «l'amélioration des communications», «la récupération du modèle par les autres unités» ou «l'obtention du bonus maximal». Mentionnez les commentaires que vous avez reçus et les retombées ultérieures. Si vous avez de la difficulté à déterminer des résultats, l'autre possibilité serait d'expliquer ce que cette expérience vous a enseigné. Ne consacrez pas plus de sept minutes à cette partie.

**Pensez-y !** Lorsque vous racontez l'histoire d'une de vos réalisations, prenez le temps de bien décrire la situation. Précisez ce qui aurait pu survenir si vous n'aviez pas agi. Brossez un portrait fidèle «d'avant» pour permettre à votre interlocuteur d'apprécier l'étendue de vos contributions et la valeur du portrait «d'après».

### La raison de votre départ

La plupart des gens éprouvent de la difficulté à expliquer pourquoi ils ont quitté leur dernier employeur. Cette discussion peut toucher une corde sensible qui éliminerait toutes vos chances de réussir votre entrevue. La solution ? Un mélange de préparation et de présentation stratégique.

Voici trois conseils concernant la raison de votre départ :
• préparez-la minutieusement ;
• abordez-la vous-même ;
• soyez à l'aise avec celle-ci.

Comme son niveau de confort est relié au vôtre, la personne qui vous fait passer l'entrevue sera soulagée lorsque vous aurez traité ce sujet de façon satisfaisante. En racontant certains détails appropriés, vous donnerez l'impression que vous n'avez rien à cacher et l'employeur potentiel n'aura pas à vous poser de questions supplémentaires à ce propos. Le fait d'inclure cet élément dans vos déclarations jouera en votre faveur.

Dépersonnalisez la raison de votre départ en la situant dans un contexte crédible et vérifiable. Mentionnez les faits connus se rattachant à cette entreprise, ce secteur d'activité, cette région ou à tout ce qui est pertinent. Parlez de ce qui aurait miné votre enthousiasme : les tendances, les changements stratégiques ou la nouvelle orientation de la direction. Expliquez l'incompatibilité entre les besoins de l'entreprise et vos forces. Votre départ doit paraître comme étant le résultat d'une décision d'affaires compréhensible et tout à fait acceptable pour vous. Soyez bref, mais précis.

*Un cadre supérieur en marketing avait été engagé par une société traditionnelle, très bureaucratisée, afin d'implanter une nouvelle stratégie agressive. Après trois années passées à se sentir comme un pion sur l'échiquier d'une partie qui se jouait à un niveau supérieur au sien, la société lui reprocha de ne pas remplir son mandat et le congédia. Malgré l'amertume qu'il ressentait toujours, voici la façon dont il raconta l'histoire de son départ: «On m'a recruté pour que je crée une marque de commerce pour la Compagnie Télécom. Nous avons élaboré certaines stratégies basées sur mes réussites précédentes avec «Marque un» et «Marque deux». Jusqu'ici, Telecom n'a toujours pas décidé d'opter pour une ou l'autre des options. La société et moi avons donc convenu que mon approche ne correspondait pas à leur vision. Nous avons résolu de nous séparer.»*

Consacrez du temps à bien préparer votre histoire de départ. Vous devez absolument dire la vérité. Le ton de votre voix ne doit contenir aucune animosité et ne doit pas trahir les termes positifs employés. Récitez votre histoire à voix haute devant un de vos conseillers ou un de vos proches. Il est toujours sage de la faire approuver par vos anciens employeurs et ceux qui fourniront des références à votre sujet.

Ne laissez jamais votre récit se terminer par un long silence. Faites une pause brève, mais appropriée, signifiant «Vous n'avez pas de questions à ce sujet, n'est-ce pas?» et passez directement à «vos objectifs». Avec un ton confiant, vous pourrez attirer votre interlocuteur vers votre avenir et fort probablement éviter toute question ou discussion quant à votre départ.

## Vos objectifs

Consacrez les derniers moments de votre présentation à décrire ce que vous souhaitez faire à présent. Vous pouvez choisir la généralité, en parlant de compétences, de style et de connaissances que vous souhaiteriez mettre à profit dans vos fonctions, ou opter pour la précision. Si vous savez exactement ce que vous voulez faire, mentionnez le titre du poste, le type d'entreprise, de mandat ou de fonction que vous convoitez et offrez un ou deux exemples hypothétiques. Vos recherches vous permettront d'adapter cette partie aux besoins de l'entreprise et aux intérêts de votre interviewer.

## Exercez-vous

L'exercice à voix haute est le seul moyen de vous mettre véritablement à l'aise avec vos cinq déclarations. Lorsque vous en aurez défini le contenu, regroupez-les et exercez-les dans le contexte d'une présentation de 5 à 10 minutes.

Une fois que vous aurez accompli ceci, il vous sera plus facile d'utiliser chaque partie séparément afin de répondre à des questions particulières. Certains interviewers s'attendront à ce que vous soyez capable de parler de vous sans questionnement ni interruption. D'autres vous dirigeront davantage, en posant des questions ciblées et en respectant un plan prédéfini. Vous serez également plus préparé pour des rencontres de réseautage ou des discussions informelles. Employées judicieusement, ces cinq déclarations fourniront suffisamment de renseignements à votre sujet pour intéresser l'interlocuteur et l'inviter à poursuivre la conversation.

**Pensez-y!** Utilisez une caméra, un magnétophone ou même votre messagerie vocale pour vous exercer et critiquer vos déclarations, surtout celles concernant votre profil et la raison de votre départ. Vous pouvez entretenir des conversations stimulantes dans votre tête, mais vous devez vraiment prononcer les paroles afin de ne pas oublier vos meilleures approches.

## FEUILLE DE TRAVAIL 12.1
### Préparation des cinq messages clés

Profil (30 secondes)

_____
_____
_____
_____

Principales forces (15 à 30 secondes)

_____
_____
_____

Survol de votre carrière et de vos réalisations (5 à 7 minutes)

_____
_____
_____
_____
_____
_____
_____
_____
_____
_____
_____
_____

Raison de votre départ (30 secondes à 1 minute)

_____
_____
_____

Objectifs (1 à 2 minutes)

_____
_____
_____
_____

**Pensez-y!** Consacrez le temps nécessaire à la préparation de chacune de vos entrevues. Assurez-vous de ne pas passer outre ces étapes ou de les reporter à la dernière minute (dans la salle d'attente de l'employeur potentiel, par exemple).

Même si vous préparez vos messages clés le plus judicieusement possible, vous devez également anticiper d'autres questions et être en mesure d'y répondre. Lisez les conseils suivants afin d'orienter votre préparation dans l'optique d'une entrevue en particulier.

CONSEILS POUR LA PRÉPARATION D'ENTREVUES
- Poursuivez vos recherches. Découvrez tout ce que vous pouvez sur l'entreprise. Informez-vous sur ses produits, services, stratégies, structures, défis et employés.
- Renseignez-vous aussi sur le poste. Si un recruteur externe a été employé, questionnez-le. Et si l'employeur appelle en personne pour fixer l'entrevue, profitez-en pour vous informer davantage sur l'emploi. Dans la mesure du possible, procurez-vous un exemplaire de la description du poste. Faites preuve de créativité et de détermination dans vos recherches.
- Informez-vous auprès de votre réseau de personnes-ressources afin de trouver quelqu'un qui occupe un poste semblable. Obtenez tous les détails concernant ses responsabilités et défis, ainsi que les principales caractéristiques essentielles à la réussite.
- Familiarisez-vous avec votre auditoire. Les recruteurs et les chasseurs de têtes passeront les premières entrevues pour leur client. Le personnel des ressources humaines de l'entreprise pourrait aussi se charger des entretiens de pré-sélection. Dans certains cas, vous serez directement reçu par le directeur qui recrute. Lors de vos recherches, tentez de vous informer sur chacune des personnes que vous rencontrerez, et tant mieux si vous réussissez à découvrir ce qui leur importe.
- Planifiez votre approche. Armé de tous les renseignements recueillis, faites ce qui suit:
  - Anticipez les compétences, les connaissances et les caractéristiques personnelles qui pourraient s'avérer essentielles pour le poste. Déterminez les éléments de votre avantage stratégique qui y sont compatibles et songez à une de vos réalisations qui pourrait illustrer votre expertise et vos attributs. Prenez le temps requis.
  - Incluez des histoires qui ont surgi au point précédent et rafraîchissez votre mémoire afin d'en accumuler une douzaine, uniques, à propos de votre passé. Exercez-vous à les raconter et tâchez de ne pas les oublier, même si vous n'aurez probablement pas l'occasion de toutes les relater.
  - Déterminez les éléments clés que vous souhaitez aborder lors de l'entrevue. Notez-les.
  - Parcourez les questions se trouvant à la fin de ce chapitre et préparez vos réponses en gardant en tête la perspective du poste à combler.
  - Songez à au moins trois questions que vous pourriez poser à chaque interviewer. Déterminez-les en fonction du poste occupé par la personne qui vous fera passer l'entrevue et notez-les afin de les relire juste avant votre entretien.
  - Pensez à au moins trois raisons qui expliqueraient votre intérêt pour cet emploi et trois autres, incontestables, pour lesquelles l'entreprise devrait vous choisir. Inscrivez-les.
  - Sachez précisément où se situe l'entreprise et comment vous vous y rendrez. Songez au stationnement, à la distance à parcourir à pied et au mauvais temps. Vous ne voulez pas arriver en retard ou défraîchi.

• Songez au code vestimentaire de l'entreprise et du secteur d'activité en général. Choisissez des vêtements légèrement plus chics. En cas de doute, optez pour un ensemble sobre.

• La veille de votre entrevue, vérifiez votre ensemble et vos accessoires, mangez sainement et profitez d'une bonne nuit de sommeil.

• Apportez des exemplaires supplémentaires de votre curriculum vitæ et vos notes inscrites plus tôt pour une dernière relecture. Ne vous encombrez pas d'un énorme porte-documents.

• Détendez-vous avant de vous rendre à l'entrevue. Promenez-vous, faites des exercices de respiration, méditez, écoutez de la musique relaxante si vous êtes nerveux ou de la musique dynamique si vous êtes las. Appelez une personne de votre réseau et demandez-lui de vous motiver.

• Rappelez-vous qu'un de vos objectifs est de faciliter le travail de votre interviewer.

• Visualisez-vous en train de réussir votre entrevue.

**Pensez-y!** Si vous avez de la difficulté à trouver trois raisons convaincantes justifiant votre intérêt pour cet emploi, ce n'est peut-être pas le bon pour vous!

### Pendant l'entrevue

Pour comprendre davantage, mettez-vous à la place de la personne qui vous fait passer l'entrevue. La pression pour choisir un bon candidat afin de combler un poste vacant est énorme, surtout à cause des coûts associés aux erreurs. Sélectionner quelqu'un qui travaillera bien et se sentira à l'aise avec le groupe déjà existant relève d'un tour de force. En plus des questions de personnalité, un mandat doit être comblé, et votre interlocuteur ne possède qu'une quantité limitée de preuves quant à vos compétences et à votre potentiel. Songer à la pression que supporte l'interviewer pourrait vous aider à demeurer calme.

Les interviewers possèdent divers styles, attitudes et habiletés à mener des entrevues. Ils disposent également de connaissances variées quant à l'emploi, les problématiques et les personnes qui s'y rattachent. Vous ignorez la quantité de renseignements, d'expérience, de formation ou de soutien que possède la personne que vous rencontrerez. Elle a probablement eu le temps de planifier son entrevue de façon adéquate, ou elle est peut-être forcée d'improviser. Elle pourrait désapprouver l'approche employée pour le recrutement ou il est possible que ce soit un projet qui lui tienne particulièrement à cœur. Elle pourrait être une experte ou une débutante.

Tous ces éléments influenceront l'entrevue. Restez à l'écoute des indices et soyez prêt à vous ajuster à la situation en cours de route. Plus vous êtes calme et confiant, mieux se déroulera l'entretien. Votre langage corporel, le ton de votre voix et vos capacités de réflexion s'améliorent considérablement lorsque vous êtes serein. Par le fait même, vous détendez l'atmosphère et mettez votre interlocuteur à l'aise. Restez concentré sur ce dernier et écoutez attentivement ses questions.

**Pensez-y!** Peu importe l'expérience ou l'efficacité que possède l'interviewer, vous seul avez la responsabilité de lui expliquer vos compétences et de le convaincre que vous êtes le candidat idéal pour ce poste.

Lors d'une entrevue, on n'évalue pas seulement ce que vous dites. Certains spécialistes des communications affirment que le langage corporel et l'apparence transmettent plus de 50 pour cent du message. Le regard, la poignée de main, la posture, la démarche, les expressions faciales, la gestuelle, les signes de tête font aussi partie de l'équation. Soignez vos vêtements, vos accessoires, votre hygiène et votre santé en général. Des tics nerveux tels que la toux, le clignement des yeux, le bafouillage et l'éclaircissement de votre voix ne font que diminuer l'intensité du message, tout comme un comportement confiant, courtois, amical et posé l'augmentera. Votre façon de parler est importante; ceci comprend le ton, le volume, la diction, l'inflexion et le débit. Le contenu de votre message est crucial, mais la façon dont vous le communiquez et ce que vous projetez le sont tout autant.

**Pensez-y!** Lorsque vous êtes stressé, votre respiration se limite habituellement à la partie supérieure de votre poitrine, la rendant ainsi moins profonde et plus rapide. Pour y remédier, réduisez votre tension nerveuse et faites le vide en respirant profondément.

## CONSEILS À SUIVRE LORS DE L'ENTREVUE

- Éteignez votre cellulaire et votre téléavertisseur!
- Ne ratez pas votre première impression! Saluez l'interviewer en le regardant dans les yeux et en lui donnant une poignée de main ferme (mais pas trop!). Souriez et adressez-vous à lui de façon plaisante. Tenez-vous droit, marchez avec confiance et soyez attentif. Les 30 premières secondes de votre interaction influenceront énormément l'atmosphère dans laquelle se déroulera la rencontre.
- Brisez la glace en complimentant ou en commentant quelque chose. Le personnel serviable, le décor, l'emplacement et la vue sont tous des possibilités. Si ces éléments ne vous conviennent pas, essayez de trouver un aspect que vous avez en commun ou une expérience telle que la température, la circulation, le stationnement, le sport ou l'actualité, mais évitez tout dossier controversé.
- Demeurez franc et précis dans vos réponses tout au long de votre entrevue. Les généralités ou les affirmations non fondées sont insuffisantes. Offrez des explications sous forme d'énoncés, de résumés et d'exemples tirés de vos expériences ou d'avis informés. Incluez des données factuelles dans vos exemples, sans toutefois violer des clauses de confidentialité.
- Soyez concis sans être trop bref. Les gens sociables parlent souvent trop et les personnes réservées doivent s'efforcer de fournir davantage d'information. La plupart des réponses devraient durer entre 30 secondes et quatre minutes. L'important est de vous en tenir seulement à la question posée.
- Soyez attentif à ce que dégage votre interlocuteur. S'il semble s'ennuyer ou se désintéresser, condensez votre réponse. S'il démontre de l'intérêt, donnez une réponse complète. Ajustez votre niveau d'énergie, votre gestuelle, le ton, le volume et le rythme de votre discours à ceux de l'interviewer. Évitez toutefois de l'imiter.
- Vendez vos compétences et vos habiletés en parlant de vos réalisations grâce à la formule «situation-action-résultat».
- Si vous craignez que votre réponse n'ait pas été satisfaisante, vous pouvez demander à votre interlocuteur: «Ai-je répondu à la question?» ou «Aimeriez-vous savoir autre chose?».
- L'interviewer pourrait noter tout ce que vous dites. Si vos réponses sont destinées à être évaluées, il devra expliquer ses cotes par certaines de vos citations.

- Soyez conscient de votre inflexion, de vos expressions et de votre langage corporel pendant que vous parlez. Évitez de vous affaler ou d'adopter une position assise trop décontractée.
- Soyez attentif aux expressions, phrases et thèmes récurrents. Réutilisez-les judicieusement, en évitant toutefois l'excès.
- Saisissez toutes les occasions d'insérer dans vos réponses des preuves des recherches que vous avez menées sur l'entreprise.
- N'abordez pas la question de la rémunération. Votre interlocuteur traitera le sujet lorsqu'il sera prêt. Mais, vous pouvez le faire si vous soupçonnez être bien au-delà de leurs moyens ou si vous avez déjà une offre écrite d'un autre employeur avec un délai de réponse.
- Souvenez-vous de votre plan pour l'entrevue. Si les questions de l'interviewer ne vous ont pas permis d'exprimer tous les éléments auxquels vous tenez, mentionnez-les avant la fin de l'entretien.
- En terminant, tentez de résumer vos principales forces et compétences et réitérez votre intérêt pour ce poste.
- Lorsque votre interlocuteur démontre clairement que l'entrevue est terminée, cessez de parler ! Concluez le tout avec un merci et informez-vous sur les prochaines étapes et les délais de réponse.
- Levez-vous en même temps que l'interviewer. Souriez, serrez-lui la main et partez.

.......................................................................................................................................................

**Pensez-y !** Souriez ! Ceux qui ne le font pas commettent une des erreurs les plus communes lors d'une entrevue. Un sourire franc détend l'atmosphère, communique un enthousiasme et démontre un véritable intérêt. Rares sont ceux qui en abusent !

.......................................................................................................................................................

### *Compte rendu à la suite d'une entrevue*

Avant de faire quoi que ce soit, dirigez-vous vers le café le plus près et prenez le temps d'effectuer un compte rendu de l'entrevue en prenant des notes. Si vous attendez d'être à la maison pour le faire, vous pourriez oublier des détails importants. Inscrivez-les pendant qu'ils sont frais à votre mémoire. Utilisez la feuille de travail suivante pour effectuer un compte rendu exhaustif. Vos notes vous aideront à rédiger la lettre de remerciement et vous fourniront une bonne mise à jour lorsque vous reviendrez pour une seconde entrevue.

FEUILLE DE TRAVAIL 12.2
**Compte rendu de l'entrevue**

Qu'ai-je appris sur le poste, le directeur, l'entreprise et le secteur d'activité?

Quels détails importants ont été mentionnés (objectifs de ventes, mandats de projets, relations,…)?

Quelles semblent être les compétences clés pour ce poste?

Ce poste correspond-il bien à mes habiletés et à mes champs d'intérêt?

Quel aspect de mes habiletés, de mon expérience et de mes connaissances semblait le plus les intéresser?

L'interviewer semblait-il inquiet au sujet de quelque chose?

Qu'a-t-il mentionné sur la stratégie, les perspectives et les défis de l'entreprise?

Qu'ai-je besoin de savoir de plus sur le poste, le directeur, l'entreprise et le secteur d'activité?

Qu'est-ce qui a semblé bien fonctionner au cours de l'entretien?

Quels aspects de ma technique d'entrevue nécessiteraient des améliorations?

À quelles questions ai-je le plus de difficulté à répondre?

Quelles questions étaient nouvelles?

Quelles questions ai-je posées et qu'ai-je obtenu comme réponses?

Quelle était mon impression sur l'interviewer, le poste, l'entreprise?

Quelles questions devrais-je poser la prochaine fois, si j'y retourne?

Quelles sont les prochaines étapes? À quel moment devraient-ils communiquer avec moi et quand devrais-je effectuer un suivi?

**Suivi**

Écrivez immédiatement une lettre de remerciement. Idéalement, vous devriez l'envoyer moins de 24 heures après votre entrevue. Ce geste peut faire toute la différence dans vos chances d'obtenir le poste. Les interviewers occupés seront surpris et apprécieront vos efforts. Cette note vous permet aussi de renforcer ou d'ajouter d'importants renseignements. Les conseils en matière de rédaction de lettres de remerciement sont offerts au chapitre suivant.

Des attentes concernant les prochaines étapes du processus ont été signifiées à la fin de l'entrevue et dans votre lettre de remerciement. Communiquez donc avec la personne qui vous a fait passer l'entrevue. Si vous n'avez pas convenu d'une date en particulier, attendez environ une semaine. Réitérez votre intérêt pour le poste et demandez comment se déroule le processus de sélection. Si nécessaire, vous pouvez laisser seulement un message sur la boîte vocale. Évitez de trahir de l'anxiété ou de l'impatience dans votre voix. Employez un ton amical et dynamique. Vous pouvez inscrire une note à votre agenda pour effectuer un autre suivi éventuel au besoin.

....................

**Pensez-y!** Un suivi persistant, mais diplomate, sera perçu comme une preuve concrète de votre intérêt pour le poste. Ces efforts démontreront que vous êtes autonome, méthodique, courtois et organisé. Par contre, en téléphonant plus d'une fois par semaine, vous vous placerez dans une position délicate et votre jugement sera mis en doute.

....................

### *Six types d'entrevues*

Les spécialistes ont identifié plusieurs types d'entrevues dont six les plus courants sont décrits ci-dessous. Cependant, au lieu d'en adopter un en particulier, la plupart des interviewers en combinent plusieurs. Par exemple, une entrevue structurée pourrait inclure des questions comportementales ou des mises en situation. En maîtrisant chaque type, vous pourrez gérer toutes les modifications de style sans difficulté.

**L'entrevue comportementale**

Les entrevues comportementales sont conçues de façon à évoquer des exemples particuliers et détaillés de vos expériences qui doivent avoir un rapport avec le poste à combler. Fondée sur le principe que nos comportements passés révèlent des indices précieux quant à nos comportements futurs, cette méthode s'avère désormais fondamentale à l'évaluation de candidats.

Pour préparer ses questions portant sur le comportement, l'interviewer doit analyser les exigences du poste et noter les habiletés et les attributs des individus qui ont déjà excellé dans des postes similaires. Cet exercice permettra de fixer des points de repère pour chacun des comportements qui seront analysés. Conçues de façon à brosser un tableau représentatif de la manière dont le candidat emploie ses compétences, les questions couvriront un vaste éventail de sujets et commenceront par :

• « Racontez-moi une occasion où… »
• « Donnez-moi un exemple de… »
• « Avez-vous déjà eu à faire face à… ? »

L'entrevue comportementale est le cadre parfait pour parler de vos réalisations. Comme pour n'importe quelle entrevue, anticipez les exigences du poste et songez aux récits qui démontreraient vos compétences. Chaque réalisation peut être racontée de façon à mettre l'accent sur une habileté en particulier. Vous pouvez vous servir de la même histoire plus d'une fois en y faisant référence ou en soulevant d'autres aspects. Le défi consiste à bien se souvenir de vos récits et à les relater clairement avec suffisamment de détails pour convaincre votre interlocuteur.

**Pensez-y!** Avec cette méthode, le recruteur s'attend à ce que vous preniez quelques instants de réflexion. Accordez-vous le temps nécessaire, cela fera toute la différence quant à la qualité de votre réponse.

Lors d'une entrevue comportementale, vous pourriez vous retrouver devant des questions dont les réponses semblent être les mêmes. Cette méthode laisserait supposer que votre interlocuteur cherche à obtenir un mélange de comportements récents et plus anciens, ce qui lui donnerait de meilleurs indices. Les questions répétitives pourraient également avoir pour but de soulever des éléments contradictoires. Pour avoir une vision équilibrée de votre compétence, un recruteur habile cherchera à obtenir des expériences positives et d'autres négatives, ou une variété de méthodes et d'approches face aux situations. Demeurez patient avec ce processus et diversifiez vos exemples.

### Voici quelques questions comportementales:
- « Parlez-moi d'une situation où vous avez dû faire preuve d'ingéniosité politique afin de progresser dans un projet controversé. »
- « Racontez-moi la plus frustrante expérience de votre carrière. »
- « Quelle fonction assumez-vous habituellement lorsque vous travaillez en équipe? Donnez-moi un exemple. »
- « Pouvez-vous me donner un exemple de votre pouvoir de persuasion? »
- « Parlez-moi d'une occasion où vous avez dû gérer une situation où la performance d'un employé était insatisfaisante. »
- « Veuillez me décrire l'expérience la plus décevante de votre carrière. »
- « Quelle a été la plus grande décision que vous avez prise au cours de la dernière année? Racontez-moi comment vous l'avez prise et les conséquences qu'elle a eues. »

**Pensez-y!** Lorsque vous répondez à des questions comportementales, soyez clair quant à l'importance de la situation pour l'entreprise. Expliquez les circonstances, les problématiques, les obstacles et les dynamiques de façon concise. Que serait-il arrivé si vous n'aviez pas agi? Ces explications capteront l'attention de votre interlocuteur et lui permettront d'en apprécier le résultat.

## L'entrevue de mise en situation

L'entrevue de mise en situation est fondée sur le concept voulant que les intentions fournissent les meilleurs indices sur les futurs comportements. Les questions posées alors sont construites de façon hypothétique, mais très précise, et sont basées sur des dilemmes au travail, des situations ou des études de cas. On vous demande de réfléchir à un problème et d'expliquer attentivement ce que vous feriez dans de telles circonstances.

L'entrevue de mise en situation n'est pas centrée sur ce que vous avez accompli dans le passé, mais plutôt sur la façon dont vous appliqueriez vos connaissances et votre expérience lors d'éventuelles situations. Afin d'éviter que le candidat dise ce que l'interviewer veut entendre, les questions bien conçues ne comportent pas de bonne réponse évidente. Vous devez donc vous situer dans le contexte et répondre avec honnêteté. Cette technique permet à l'interviewer de découvrir une mine d'informations.

La conception des mises en situation pour ce type d'entrevue est souvent un processus fastidieux pour l'entreprise. Certaines exigences cruciales du poste sont sélectionnées, puis des scénarios réalistes sont élaborés en demandant à des employés chevronnés ce que serait leur réaction dans un tel contexte. De leurs réponses découleront les qualités et les habiletés que l'interviewer recherchera. Un système de pointage servira à évaluer les réponses, qui seront par la suite comparées à ces points de repère.

Il est difficile de se préparer pour des entrevues de mise en situation parce que les scénarios potentiels sont innombrables et imprévisibles. Il arrive même qu'ils n'aient aucun rapport apparent avec le travail en question. Ils sont conçus de façon à évaluer le style, les valeurs, la motivation et des compétences particulières. Aussi, vous devez rechercher, analyser et comprendre toutes les exigences du poste. Vous pourriez aussi revoir vos réalisations sous un angle vous permettant de définir vos méthodes de travail préférées et les situations dans lesquelles vous vous sentez le plus à l'aise. La clé du succès est une description franche et honnête de ce que vous feriez dans la situation décrite.

CONSEILS POUR BIEN RÉPONDRE À DES QUESTIONS DE MISE EN SITUATION

- Alors que vous formulez votre réponse, énoncez les résultats souhaités.
- Soyez clair en ce qui a trait aux suppositions que vous émettez.
- Expliquez le plus précisément possible les étapes que vous suivriez ou ce que vous diriez.
- Détaillez de quelle façon vous mobiliseriez les personnes et les ressources (si approprié).
- Soulignez certains des obstacles que vous vous attendriez à rencontrer ou les directions que la situation pourrait prendre, et expliquez comment vous procéderiez dans de telles circonstances.
- Explorez des solutions de rechange en plus de votre réponse principale.
- Donnez les raisons justifiant les gestes que vous poseriez.
- Résumez votre solution et expliquez ce que vous feriez pour empêcher que la situation se produise à nouveau (si approprié).
- Mentionnez tout suivi qui serait effectué.

*Le directeur de succursale d'une banque, qui en était à sa retraite anticipée, décida de tenter sa chance et de réaliser le rêve de sa vie: devenir chauffeur d'un autobus pour voyageurs. Il obtint son permis et se documenta. Il dénicha une entreprise en plein recrutement, réussit à décrocher une entrevue et commença à se préparer. Son consultant en transition de carrière lui concocta ce scénario dans l'optique d'une question de mise en situation : « Vous êtes sur votre chemin de retour vers Montréal, sur l'autoroute 417. Votre autobus est bondé. Il est minuit passé quand celui-ci tombe soudainement en panne. Les passagers commencent à paniquer, surtout lorsqu'un individu commence à éprouver de la difficulté à respirer et à se plaindre de douleurs à la poitrine. Que feriez-vous dans une telle situation ? »*

*Après avoir travaillé sur ce scénario ainsi qu'à ses réponses face à d'autres mises en situation, il se présenta confiant à l'entrevue. Une question semblable à celle de la panne lui fut posée et il put répondre sans problème. Il décrocha l'emploi !*

## L'entrevue structurée

Les entrevues structurées emploient une série de questions qui sollicitent un survol de votre style et de votre cheminement professionnel. Afin d'être le plus juste possible, les mêmes questions sont posées à chaque candidat. Certains interviewers élaboreront des questions spécifiques basées sur la description de tâches tandis que d'autres utiliseront un échantillonnage aléatoire de questions qui ont fait leurs preuves. L'entrevue structurée peut inclure des questions conventionnelles, des questions comportementales et des questions de mise en situation. Avec ce genre de méthode, l'interviewer contrôle habituellement la séance, vous laissant peu de chances d'exprimer vos arguments en dehors de l'ordre qu'il vous impose.

**Voici des exemples de questions conventionnelles :**
- « Parlez-moi un peu de vous. »
- « Quel genre de perspectives et de défis espérez-vous rencontrer dans le cadre de votre prochain emploi ? »
- « Quelles sont vos forces ? »
- « Quelles sont vos faiblesses ? »
- « Pourquoi avez-vous quitté votre dernier emploi ? »
- « Où vous voyez-vous dans trois ans ? Et dans cinq ans ? »
- « Comment décririez-vous votre style de gestion ou de leadership ? »
- « Pourquoi ce poste vous intéresse-t-il ? »
- « Que savez-vous sur cette entreprise ou ce poste ? »
- « Pourquoi devrions-nous vous engager ? »

Lors d'entrevues structurées, les défis sont divisés en deux parties. D'abord, vous devez être prêt à répondre aux questions habituelles. Votre travail de réflexion et la préparation de vos cinq déclarations devraient vous aider. Ensuite, vous devez être capable d'insérer suffisamment d'information dans vos réponses pour démontrer que vous êtes le candidat idéal pour le poste, même si les questions qui vous sont posées ne vous en offrent pas l'occasion. Pour ce faire, vos histoires de réalisations devraient vous être très utiles. Employez-les dès que vous en avez la chance. Si vous vous sentez frustré de ne pouvoir exprimer vos forces, l'occasion se présentera peut-être lorsque votre interlocuteur vous demandera : « Est-ce que j'ai oublié quelque chose ? » ou « Y a-t-il autre chose que je devrais savoir sur vous ? ». Vous pourrez également en profiter lorsque ce sera à vous de poser des questions. À ce moment-là, dites ce que vous avez en tête sous forme d'énoncés concis, puis posez vos questions.

## L'entrevue non structurée

Lors d'une entrevue non structurée, l'interviewer ne pose que quelques questions présélectionnées et offre très peu de direction en vous laissant parler la majorité du temps. Il est possible qu'il amorce la rencontre avec une approche comme : « Pour commencer, parlez-moi un peu de vous » ou alors « Parlez-moi un peu de votre travail chez Compagnie Environnementale ». Il pourrait alors réutiliser certains des éléments de vos récits pour formuler d'autres questions ou bien demeurer silencieux lorsque vous aurez répondu afin de voir quelle direction vous donnerez à la conversation. Cette expérience peut être très intimidante.

Une autre caractéristique de l'entrevue non structurée est sa façon d'emprunter des avenues qui sortent de l'ordinaire. Votre interlocuteur pourrait bavarder de gens ou d'événements intéressants, mais qui n'ont en apparence aucun lien avec le poste en question. Il est possible aussi qu'il se mette à trop parler, vous empêchant ainsi de placer un mot. Cependant, cela peut s'avérer pratique, surtout s'il décrit en profondeur le poste et l'entreprise et que vous avez d'autres entrevues à passer au sein de celle-ci.

Avec cette méthode non structurée, les interviewers tentent parfois de tester votre capacité à réussir sous pression et à vous adapter aux circonstances imprévues. Si vous constatez que les sujets ne mènent nulle part, offrez à votre interlocuteur de lui relater un fait que vous considérez comme pertinent. Par exemple : « Serait-il utile que je vous résume mon expérience chez Compagnie Environnementale ? » Vous pourriez aussi utiliser une ou plusieurs de vos déclarations en portant une attention particulière à la réaction de votre interlocuteur.

Une autre technique pour bien gérer une entrevue non structurée consiste à poser des questions clés et, lorsqu'on vous répond, en profiter pour glisser des éléments opportuns de votre passé. Par exemple, demandez : « Quels sont les principaux défis actuellement pour le groupe client ? » Si la réponse est : « le taux de roulement », racontez comment vous avez implanté des politiques de recrutement et d'orientation pour réduire la rotation du personnel de 25 pour cent.

Afin de découvrir les points saillants du poste, vous pouvez également poser les questions suivantes :

- « Quel est le mandat le plus important de ce travail, selon vous ? »
- « Si j'obtenais ce poste, comment pourrais-je apporter une plus grande valeur à votre entreprise ? »
- « Quelles sont les caractéristiques essentielles pour réussir dans ce poste ? »
- « Selon vous, quel style de leadership ou de gestion serait le plus efficace dans cette fonction ? »
- « Quels obstacles se présenteraient à la personne qui accepterait ce mandat ? »

Dans chacun des cas, utilisez la réponse comme une ouverture pour vos éléments clés et vos histoires de réalisations. Demeurez vigilant quant aux signes qui démontreraient que votre interlocuteur souhaite reprendre la parole. Vous ne voulez pas accaparer l'entretien.

Il est difficile de contrôler une entrevue qui semble décousue, mais il en va de votre responsabilité de présenter votre cheminement et vos compétences. Vous devez persuader le recruteur que vous êtes le candidat idéal pour le poste en lui procurant des données factuelles pour prouver vos aptitudes, même lorsqu'elles ne sont pas sollicitées.

## L'entrevue en comité

Les entrevues en comité signifient qu'elles seront menées par plus d'une personne, peu importe leur nombre. Cette méthode était auparavant surtout utilisée par le secteur public, les établissements, les organismes sans but lucratif et les conseils d'administration, mais elle a été popularisée par la suite.

Efficace pour l'entreprise, l'entrevue en comité fournit une occasion juste et équitable aux candidats. Elle crée également plus de soutien interne pour celui qui sera choisi.

Votre défi sera de déterminer qui fera partie du comité, leur titre et leur rôle. Consultez votre réseau afin d'apprendre certains aspects de chacun des membres et de vous concentrer sur les décideurs et les plus influents. Il vous faudra chercher et il est fort probable que vous ne puissiez trouver tous les renseignements souhaités. Les personnes qui coordonnent l'entrevue sont habituellement une excellente source d'informations, peu importe leur niveau dans l'organisation.

**Pensez-y !** Le nombre d'interlocuteurs ne devrait pas influencer votre concentration. Vous ne répondrez qu'à une question à la fois.

Il se peut que vous ne sachiez pas d'avance que vous participerez à une entrevue en comité. Dans d'autres cas, on pourrait vous remettre du matériel portant sur le poste et l'entreprise ou alors vous demander de préparer une petite présentation pour les interviewers. Faites vos devoirs.

Les entrevues en comité contiennent habituellement des séries de questions soigneusement conçues et posées par des membres présélectionnés. La plupart du temps, l'entreprise désigne un modérateur pour que le processus se déroule sans encombre. Mais en réalité, ces entrevues ne sont pas toujours bien planifiées ni modérées. Elles peuvent rapidement se découdre, chaque membre étalant sa propre méthode et posant ses questions favorites. Vous devez donc vous préparer en vous documentant sur les besoins de l'entreprise et en gardant les éléments clés de votre discours en tête.

Une fois en entrevue, faites de votre mieux pour tisser des liens. Il est possible que le temps soit limité et le groupe pourrait vouloir éviter les familiarités. Fiez-vous à votre jugement. Les questions seront les mêmes qu'avec les autres types d'entrevues. Les conseils suivants devraient vous aider.

CONSEILS POUR VOUS AIDER LORS D'UNE ENTREVUE EN COMITÉ

- Préparez-vous de la même façon que pour les autres types d'entrevues. Vous devez cependant vous renseigner sur chacun des membres (si possible) et préparer une présentation (lorsque nécessaire).
- N'essayez pas de détendre l'atmosphère en lançant que la situation est plutôt intimidante. Demeurez confiant et vous dégagerez de la confiance.
- Tentez de mémoriser le nom et le titre de chacun des membres avant l'entrevue. Une fois présenté, essayez à tout prix de vous souvenir qui est qui. Notez les noms de chacun si cette technique vous semble appropriée.
- Il est très impressionnant de désigner un membre par son nom lorsque vous répondez aux questions, mais ne le faites que si vous avez tous les autres noms en tête. Ne commettez pas d'erreurs ! En cas de doute, abstenez-vous.
- Lorsqu'une question vous est posée, regardez votre interlocuteur droit dans les yeux. Maintenez cette liaison visuelle alors que vous entamez votre réponse, puis regardez les autres membres pour conclure en recréant le contact initial.
- Si vous avez réussi à déterminer les priorités de chaque interlocuteur présent dans la pièce et à en mémoriser le nom, regardez celui qui est le plus concerné par la question lorsqu'il s'agit d'une situation délicate.

- Ne laissez pas le visage neutre de vos interlocuteurs vous intimider. Ils pourraient adopter une expression impassible afin d'éviter de vous influencer.
- Vous pourriez déceler certains jeux de pouvoir dans la manière dont les participants se partagent le temps de discussion et réagissent entre eux. Prenez-en note, mais demeurez calme et concentré. Assurez-vous bien de vous adresser à chacun d'entre eux de la même façon.
- N'hésitez pas à poser des questions lorsqu'on vous invite à le faire. Posez votre question à une personne en particulier en la regardant.
- Souriez!
- Remerciez vos interlocuteurs à la fin de la rencontre en serrant la main de chacun, à moins qu'il ne s'agisse d'un très gros groupe.

## La non-entrevue

En plus de la préparation aux entrevues formelles, il est crucial de comprendre que vous êtes toujours sur scène. Que vous considériez un changement de carrière ou pas, vos collègues, supérieurs et personnes-ressources recueillent constamment de l'information sur votre compétence et votre style. Si vous êtes confiant et savez où vous allez, ceci devrait vous encourager.

La meilleure façon de se préparer pour ces non-entrevues est de peaufiner votre avantage stratégique et de faire de votre développement personnel et professionnel la quête de votre vie. Restez conscient des conséquences qu'ont vos paroles et vos gestes sur votre entourage, et soyez honnête dans ce que vous avancez. Même lors des situations les plus délicates, vous pouvez dire ce que vous pensez tant et aussi longtemps que vous êtes en mesure de dissocier les personnes des problématiques et de justifier ce que vous affirmez. Vous ne pouvez toujours avoir raison, mais vous devez fonder vos positions sur une expérience, une documentation, une analyse et un jugement solides.

### CONSEILS POUR LES SITUATIONS DÉLICATES D'ENTREVUE
### À quel moment aborder la raison de votre départ

- Sachez qu'il se peut que la personne qui vous fait passer l'entrevue connaisse déjà les motifs de votre départ (discussion avec l'agence de recrutement ou quelques appels bien placés).
- Si l'entrevue commence par une invitation telle que « Parlez-moi un peu de vous » ou « Décrivez-nous ce que c'est de travailler chez Divertissement Inc. », utilisez vos déclarations en incluant la raison de votre départ.
- Ne donnez pas l'impression d'avoir encore un emploi si ce n'est plus le cas. Il serait délicat d'avoir à rectifier ce malentendu par la suite et vous devez toujours maîtriser ce genre d'information essentielle. Vous ne voudriez pas que votre interlocuteur découvre la vérité alors que vous n'êtes pas présent pour justifier votre départ.
- Vous devez absolument parler de la raison de votre départ avant de conclure la première entrevue. Faites-le à la fin de l'entretien si aucune autre occasion ne s'est présentée.
- Assurez-vous d'être à l'aise avec la raison de votre départ et mentionnez toujours vos projets avant de terminer.

### Questions concernant vos faiblesses, vos déceptions et vos échecs

- Les interviewers habiles savent qu'on peut en apprendre énormément sur une personne en explorant les aspects les moins reluisants de son cheminement professionnel. Soyez prêt!

- Lorsque vous mentionnez une faiblesse, une déception ou un échec, vous devez inclure ce que vous en avez appris et ce que vous faites pour l'empêcher de devenir un problème récurrent.
- Comme la plupart des défauts proviennent de l'emploi excessif d'une qualité, adoptez ce scénario. Réitérez une de vos forces en parlant de ce qu'elle peut être lorsque poussée à l'extrême.
- Ne mentionnez pas de points qui pourraient ruiner vos chances d'obtenir le poste. En vous basant sur vos recherches, déterminez trois à cinq faiblesses que vous seriez prêt à divulguer. Choisissez des caractéristiques aux antipodes des exigences du poste. Par exemple, le responsable du développement commercial pourrait admettre ressentir de l'impatience et de l'ennui lorsqu'il doit se livrer à des tâches isolées, axées sur les détails.
- En plus de préparer vos histoires de réalisations, songez aux déceptions et aux échecs qui vous ont permis de grandir. Assurez-vous de pouvoir donner des exemples particuliers de moments difficiles en mettant l'accent sur ce que ces situations vous ont enseigné.

*Un directeur général d'une exploitation éprouvait beaucoup de fierté quant au contrôle de la qualité dans son environnement de travail. Il déléguait très rarement ses responsabilités et, lorsqu'il le faisait, il fournissait des instructions extrêmement détaillées. On le critiquait souvent de vouloir tout faire lui-même. Afin de décrire sa faiblesse, il affirma: «Je suis fier de la qualité produite par ma division. Je délègue prudemment et je vérifie le travail de mon équipe fréquemment. Aussi, je suis probablement plus lent à déléguer que d'autres. Cependant, lorsque mon mandat a été modifié afin d'inclure à la fois le développement de mon équipe et une approche axée sur la stratégie d'affaires, j'ai appris à être moins directif et à donner plus de responsabilités aux autres. »*

### Gérer une série d'entrevues au sein de la même entreprise

- Lorsque vous devez affronter une longue série d'entrevues au sein d'une même entreprise, le plus grand défi est de conserver toute votre fraîcheur, votre enthousiasme et votre intérêt. Vous devez vous rendre à chacune d'entre elles comme s'il s'agissait de la première.
- Puisez à partir d'un large bassin d'histoires de réalisations. Racontez les plus pertinentes à répétition et tentez d'en utiliser une nouvelle à chaque entrevue.
- Ne portez pas toujours le même habit ou ensemble. Gardez des exemplaires de votre curriculum vitæ sur vous. Apprenez les noms du personnel de soutien. Saluez les gens et agissez naturellement.
- N'oubliez pas de faire bonne impression auprès de chaque interviewer. Soyez confiant et détendu. Songez à une façon d'établir une relation.
- Ne tenez pas pour acquis que les interviewers se soient parlés et ne prenez pas de raccourcis lorsque vous répondez aux questions. Soyez constant et méthodique.
- Connaissez bien vos différents publics. Avant chaque entrevue, utilisez vos notes afin de vous rafraîchir la mémoire au sujet de votre prochain interviewer.
- Effectuez un compte rendu après chaque entrevue. Si vous devez assister à une série d'entretiens dans la même journée, assurez-vous d'inscrire les noms, les faits et les détails pertinents dont il a été question. Dressez un rapport exhaustif à la fin de la journée.
- N'oubliez pas le nom de vos interviewers précédents ni les faits saillants de votre conversation avec eux. Mentionnez cette information lors d'entrevues subséquentes afin de démontrer votre enthousiasme soutenu pour le poste.

- Pour vous aider à comprendre la nature de l'emploi, de l'entreprise et des principales problématiques, posez la même question aux interviewers. Par exemple : « Selon vous, quels sont les principaux défis que devra surmonter la personne choisie pour ce poste ? »
- Rédigez une lettre de remerciement pour chacun des interviewers. Elle doit être propre à chaque conversation, car elle pourrait être distribuée à l'ensemble du groupe.

---

**Pensez-y !** Si vous participez à une série d'entrevues au sein d'une même entreprise et obtenez une perspective intéressante auprès d'une autre, commencez immédiatement à ralentir le processus avec la première. Retardez subtilement vos futures rencontres afin de gagner du temps.

---

## Poser des questions

- Poser des questions réfléchies et pertinentes est une excellente façon de démontrer votre intérêt pour le poste et de recueillir les renseignements sur lesquels vous pourrez fonder votre évaluation de cette perspective d'emploi.
- Votre recherche pourrait soulever certains aspects intéressants que vous souhaiteriez explorer davantage. N'hésitez pas à poser vos questions, tout en sachant que certaines informations ne pourraient être dévoilées par l'interviewer.
- Lors d'une première entrevue, attendez que l'invitation à poser des questions se présente, à moins d'une ouverture évidente. Si vous avez à repasser d'autres entretiens avec la même personne, on s'attendra à ce que vous ayez d'autres questions pertinentes. Préparez-vous en conséquence.
- Si le processus semble se diriger vers une offre et que vous n'avez pas encore eu l'occasion de poser vos questions et de satisfaire votre curiosité, appelez la personne responsable du processus pour demander une rencontre.

## Discuter de la rémunération

- Faites vos devoirs d'abord. Il est souvent possible de déterminer le salaire approximatif et les conditions de rémunération pour un poste donné. La firme de recrutement et votre réseau de soutien sont vos meilleures ressources. Des sondages portant sur les salaires brosseront un portrait général du niveau de rémunération pour des postes semblables dans de nombreux secteurs d'activité.
- L'interviewer abordera probablement la question du salaire bien avant qu'une offre concrète soit sur la table. Cependant, si la rémunération est un aspect très important pour vous et que le sujet n'a pas été évoqué après quelques entrevues, interrogez-le. Il est inutile de poursuivre le processus si l'entreprise est incapable de répondre à vos besoins.

*Un cadre supérieur, dont la spécialité était la gestion de déchets dangereux, décrocha une série d'entrevues avec une multinationale. Les deux parties étaient très excitées par l'idée d'une collaboration. Le processus d'entrevue de la société consistait en huit séances, dont certaines nécessitaient la participation de directeurs d'Europe et d'Asie. Malheureusement, le candidat et la société ne mentionnèrent à aucun moment la rémunération. Une fois le processus complété, le salaire de base fut fixé à 65 000 $ dans l'offre écrite. Le candidat gagnait plus du double dans* *son emploi précédent et ne pouvait accepter moins de 115 000 $. La transaction fut une déception pour tous.*

- Si l'interviewer vous demande quelles sont vos attentes en matière de rémunération, c'est qu'il cherche à savoir si vous et l'entreprise êtes sur la même longueur d'onde. N'évitez donc pas la question.
- Proposez une échelle de salaires variant de plus ou moins 10 % et mentionnez votre flexibilité quant au régime de rémunération complet.
- S'il est question de bonis ou de commissions, indiquez une échelle à partir de la moyenne de vos attentes jusqu'au montant le plus élevé selon votre secteur d'activité, tout en demeurant raisonnable.
- Maintenez la communication ouverte en réitérant votre intérêt pour le poste et ce que vous croyez pouvoir y apporter.
- Si l'on vous demande carrément à combien se chiffre votre salaire actuel, soyez honnête et assurez-vous de mentionner votre excellent régime de pension et votre place de stationnement. Exprimez votre flexibilité quant à la structure du régime de rémunération ainsi que votre intérêt pour ce poste.

*Un cadre supérieur en finances avait une entrevue auprès d'une banque d'investissement. Ses attentes en matière de rémunération se situaient exactement dans l'échelle salariale de l'établissement visé et il ne cherchait pas à obtenir une augmentation considérable. Il était davantage intéressé par la banque en soi. Lorsqu'on lui posa des questions sur son régime de rémunération actuel, il s'empressa de dire qu'il était confiant que leur offre serait juste et équitable. Il fut immédiatement écarté du processus de sélection. L'interviewer savait déjà ce qu'il gagnait et présuma que si le candidat ne pouvait être franc pour des questions salariales, il pouvait aussi bien avoir autre chose à cacher.*

**Pensez-y!** Soyez honnête quant à votre rémunération. De nombreux candidats mentent à ce sujet, éliminant leurs chances de décrocher l'emploi. N'oubliez pas que tout ce que vous prétendez peut être vérifié par l'employeur potentiel.

### Références
Lorsqu'une entreprise est prête à vous offrir un emploi, il ne lui reste plus qu'à vérifier minutieusement vos références. Cette dernière étape peut ralentir le processus, mais s'avère très importante pour l'employeur. Pour en savoir plus, consultez le chapitre 18.

### En conclusion
Pour être fin prêt, parcourez les questions suivantes. Certaines d'entre elles concernent vos expériences précédentes et peuvent être traitées de la même façon à chacune des entrevues. D'autres sont axées sur chaque perspective d'emploi et requièrent une réponse plus adaptée et réfléchie.

*Les questions d'entrevue*

## Fonctions
- Qu'avez-vous le plus (le moins) aimé de votre dernier emploi?
- Qu'auriez-vous souhaité réaliser de plus lors de votre dernier emploi?
- Quels sont les trois aspects les plus importants d'un emploi pour vous?
- Décrivez ce que vous croyez être nécessaire pour remplir ces fonctions?
- Quels objectifs vous fixeriez-vous lors de vos premiers 12 mois à ce poste?
- Quels aspects de votre travail actuel considérez-vous comme essentiels pour assumer avec succès les fonctions du poste?

## Environnement de travail
- Comment décririez-vous la culture de l'entreprise où vous travaillez actuellement (ou la plus récente)?
- Quelle serait pour vous la culture d'entreprise idéale?
- Après toutes ces années avec le même employeur, quels obstacles ou défis prévoyez-vous rencontrer au moment de votre adaptation à une nouvelle entreprise?

## Style de leadership
- Comment décririez-vous votre style de leadership? Veuillez donner un exemple d'un geste précis que vous avez posé en accord avec votre style.
- Comment faites-vous pour vous tenir à jour sur ce qu'accomplit votre équipe?
- Au fil des expériences, comment votre leadership a-t-il évolué?

## Style de fonctionnement
- Décrivez comment vous réalisez les activités suivantes et illustrez vos dires à l'aide d'exemples:
  - organiser votre temps;
  - établir des priorités;
  - proposer de nouvelles idées;
  - communiquer avec les autres – subordonnés, pairs, cadres, clients;
  - régler des problématiques.
- Racontez-moi une expérience de travail que vous avez trouvée particulièrement frustrante. Comment avez-vous géré cette situation et quels ont été les résultats? Auriez-vous pu agir autrement?
- Quelle a été votre responsabilité de gestion la plus difficile?

## Compétences d'équipe
- Avec quel type de personnes travaillez-vous le mieux? Pourquoi?
- Comment gérez-vous les conflits entre collègues de travail? Donnez un exemple.
- Racontez-moi une expérience d'équipe où vous avez réussi à accomplir une tâche particulièrement ardue. De quelle façon avez-vous participé à cette réalisation?
- Parlez-moi d'une occasion où une de vos équipes se serait opposée à vos idées. Comment avez-vous tenté de les influencer ou de les persuader d'accepter votre point de vue? Quels ont été les résultats obtenus?

• Avez-vous déjà assumé le rôle de chef d'équipe ? Comment réagissiez-vous lorsque vous dirigiez des projets ?

## Style de négociation
• Veuillez fournir quelques exemples de différentes approches que vous avez adoptées afin de persuader un individu de vous aider à travailler sur des priorités.
• Quelle démarche choisiriez-vous pour résoudre un problème complexe nécessitant des négociations avec une ou plusieurs personnes ? Veuillez donner un exemple.
• Pouvez-vous me parler d'une négociation à laquelle vous avez pris part et qui s'est soldée par un succès ?
• Veuillez décrire une négociation qui n'a pas occasionné les résultats escomptés. Quels ont été les problèmes et que changeriez-vous si la situation se représentait ?

## Style de prise de décision
• Veuillez décrire le processus que vous suivez habituellement lors de prises de décisions.
• Jusqu'à quel point offrez-vous l'occasion à vos subordonnés de participer à la prise de décisions ?
• Décrivez une mauvaise décision que vous avez prise. Qu'auriez-vous pu faire différemment pour obtenir un résultat positif ?
• Parlez-moi d'une situation où vous avez changé de décision ou d'avis parce que vous étiez convaincu d'avoir tort.

## Réalisations
• Quelle réalisation considérez-vous comme la plus importante de votre carrière ? Pourquoi ?
• Nommez trois ou quatre réalisations dont vous êtes particulièrement fier.
• Parlez-moi de votre plus grande déception ou votre pire échec à ce jour dans votre carrière. Comment avez-vous réagi ? Qu'avez-vous appris ? Qu'auriez-vous dû faire autrement pour obtenir un résultat plus satisfaisant ?
• Comment définissez-vous et mesurez-vous le succès ?

## Caractéristiques personnelles
• Selon vous, quelles sont les caractéristiques d'un bon directeur des ventes (chef d'exploitation financière, directeur du marketing, etc.) ? Pouvez-vous décrire certaines de vos réalisations mettant en œuvre ces caractéristiques ?
• Comment réagissez-vous à la critique ?
• Comment gérez-vous la pression ? Le stress ?
• Que pensez-vous de votre dernier patron ? De votre dernière entreprise ?
• Selon vous, quels sont vos plus précieux atouts ? Donnez-moi un exemple d'une situation où vous les avez employés afin de parvenir à des résultats positifs.
• Comment vous décririez-vous ? Parlez-moi de personnes ou d'événements, autres qu'au travail, qui ont eu un impact considérable sur vous.
• Qu'est-ce qui vous distingue de vos pairs ?
• Selon vous, quels aspects de vos compétences ou habiletés nécessitent des améliorations afin d'être plus efficace dans votre carrière ?
• Comment vous tenez-vous à jour sur ce qui se passe dans votre entreprise ?

- Comment restez-vous au fait des évolutions dans votre domaine d'expertise?
- Parlez-moi d'une situation où vous avez dû prendre une décision impopulaire.
- Avez-vous davantage appris de vos succès ou de vos échecs? Pouvez-vous en donner un exemple?
- Décrivez trois éléments de votre éthique de travail personnelle.
- Pourquoi avez-vous changé d'emploi si souvent (si peu souvent)?

# Chapitre 13

# Créez une correspondance de qualité

*Si j'avais plus de temps, je serais plus concis.*

Une correspondance appropriée et bien rédigée joue un rôle essentiel dans votre recherche d'emploi. Elle est nécessaire non seulement pour son contenu, mais pour l'impression qu'elle permet de créer. Le matériel écrit fournit des preuves quant à vos habiletés en tant que communicateur et constitue une mine d'informations sur votre caractère, vos capacités de réflexion et votre jugement. Qu'elle soit envoyée par courriel ou par la poste, la correspondance de transition de carrière peut être divisée en cinq catégories:
- la lettre d'accompagnement en réponse à une offre d'emploi;
- la lettre de réseautage servant à vous présenter auprès d'une nouvelle personne-ressource;
- la lettre de marketing employée pour le travail contractuel, les services de consultation ou tout autre projet d'affaires;
- la lettre de remerciement destinée aux recruteurs et aux membres de votre réseau;
- la lettre de réussite annonçant que vous avez décroché un nouvel emploi.

........................................................................................................................................

**Pensez-y!** Plusieurs personnes envoient une lettre d'accompagnement générale avec un c.v. pour se faire connaître à un grand nombre d'employeurs potentiels. *Cette méthode impersonnelle est une perte de temps.* Les curriculum vitæ non sollicités sont souvent ignorés, jetés à la poubelle ou, tout au plus, numérisés pour leurs mots clés afin que l'information soit classée électroniquement.

........................................................................................................................................

Les conseils suivants vous permettront de vous assurer de l'efficacité de vos lettres.

CONSEILS POUR LA CORRESPONDANCE DE TRANSITION DE CARRIÈRE
- Prenez le temps nécessaire pour bien rédiger et relire chaque lettre.
- Documentez-vous afin de trouver le nom du destinataire pour éviter la salutation « Madame, Monsieur ».
- Vos lettres ne doivent pas dépasser une page.
- Limitez-vous à quatre paragraphes ne contenant pas plus de huit lignes chacun.
- Variez la longueur de vos phrases pour en dynamiser la lecture.
- Faites ressortir votre personnalité en donnant à vos lettres un ton positif et professionnel.

- Évitez le plus possible l'emploi de la première personne, surtout en début de phrase.
- N'utilisez pas des expressions surexploitées qui n'ont plus d'impact comme: «doué pour les communications et les relations interpersonnelles».
- Employez votre en-tête de lettre personnel ou alors celui de votre curriculum vitæ pour que vos coordonnées soient bien visibles.
- Terminez chaque lettre en vous engageant à effectuer un suivi et inscrivez-le dans votre agenda.
- Soignez votre grammaire et votre orthographe. Ne comptez pas uniquement sur le correcteur de votre logiciel de traitement de texte. Relisez attentivement vos lettres.
- Conservez des exemplaires de vos lettres à portée de main et utilisez-les comme référence lorsque vous effectuez un suivi.

CONSEILS POUR LA MISE EN PAGES D'UNE LETTRE

Pour obtenir une bonne mise en pages, utilisez un des modèles offerts par votre logiciel de traitement de texte ou suivez ces règles:

- La marge du haut variera selon votre en-tête. Celle du bas devrait mesurer au moins un demi-pouce. Quant aux marges de chaque côté, elles devraient être de la même taille, mais pas plus étroites que trois quarts de pouce.
- Le texte sera aligné à gauche, mis à part la date et la signature.
- La date doit se situer une ou deux lignes sous l'en-tête. Sautez deux à quatre lignes avant d'inscrire l'adresse, une autre avant d'indiquer l'objet (qui doit être centré et en caractères gras), puis encore une avant et après la salutation.
- Utilisez des alinéas et sautez une ligne entre les paragraphes.
- À la fin de la lettre, sautez environ quatre lignes pour votre signature manuscrite qui doit s'inscrire au-dessus du nom dactylographié.
- Sautez une ligne avant d'indiquer «p. j.» (pièce jointe) ou «c. c.» (copie conforme).

### *La lettre d'accompagnement*

Une lettre d'accompagnement bien rédigée doit être jointe à votre curriculum vitæ chaque fois que vous répondez à une offre d'emploi. Lorsqu'elle est brève, pertinente et directe, cette lettre peut exercer une plus grande influence sur le lecteur que le CV en soi. Les recruteurs lui font plus confiance, car contrairement à votre curriculum vitæ qui aurait pu être rédigé par n'importe qui, votre lettre représente le fruit de vos efforts. Elle permet au lecteur de forger sa première impression à votre sujet. Elle crée un lien entre vos expériences précédentes et le poste à combler. Cette lettre devrait donc être suffisante pour convaincre l'employeur potentiel que vous êtes un candidat qualifié pour le poste.

**Pensez-y!** Le courrier électronique n'a rien changé quant à l'importance de la lettre d'accompagnement. Les recruteurs ont rapporté que de nombreuses personnes qui emploient le courriel n'envoient pas de lettre. Cependant, ceux qui le font augmentent considérablement leurs chances d'être convoqués en entrevue.

Une lettre d'accompagnement efficace commence par une bonne recherche. En plus de faire appel aux ressources traditionnelles, téléphonez au recruteur ou au service des ressources humaines de l'employeur potentiel afin de tenter de mettre la main sur la description des tâches. Communiquez avec votre réseau pour vous renseigner sur la culture de l'entreprise et les personnes clés qui y travaillent. Ces informations non publiées s'avèrent habituellement des plus précieuses.

Puis, analysez attentivement l'offre d'emploi. Utilisez la feuille de travail suivante afin de noter les exigences du poste et de les comparer à vos compétences et habiletés. Songez à ce que vous pourriez apporter de plus et indiquez ces atouts. Cette valeur ajoutée vous donnera un avantage considérable parce que la plupart des gens se contentent de répondre aux exigences du poste.

**Pensez-y!** Votre lettre d'accompagnement devrait démontrer au lecteur que vous avez soigneusement lu l'offre, longuement réfléchi à la question et identifié de bonnes raisons d'y répondre.

| FEUILLE DE TRAVAIL 13.1<br>**La lettre d'accompagnement** | |
|---|---|
| **Éléments clés de l'offre d'emploi**<br>Compétences professionnelles et fonctionnelles | **Éléments correspondants vous décrivant**<br>Compétences professionnelles et fonctionnelles |
| •<br>•<br>•<br>•<br>• | •<br>•<br>•<br>•<br>• |
| Caractéristiques et valeurs personnelles | Caractéristiques et valeurs personnelles |
| •<br>•<br>•<br>•<br>• | •<br>•<br>•<br>•<br>• |
| Renseignements pertinents recueillis sur le secteur d'activité et l'entreprise | |
| •<br>•<br>• | |
| Valeur ajoutée que vous apporteriez à ce poste et à l'entreprise | |
| •<br>• | |

Dans l'objet de votre lettre, vous devez clairement identifier l'annonce, l'offre, le numéro de référence, le nom du projet, le numéro de dossier ou le titre du poste auquel vous postulez. Si votre demande s'adresse à un recruteur à l'externe ou au service des ressources humaines, cette information doit être clairement indiquée pour que votre correspondance soit triée correctement.

**Pensez-y!** Évitez les formules informelles dans vos courriels ou vos lettres d'accompagnement. La plupart des responsables de recrutement seront repoussés par un «Bonjour Suzanne» venant d'une personne qu'ils n'ont jamais rencontrée. Adoptez des salutations officielles, une bonne grammaire et une orthographe impeccable, même pour les courriels.

Rédigez une introduction intéressante et évitez les formules telles que: «À la suite de votre offre d'emploi pour le poste de directeur des achats parue dans *La Presse*, le 4 mai dernier, vous trouverez ci-joint un exemplaire de mon curriculum vitæ.» Cette entrée en matière ne captera pas l'attention du lecteur et reflète un manque d'originalité et d'effort de votre part.

Comparez l'introduction précédente à celle qui suit: «Étant un directeur des achats reconnu pour sa constance à réduire les coûts et à gérer les normes de qualité, je suis particulièrement intéressé par l'offre que vous avez affichée. La réputation acquise par Compagnie Machins Chouettes dans l'industrie des gadgets est sans pareil et je souhaiterais me joindre à votre équipe axée sur le service à la clientèle.» Le candidat a inséré l'expression «équipe axée sur le service à la clientèle» après avoir parlé à une personne faisant partie d'un réseau de contacts qui connaissait bien cette compagnie.

Dans le corps de la lettre, mentionnez les renseignements qui résument les compétences que vous avez indiquées sur votre curriculum vitæ. Mettez l'accent sur une ou deux réalisations convaincantes et quantifiez les résultats obtenus, en y ajoutant des explications (si nécessaire). Employez des tournures de phrases éloquentes et des éléments persuasifs pour promouvoir votre style et vos habiletés. Exprimez votre enthousiasme en ce qui concerne le poste. Expliquez la valeur ajoutée que vous offrez et concluez sur votre intention d'effectuer un suivi. Consignez cet engagement dans votre agenda pour ne pas l'oublier.

**Pensez-y!** Ne récrivez pas votre curriculum vitæ pour chaque nouvelle offre. S'il cible bien votre perspective idéale d'emploi et qu'il est accompagné d'une lettre de présentation bien rédigée, il pourra s'adapter à presque toutes les occasions. La révision de votre CV ne doit pas monopoliser votre attention.

Cependant, évitez d'utiliser la même lettre d'accompagnement à répétition ou une lettre générale. Si elle a été conçue en fonction d'une offre en particulier, elle ne pourra pas s'adapter à une autre. Écrivez-la sur mesure afin de refléter le contenu de l'offre et les renseignements supplémentaires que vous aurez recueillis grâce à vos recherches. Certaines phrases peuvent être transférées, mais évitez de copier des paragraphes entiers sans effectuer les modifications qui s'imposent.

*Une spécialiste en études de marché travaillant au sein d'une multinationale d'emballage de biens de consommation désirait explorer de nouvelles possibilités auprès d'une autre entreprise. Elle songeait à approfondir sa carrière en recherche ou alors opter pour un poste en marketing avec plus de flexibilité. Elle trouva deux annonces provenant d'un important détaillant, une pour un spécialiste en recherche et l'autre pour un poste plus débutant comme généraliste en marketing. Confrontée au choix difficile à faire entre les deux postes, elle rédigea une lettre d'accompagnement franche expliquant ses champs d'intérêt et ce qu'elle pourrait apporter aux deux postes. Elle demanda à être considérée pour les deux occasions de travail et obtint une entrevue pour chacune.*

CONSEILS POUR RÉDIGER UNE LETTRE D'ACCOMPAGNEMENT

### Paragraphe d'introduction
- Écrivez une introduction convaincante afin d'attirer l'attention du lecteur. Faites référence à l'offre en question.
- Expliquez votre intérêt pour ce poste.
- Ajoutez un commentaire qui illustre vos efforts pour en apprendre davantage sur l'entreprise.

### Deuxième paragraphe – vos habiletés et connaissances
- Démontrez que vos habiletés correspondent à celles qui ont été mentionnées dans l'offre en soulignant brièvement une ou deux réalisations.
- Décrivez la valeur ajoutée que vous apporteriez au poste.

### Troisième paragraphe – votre style personnel
- Présentez vos compétences et vos caractéristiques dans des termes qui reflètent bien l'offre d'emploi.
- Manifestez de l'intérêt et de l'enthousiasme pour le poste.

### Dernier paragraphe – promesse de suivi
- Formulez votre souhait d'obtenir une entrevue.
- Remerciez le lecteur d'avoir pris connaissance de votre curriculum vitæ.
- Engagez-vous à effectuer un suivi à une date précise.

Consultez les exemples qui suivent. Ils illustrent l'emploi de bonnes techniques et l'application de principes qui vous aideront à obtenir l'emploi convoité.

**Pensez-y !** Il est difficile d'avoir un œil critique sur notre propre travail. Les erreurs d'orthographe et de grammaire sont inexcusables. Demandez à un proche de relire vos lettres d'accompagnement avant de les envoyer.

La lettre d'accompagnement à la page suivante répond à l'annonce ci-dessous.

**Vice-président des ventes et du marketing**
**Numéro de référence : 81349**

En utilisant des outils promotionnels et de marketing novateurs, vous serez responsable d'élargir les parts de marché et la rentabilité de nos gammes de produits de consommation. Votre mandat sera d'élaborer, d'améliorer et de gérer des stratégies afin de devancer la concurrence et de tisser des liens durables avec nos principaux détaillants. Vous possédez des compétences en marketing direct ainsi que de l'expérience en gestion de projet, en efficacité des médias et en études de marché. Vous adoptez une approche stratégique, conceptuelle et analytique, et vous êtes à votre aise dans un environnement axé sur le travail d'équipe et le changement.

Compagnie de Produits Maison
Adresse
Ville (Province) code postal

# Exemple de lettre d'accompagnement n° 1

**NOM**
**Adresse**
**Ville (Province) code postal**
**Téléphone/Télécopieur/Courriel**

Date

Madame Ginette Ouellet
Vice-présidente, ressources humaines
Compagnie de Produits Maison
Adresse
Ville (Province) code postal

**Objet : Offre d'emploi de vice-président des ventes et du marketing (n° de réf. : 81349)**

Madame,

Votre offre concernant le poste de vice-président des ventes et du marketing suscite un grand intérêt chez moi. Je crois que la forte présence à l'échelle nationale de la Compagnie de Produits Maison lui permettra de réaliser les projets d'expansion internationale annoncés sur les marchés asiatiques. Le potentiel des ventes en gros y semble particulièrement prometteur. Je souhaiterais jouer un rôle important dans vos stratégies de marketing agressives et vos initiatives de ventes dynamiques.

Mon expérience en marketing remonte à mes débuts chez Compagnie Moreau Classique où j'ai passé quatre années au service du développement de nouveaux produits, en plus d'effectuer plusieurs mandats concernant la vente et la gestion des produits. En optant pour un poste au sein de Compagnie Petite en tant que directeur des ventes nationales en 1995, j'ai eu l'opportunité de tisser des liens durables avec les directeurs et les principaux détaillants au Canada. J'ai pu négocier à la fois davantage d'espace de rayons et un meilleur soutien publicitaire pour notre gamme de produits maison avec Compagnie Tight.

En tant que vice-président, division des nouveaux produits, au sein de la Compagnie ABC, ma contribution a permis d'augmenter les ventes de produits spécialisés de 750 000 $ à 2,5 millions de dollars et de faire percer les Mouchoirs Ultra-Pack afin de s'emparer d'une part de marché de plus de 50 %. Mes stratégies ont également inclus la maximisation du potentiel émergent des achats interentreprises avec nos principaux clients internationaux.

Mon style de gestion peut être décrit comme étant énergique et interactif. Ma performance est à son meilleur dans un environnement axé sur les résultats, plus précisément la croissance et les profits. Je suis fier de motiver et d'inspirer des individus à viser plus haut et de former des équipes dévouées qui valorisent le respect mutuel.

Confiant que mes compétences sont à la hauteur de vos attentes, je communiquerai avec vous jeudi prochain afin de discuter davantage de vos besoins.

Je vous prie d'agréer, Madame Ouellet, mes salutations distinguées.

Votre nom

p. j.

La lettre d'accompagnement n° 2 à la page suivante répond à l'annonce ci-dessous.

### Directeur de la comptabilité
### La Fondation des enfants malades

Nous sommes à la recherche de candidats passionnés par le travail d'équipe et désireux d'aider les enfants. Nous avons besoin d'un directeur de la comptabilité, préférablement avec de l'expérience dans le secteur des organismes sans but lucratif. Son mandat sera d'implanter des systèmes afin de soutenir les initiatives de restructuration de la Fondation. Sous la supervision du directeur général, il aura la responsabilité d'administrer tous les aspects des finances de la Fondation et sera un membre clé de l'équipe de gestion de l'information. Les candidats qualifiés posséderont une désignation professionnelle et au moins cinq années d'expérience dans un poste comparable. Ils devront démontrer leur habileté à œuvrer avec des directeurs d'investissement à l'externe et à administrer la base de données de donateurs. De solides compétences en gestion du changement et une capacité à travailler étroitement avec les autres sont essentielles.

Répondez par écrit ou par courriel à :

Michel Daveau
Directeur, ressources humaines
La Fondation des enfants malades
Adresse
Ville (Province) code postal
Courriel

## Exemple de lettre d'accompagnement n° 2

**NOM**
**Adresse**
**Ville (Province) code postal**
**Téléphone/Télécopieur/Courriel**

Date

Monsieur Michel Daveau
Directeur, ressources humaines
La Fondation des enfants malades
Adresse
Ville (Province) code postal

Monsieur,

Comme je me dévoue à aider des enfants aux prises avec des maladies graves, j'ai lu avec grand intérêt votre offre d'emploi parue dans *Le Devoir* et concernant le poste de directeur de la comptabilité de la Fondation des enfants malades. Je suis actif au sein de l'hôpital Sainte-Justine en tant que membre bénévole du conseil de fondation depuis un certain temps. La possibilité de combiner mon engagement personnel à ma carrière serait passionnante. J'ai remarqué que vous avez réussi à recueillir 12 millions de dollars l'année dernière afin d'aider les enfants partout en Amérique du Nord.

Avec une carrière en comptabilité s'étalant sur plus de 17 ans à la commission scolaire XYZ, j'ai acquis de l'expérience dans la recommandation de contrôles financiers, l'élaboration de prévisions, la budgétisation et la réduction des coûts. Par exemple, en implantant des procédures de contrôle, j'ai pu réaliser des économies annuelles de plus de 50 000 $ pour le service d'éducation spécialisée. Les rapports étroits que j'entretiens avec mes collègues et subordonnés dans un environnement de travail d'équipe constituent une caractéristique essentielle de mon style personnel.

Grâce à mon implication bénévole à la Fondation de l'hôpital Sainte-Justine, j'ai appris l'importance de coordonner la gestion des bases de données aux pratiques comptables. De plus, j'ai su développer un vaste réseau de contacts.

Je serais ravi de vous rencontrer afin d'en apprendre davantage sur ce poste et d'évaluer comment je pourrais faire partie des plans d'avenir de la Fondation des enfants malades. Je vous téléphonerai en début de semaine prochaine pour envisager un rendez-vous afin de discuter de mes compétences.

Je vous prie d'agréer, Monsieur Daveau, mes salutations distinguées.

Votre nom

p. j.

*La lettre de réseautage*

Lors de recherches actives d'emploi, il s'avère parfois nécessaire de composer des lettres de présentation, appelées lettres de réseautage. Elles ne visent qu'un objectif: vous aider à fixer des rendez-vous avec des personnes pertinentes afin de recueillir de l'information et des conseils. Vous en apprendrez davantage sur ce processus au cours de prochains chapitres.

Une lettre de réseautage vous présente, justifie votre besoin de communiquer avec le lecteur, demande une rencontre et promet un suivi téléphonique. Sans suivi, celle-ci se révélera inefficace; peu de gens prendront la peine de vous contacter en réponse à votre lettre.

Utilisez ce type de lettre seulement si elle vous aide à acquérir de l'aisance avec le processus de réseautage. Pour certaines personnes, il serait impensable d'appeler directement une personne pour fixer un rendez-vous, sans avis préalable. Employez alors les lettres de réseautage dans le cadre de votre stratégie, mais gardez en tête que leur rédaction entraînera beaucoup de travail supplémentaire et retardera vos contacts directs avec des gens qui sont probablement déjà prêts à vous donner un coup de main. Mesurez l'efficacité de ces lettres en répertoriant celles qui aboutissent à un rendez-vous.

---

**Pensez-y!** Les lettres de réseautage peuvent être utilisées en dernier recours, lorsque toutes les autres tentatives de communication ont échoué.

---

Les conseils et l'exemple suivants vous permettront d'augmenter l'efficacité de vos lettres de réseautage.

CONSEILS POUR LES LETTRES DE RÉSEAUTAGE

- Ciblez chaque lettre en fonction de son destinataire. Les lettres génériques et les envois de masse sont inefficaces.
- Mentionnez celui ou celle qui vous a recommandé dès la première phrase. Un lien personnel attirera l'attention des gens. Leur volonté d'aider augmentera et leur curiosité sera piquée.
- Soyez clair quant à vos intentions concernant la rencontre; vous devriez mentionner que vous recherchez de l'information et des conseils sur un aspect en particulier. Ne dites pas que vous désirez connaître les perspectives d'emploi qui sont disponibles dans l'entreprise du destinataire.
- Songez à joindre un article d'actualité. Celui-ci pourrait servir de sujet de discussion lors de la rencontre.
- Autres possibilités: avancez une hypothèse ou lancez une question dont vous aimeriez discuter.
- Dans certains cas, un résumé de vos objectifs pourrait être approprié.
- Ne joignez pas votre curriculum vitæ. Vous ne postulez pas pour un poste; vous demandez à rencontrer le destinataire pour obtenir une discussion, de l'information et des conseils.
- Terminez en vous engageant à lui téléphoner pour fixer un rendez-vous, puis inscrivez une date de suivi dans votre agenda.

*Un directeur d'une division d'approvisionnement stratégique d'une importante société de divertissement écrivit au vice-président de l'exploitation d'une plus petite entreprise dans l'industrie du transport. Il voulait démontrer ses connaissances concernant des problématiques surgissant avec l'utilisation grandissante d'Internet par les directeurs des achats. Il joignit à sa lettre une photocopie d'un article du Harvard Business Review portant sur le sujet et écrivit: «Cet article affirme que le commerce électronique exercera une influence croissante sur les méthodes dont se serviront les clients les plus importants pour acheter des biens et des services. Mon expérience auprès des Films Mammouth m'a démontré, à plus d'une reprise, que l'auteur de cet article a visé dans le mille. Je serais intéressé à discuter avec vous des façons que pourraient utiliser les directeurs des achats pour éviter des dépenses excessives sur l'imposition de garanties de qualité tout en tirant pleinement avantage de tarifs réduits dans ce nouveau commerce électronique.» Puis il effectua son suivi téléphonique. Le vice-président de l'exploitation fut très intéressé à le rencontrer.*

**Exemple de lettre de réseautage**

**NOM**
**Adresse**
**Ville (Province) code postal**
**Téléphone/Télécopieur/Courriel**

Date

Nom
Titre
Entreprise
Division
Adresse
Ville (Province) code postal

Cher prénom,

Frédéric Beaudoin, vice-président pour Entreprise inc., m'a récemment annoncé votre nouvelle fonction en tant que directeur au sein de Médication ltée. Félicitations pour votre succès ! Même si nous n'avons pas parlé depuis un certain temps, vous vous souvenez probablement de notre rencontre alors que j'étais directeur de l'exploitation chez Startup inc., avant son acquisition. Mon rôle y a pris fin au mois de mai et j'explore actuellement de nouvelles options de carrière. Frédéric m'a suggéré de communiquer avec vous.

Avec mon expérience diversifiée, incluant des fonctions de cadre au sein de Marketing Plus et de Stellar inc., j'envisage de nombreuses possibilités, dont l'exploitation ou la gestion de projet dans l'industrie pharmaceutique, des soins de santé et de la biotechnologie.

Aussi, je souhaiterais discuter brièvement avec vous. Tout conseil ou renseignement concernant les secteurs émergents dans ces domaines me serait précieux. Je vous téléphonerai vers la fin de la semaine prochaine pour savoir si une courte rencontre vous conviendrait.

Au plaisir de discuter avec vous et d'en connaître davantage sur vos nouvelles responsabilités.

Votre nom

p. j.

### *La lettre de marketing*

La lettre de marketing pourrait faire partie de votre stratégie si vous optez pour une carrière contractuelle ou en consultation. Cette lettre sert à présenter vos services et offre des énoncés convaincants quant à l'avantage que l'on tire à vous engager. Son objectif est de défricher le terrain pour que vous puissiez obtenir un entretien téléphonique ou un rendez-vous (idéalement à la suite d'une recommandation). Concevez une version générique de la lettre dès le début de votre processus de marketing et adaptez-la ensuite à chacun des destinataires. Son contenu évoluera à mesure que grandira votre petite entreprise.

Un envoi massif de lettres de marketing gaspille habituellement efforts et argent; vous savez ce qui adviendra de la correspondance non sollicitée. Une recommandation personnelle en justifie la rédaction, mais lorsque vous n'en avez pas, employez une approche démontrant que vous avez déjà fait l'effort d'en apprendre davantage sur le destinataire ou l'entreprise.

Relisez les conseils concernant la rédaction de lettres de réseautage. Vous pouvez appliquer les mêmes principes de base dans ce cas-ci. Une citation, une photocopie d'article ou une hypothèse fondée sur vos recherches sont des moyens parfaits d'introduire les problématiques et les défis potentiels auxquels vous offrez des solutions. Incluez une brève description de vos réalisations pertinentes (sous forme narrative ou d'énoncés). N'envoyez pas votre curriculum vitæ. Vous ne postulez pas pour un emploi, vous êtes plutôt en train de tisser des liens qui pourraient vous ouvrir des portes.

Vous pouvez également piquer l'intérêt de votre destinataire en joignant une brochure à votre lettre. Cependant, vous aimeriez peut-être la conserver pour votre rencontre. Il est aussi possible d'inclure des témoignages ou une liste de clients (avec leur permission, bien sûr) ou encore, d'inviter votre destinataire à visiter votre site Internet. Le cas échéant, assurez-vous que ce dernier en dise plus long que votre lettre.

.....................................................................................................................................................

**Pensez-y!** Écrivez un article pour un journal d'affaires ou un bulletin du secteur d'activité afin d'examiner une problématique ayant un rapport avec votre expertise. Achetez-en plusieurs exemplaires, indiquez-le comme référence dans votre lettre et joignez-le.

.....................................................................................................................................................

## Exemple de lettre de marketing

**NOM**
**Adresse**
**Ville (Province) code postal**
**Téléphone/Télécopieur/Courriel**

Date

Nom
Titre
Entreprise
Division
Adresse
Ville (Province) code postal

Monsieur,

M. Marc Séguin m'a suggéré de communiquer avec vous afin de me présenter. Mon expérience en gestion de changements organisationnels pourrait se révéler efficace pour votre entreprise et pour vous.

À l'heure actuelle, les principales sociétés dans l'industrie de l'assurance au Canada sont aux prises avec des ajustements dispendieux, risqués, mais potentiellement bénéfiques. Parmi ceux-ci, nous retrouvons : les acquisitions et dessaisissements au Canada, aux États-Unis et partout dans le monde, la sous-traitance des technologies de l'information et des processus commerciaux, ainsi que le lancement de nouveaux produits et services afin d'accroître les revenus. Ces changements sont parfois complexes, s'étendent sur plusieurs fonctions de l'entreprise, dans de nombreux pays, et affectent à la fois les activités commerciales et informatiques.

J'estime pouvoir vous assister, votre équipe de cadres et vous, afin de relever ces défis en faisant appel à mes habiletés à :
- implanter des initiatives de changement de plusieurs millions de dollars ;
- définir des propositions d'affaires pour effectuer des changements et en déterminer les avantages ;
- modifier certains projets importants qui ne répondent pas aux attentes ;
- élaborer et implanter des stratégies ;
- travailler avec des organisations complexes formées de plusieurs unités d'affaires.

Vous trouverez ci-joint un résumé de mes réalisations au sein de la compagnie d'assurance XYZ. Je vous téléphonerai la semaine prochaine pour discuter de la possibilité d'une rencontre.

Je vous prie d'agréer, Monsieur, mes salutations distinguées.


Votre nom

p. j.

### *La lettre de remerciement*

Lors de votre processus de recherche de travail, qu'il s'agisse d'un poste à temps plein, de travail contractuel ou du démarrage d'une petite entreprise, vous aurez plusieurs occasions de remercier les gens pour leur aide. Une façon simple et efficace de témoigner votre gratitude consiste à composer un message de remerciement. Tentez de l'écrire moins de 24 heures après votre entretien, mais ne laissez pas le retard vous en empêcher. Il vaut mieux envoyer votre lettre quelques mois plus tard que négliger complètement cet important élément de correspondance.

Remerciez chaque personne-ressource de votre réseau en plus des gens qui vous ont fourni des recommandations, sans oublier ceux qui vous ont reçu en entrevue à chaque étape du processus.

Les lettres de remerciement ne sont pas toujours des messages formels. Vous pourriez rédiger une note manuscrite sur une carte vierge ou utiliser votre papeterie. Certains achètent des cartes à un pli avec leur nom inscrit sur le dessus. Selon le cas, un courriel pourrait être approprié. Le choix du papier, de l'impression et du moyen d'acheminer ce message dépend de votre style et de celui de votre destinataire. Ce qui importe est de remercier les personnes chaque fois que l'occasion se présente.

---

**Pensez-y!** L'inconvénient associé au courriel de remerciement est que le destinataire lira le message, puis l'effacera au lieu de l'imprimer. Une lettre ou une note a plus de chance d'être conservée dans un dossier afin d'être relue.

---

Il existe d'autres façons de témoigner votre gratitude. Vous pourriez fournir de l'information utile ou des conseils aux personnes qui vous ont donné un coup de main. Pour celles qui vous ont offert de l'assistance ou du soutien de façon spéciale, songez à envoyer des fleurs, un paquet-cadeau, etc. Lorsque vous aurez décroché un emploi, pensez à célébrer l'événement en invitant votre principale personne-ressource à dîner.

### Lettres de remerciement pour le réseautage

Immédiatement après chaque rencontre de réseautage, composez une lettre de remerciement. Ces messages sont une manière simple et des plus appropriées de garder contact avec ceux qui vous accordent leur temps et leur soutien. Soyez précis et mentionnez ce que vous avez appris ou ce qui vous sera utile. Dans la mesure du possible, offrez une preuve concrète qui puisse démontrer que vous avez suivi leurs conseils. Il pourrait s'agir d'un commentaire concernant un article ou un site Internet que l'on vous a recommandé. Dans certains cas (plutôt rares cependant), vous pourriez y inclure votre curriculum vitæ révisé. L'envoi de ce dernier se révélera particulièrement important si vos personnes-ressources ont mentionné un poste disponible. Réitérez votre intention de suivre les suggestions qui vous ont été proposées et indiquez à quel moment vous communiquerez avec elles à nouveau. Soyez réaliste quant à ces engagements. Si vous dites que vous allez faire quelque chose, vous devrez tenir parole.

*Une jeune femme à la recherche d'un poste dans le domaine des ressources humaines informait son réseau de personnes-ressources chaque fois qu'elle rencontrait un individu recommandé par un autre. Ses notes de remerciement manuscrites se retrouvaient sur le bureau de chacune d'elles, agissant comme un rappel de ses champs d'intérêt et de ses objectifs. Qui plus est, sa recherche d'emploi devint le sujet de conversation d'un groupe de huit femmes en ressources humaines qui appuyaient ses efforts. Plus d'un an s'écoula, mais finalement, quelqu'un eut vent d'une perspective d'emploi parfaite et organisa personnellement l'entrevue. Sans ses remerciements, les membres de son réseautage l'auraient probablement oubliée.*

**Exemple de lettre de remerciement n° 1**

**NOM**
**Adresse**
**Ville (Province) code postal**
**Téléphone/Télécopieur/Courriel**

Date

Nom
Titre
Entreprise
Division
Adresse
Ville (Province) code postal

Cher prénom,

Merci d'avoir pris le temps de me parler malgré le lancement de ta campagne de financement. Tu m'as généreusement fourni des idées quant à l'exploration de ce secteur d'activité et je te suis reconnaissant pour ta suggestion de parler avec Anne-Marie Stepanovich et Frank Oliveri.

En repensant à notre discussion, j'ai réussi à clairement déterminer comment je pourrais ajuster mon tir afin de chercher un emploi au sein de plus petites agences de consultation. Je ne savais pas que Nubion participait autant aux efforts de soutien des établissements scolaires. Je crois que mes années d'expérience en développement commercial auprès de Marque de Commerce inc., jumelées à mon engagement envers les campagnes de financement d'Acadia, pourraient les intéresser. Je vais les appeler aujourd'hui et je te tiendrai au courant de la suite.

Je te remercie, prénom, pour tes précieux conseils. Je communiquerai également avec Anne-Marie Stepanovich et je t'informerai aussi de ce qui adviendra de ce contact dont tu m'as parlé. Passe de belles vacances au chalet. Je te téléphonerai au début du mois prochain !

Sincèrement,

Votre nom

**Exemple de lettre de remerciement n° 2**

**NOM**
**Adresse**
**Ville (Province) code postal**
**Téléphone/Télécopieur/Courriel**

Date

Nom
Titre
Entreprise
Division
Adresse
Ville (Province) code postal

Cher prénom,

Simplement une petite note pour vous mettre à jour à la suite de ma conversation avec Patricia Lachance et Jérôme Labelle. J'ai pu rencontrer chacun d'entre eux cette semaine afin de discuter de mon intérêt concernant le domaine du commerce électronique. Ils m'ont donné un grand coup de main, et je vous suis reconnaissant de m'avoir présenté.

Tel que vous me l'aviez mentionné, leurs points de vue au sujet des entreprises Internet en démarrage sont très divergents et leurs descriptions de la croissance et du financement ont été très instructives. Jérôme a été particulièrement aimable. Je vais d'ailleurs rencontrer son directeur de projets spéciaux, Paul Marois, afin d'explorer la possibilité d'un travail contractuel. Un mandat à court terme serait le bienvenu. Ainsi, je pourrais obtenir l'occasion d'évaluer ma compatibilité à un environnement à la fine pointe de la technologie comme le leur.

Je vous informerai des résultats de cette rencontre. En attendant, veuillez accepter toute ma gratitude pour les efforts que vous avez déployés à mon égard.

Sincèrement,


Votre nom

**La lettre de remerciement pour les entrevues**

Chaque entrevue doit être suivie d'une lettre de remerciement qui rappellera à l'interviewer la conversation que vous venez d'avoir et lui rafraîchira la mémoire quant à vos compétences. Cette lettre vous différenciera aussi des autres candidats, car elle demeure une pratique peu courante.

Fiez-vous à vos notes de compte rendu et faites référence à des aspects particuliers dont il a été question lors de l'entrevue. Témoignez votre gratitude pour ce que vous y avez appris ou pour un conseil qui vous a été donné. Réitérez vos forces et établissez un lien entre celles-ci et les exigences du poste. Si un point important n'a pas été abordé lors de l'entrevue, faites-le ici. Il pourrait s'agir d'un aspect convaincant, nécessaire à votre succès. En dressant votre compte-rendu, vous penserez peut-être à certaines choses qui ont été dites et que vous souhaiteriez corriger ou clarifier. La lettre de remerciement vous permettra de rectifier le tir.

Votre intérêt et votre enthousiasme pour cet emploi doivent être évidents. Énoncez à nouveau les étapes de suivi que vous comptez effectuer. Si vous n'aviez rien mentionné à ce sujet, indiquez à quel moment vous souhaitez communiquer à nouveau avec cette personne. Écrivez-le à votre agenda et respectez cet engagement.

**Exemple de lettre de remerciement pour les entrevues nᵒ 1**

**NOM**
**Adresse**
**Ville (Province) code postal**
**Téléphone/Télécopieur/Courriel**

Date

Nom
Titre
Entreprise
Division
Adresse
Ville (Province) code postal

Madame,

Je vous remercie d'avoir pris le temps de vous entretenir avec moi lors du déjeuner mardi matin.

Comme je vous l'ai mentionné par la suite lors de notre conversation téléphonique, j'ai été enchanté de rencontrer MM. Brazeau et Selliers. Leurs points de vue quant au développement, aux priorités et aux futures possibilités à la Banque des Caraïbes ont été des plus intéressants et stimulants. J'ai été particulièrement sensible à leurs idées au sujet de certains des défis liés au secteur des ressources humaines.

Je me considère chanceux d'avoir eu ces conversations avec vous et vos collègues de la Banque des Caraïbes. Toutes les personnes que j'ai eu le plaisir de rencontrer faisaient preuve d'un grand enthousiasme quant à la mission, aux réalisations et aux perspectives de la Banque. Je crois que mes 10 années d'expérience en recrutement international dans le secteur des services financiers, en plus de mon expérience dans l'implantation de politiques de rémunération internationales pour Global Mutual Funds Inc., me permettraient de contribuer considérablement aux plans d'avenir de la Banque.

Je vous remercie encore d'avoir organisé l'entrevue avec vos collègues. Soyez assuré de mon profond intérêt pour la Banque ainsi que pour le poste de directeur des ressources humaines. J'espère recevoir de vos nouvelles au cours des prochaines semaines.

Sincèrement,

Votre nom

**Exemple de lettre de remerciement pour les entrevues n° 2**

**NOM**
**Adresse**
**Ville (Province) code postal**
**Téléphone/Télécopieur/Courriel**

Date
Nom
Titre
Entreprise
Division
Adresse
Ville (Province) code postal

Cher nom,

Je tenais à vous écrire afin de vous remercier de m'avoir rencontré mardi matin. Je vous suis reconnaissant pour notre conversation, surtout lorsqu'il a été question de votre vision du développement et de la direction que prend le centre d'éducation Soins Constants. L'entreprise se voit ouvrir de nombreuses portes grâce à son arrivée au Canada. Votre approche unique afin d'éduquer les familles est, à ma connaissance, sans précédent dans ce pays. Je crois que l'éducation est l'élément le plus important dans la création d'une approche d'équipe que doivent utiliser ceux qui soignent les personnes atteintes de la maladie d'Alzheimer.

Je souhaiterais mentionner une autre de mes expériences qui, je pense, vous aidera à comprendre mon intérêt pour le poste chez Soins Constants. Il y a 15 ans, alors que j'étais directeur des soins infirmiers à l'hôpital de soins de longue durée des Sept-Lacs, j'ai conçu une série de conférences pour les familles afin de les aider à comprendre les besoins de leurs proches. Cette initiative ne faisait pas partie de mon mandat, mais je l'ai fait car j'étais – et suis toujours – dévoué à rendre le passage vers un centre de soins de longue durée le moins pénible possible pour le patient et sa famille.

Mon dévouement personnel aux besoins des patients de longue durée en plus de mes premières expériences en tant qu'infirmier, et mes plus récentes comme directeur, font de moi un bon candidat pour le poste de directeur, relations clients. Je suis très intéressé à me joindre à votre équipe et à faire en sorte que l'entrée du centre d'éducation Soins Constants au Canada soit couronnée de succès.

Sincèrement,

Votre nom

### *La lettre de réussite*

Lorsque vous débutez votre nouveau travail, qu'il soit permanent, à temps plein, contractuel ou de consultation, assurez-vous d'informer toutes vos personnes-ressources de vos nouvelles fonctions. L'envoi d'une lettre de réussite est une courtoisie professionnelle que vous devez témoigner à ceux qui vous ont aidé. Ainsi, ils seront heureux de vous avoir donné un coup de main et ce sera l'occasion de leur offrir votre future assistance en retour. Malheureusement, trop de gens emballés par leur nouvel emploi négligent cette étape importante. Si vous avez votre nouvelle carte d'affaires, joignez-la à votre lettre. Sinon, effectuez un suivi plus tard afin de l'inclure avec une autre note. Ces petites courtoisies sont très estimées et assurent la continuité des rapports avec votre réseau, voire la rencontre de nouvelles personnes-ressources.

*Un directeur des ventes et du marketing accepta un contrat de trois mois auprès d'une société de médias connaissant une croissance fulgurante. Il rédigea une note pour chacun de ses contacts, en leur expliquant ce qu'il faisait et en indiquant qu'il poursuivrait ses recherches d'emploi à la fin de son contrat. Deux semaines après avoir terminé son contrat, il envoya une autre lettre afin d'informer son monde qu'il était à nouveau sur le marché du travail et qu'il les tiendrait au courant. Au cours de sa première semaine de recherche à temps plein, il téléphona à chaque personne à qui il avait envoyé une lettre.*

**Pensez-y !** Il n'est jamais trop tard ! Même si quelques mois se sont écoulés après l'excitation de votre nouvel emploi, il est toujours approprié d'envoyer une lettre afin d'annoncer où vous travaillez. Les gens aiment bien recevoir des nouvelles.

**Exemple de lettre de réussite**

NOM
Adresse
Ville (Province) code postal
Téléphone/Télécopieur/Courriel

Date

Nom
Titre
Entreprise
Division
Adresse
Ville (Province) code postal

Cher prénom,

Je suis heureux de vous annoncer que je fais partie de l'équipe de Consultants inc., une agence de consultation en ressources humaines internationale qui possède des bureaux à Montréal, Toronto, Vancouver et dans plus de 175 villes à travers le monde! Conformément à mes nouvelles fonctions de directeur, au bureau de Montréal, je dirigerai des activités principalement liées au développement professionnel des cadres.

La décision de me joindre à Consultants inc. a été influencée en grande partie par leur expérience considérable dans la gestion de l'aspect humain des changements organisationnels et leur travail avec des chefs de file. J'ai été particulièrement impressionné par leur succès dans les domaines du leadership et du développement organisationnel. Je crois que mon expérience en évaluations et en coaching sera complémentaire à l'excellente réputation dont jouit l'agence pour son travail avec les équipes de cadres.

Je tenais à vous remercier pour votre appui et votre encouragement au cours de ma transition. Comme vous le savez, le fait de m'avoir présenté à M. Michel Rémy m'a beaucoup aidé. Ses conseils sur les sondages 360° ont tracé la voie de mes premiers entretiens avec Consultants inc. J'espère un jour pouvoir vous rendre la pareille.

Au plaisir de discuter à nouveau avec vous.

Sincèrement,



Votre nom

# Entrez dans le feu de l'action!

*Les occasions se présentent là où la chance et le labeur se côtoient.*

### *Objectifs*

Pour cette étape, il vous faudra être organisé, concentré sur vos priorités, motivé et vous devrez préciser vos objectifs. Elle démystifiera le réseautage et vous proposera un processus afin d'en faciliter les rencontres. Les chapitres de la quatrième partie vous montreront comment:

- donner des priorités à vos objectifs;
- consacrer le temps nécessaire au processus pour obtenir un maximum d'efficacité;
- réseauter efficacement;
- faire appel à des agences de recrutement et de placement;
- évaluer l'importance des offres d'emploi dans les journaux et les revues;
- utiliser Internet pour votre recherche d'emploi;
- apprécier les avantages et les défis qui découlent d'une recherche d'emploi active.

### *Règles à suivre*

- Essayez de ne pas vous inquiéter; ne soyez jamais amer. Même si cela est difficile, cachez vos sentiments négatifs lorsque vous participez à une rencontre ou à une entrevue.
- Sortez et parlez aux gens.
- Continuez à poser des questions ayant pour but de préciser vos objectifs.
- Créez un agenda et un système d'archivage qui fonctionne pour vous. Vous devez être en mesure de trouver rapidement l'information que vous cherchez et d'effectuer des suivis efficaces.
- La plupart des gens sont contents de pouvoir vous aider. Si vous entrez en relation avec eux de façon appropriée, ils devraient vous répondre de manière positive et vous appuyer.

## *Pièges à éviter*

- Rester isolé et inactif.
- Passer d'innombrables heures à naviguer sur Internet. Cet outil peut s'avérer un trou noir qui gobe tout votre temps.
- Effectuer des appels ou aller à des rencontres de réseautage sans vous documenter et planifier votre approche.
- Ne pas vous consacrer du temps ; vous devez faire le nécessaire pour rester dynamique et en forme.
- Croire que la seule façon de réussir est de décrocher un emploi au lieu de vous féliciter pour chaque étape positive franchie.

Chapitre 14

# À vos marques! Prêts?

*Il faut planifier son travail et travailler ce qu'on planifie.*

Vous êtes à présent sur le point de lancer votre recherche d'emploi, au cours de laquelle vous devrez parler à de nombreuses personnes. Voici quelques étapes préparatoires qui doivent être complétées afin d'augmenter votre confiance en vous et de vous aider à faire de votre mieux. Donnez des priorités à vos objectifs, accordez-leur des limites de temps et consacrez-leur les ressources nécessaires. Puis, vous devez créer un plan de ventes et élaborer un bon système d'archivage afin de vous organiser. Une fois ces étapes complétées, vous serez prêt à foncer!

Consultez l'annexe A. Vous entrez maintenant dans les phases de planification des communications et des ventes.

### Établissez vos priorités: objectifs A, B et C

Relisez les objectifs que vous vous êtes fixés au chapitre 8. Si vous n'en avez qu'un seul, tentez d'en trouver au moins deux autres. Si vous en possédez déjà plus de trois, concentrez-vous sur les trois que vous considérez comme les plus importants pour l'instant. La poursuite de ces objectifs vous permettra de mieux orienter votre incursion sur le marché du travail. Établissez vos priorités en fonction de vos intérêts et de vos connaissances du marché actuel.

Votre principale priorité, l'objectif A, pourrait:
• représenter le poste ou le secteur où vous espérez obtenir des résultats le plus rapidement;
• signifier un déménagement vers votre région préférée;
• exprimer votre désir de démarrer votre propre entreprise;
• être associée à l'objectif auquel vous êtes irrésistiblement attiré à cause de vos préférences personnelles.

Choisissez des objectifs A, B et C en vous appuyant sur des critères qui vous sont propres. À mesure que vous progresserez, vous les raffinerez, réviserez et modifierez.

Utilisez votre feuille de travail 8.3 de ciblage stratégique du chapitre 8 et indiquez vos objectifs A, B et C selon vos priorités. Notez brièvement pourquoi vous avez choisi cet ordre.

*La professionnelle des ressources humaines décrite à la fin du chapitre 8 s'était fixée trois objectifs: une fonction plus importante (en RH) dans le secteur où elle avait récemment acquis de l'expérience, une fonction à son niveau actuel, mais dans un autre secteur d'activité, et un changement plus drastique impliquant une nouvelle fonction dans un nouveau marché. Elle choisit de faire de ce dernier objectif, soit la direction d'un organisme sans but lucratif, sa priorité principale (objectif A). Elle était dévouée à la cause des enfants handicapés comme sa nièce et souhaitait soit éliminer rapidement la possibilité de trouver ce type de travail ou alors s'y adonner pendant plusieurs mois. Son objectif B était un geste latéral dans l'industrie des soins de santé, qu'elle jugeait proche de ses principales préférences. L'objectif C, l'option la plus accessible, était de demeurer au sein du même secteur d'activité, mais en recherchant une fonction de niveau plus élevé. L'ordre des priorités était entièrement basé sur ses champs d'intérêt personnels.*

Cependant, plusieurs personnes préfèrent une approche plus ciblée afin d'établir leurs priorités. Certains réussissent même en se concentrant sur un seul objectif et décrochent un emploi sans avoir à élargir leur éventail de possibilités.

*Un expert en gestion des risques avec de l'expérience dans l'implantation de logiciel de prévention des fraudes devait remplacer ses revenus le plus rapidement possible après avoir perdu son emploi. Il considéra son indemnité de départ comme une façon de payer ses dettes en sachant qu'il se trouverait du travail rapidement. Pour lui, les objectifs A, B et C étaient d'entrer en relation avec diverses entreprises dans un marché qu'il connaissait très bien et d'accepter la meilleure offre dans un court laps de temps. Les responsabilités, le titre et les perspectives furent délaissés au profit de revenus élevés et d'une période de transition la plus brève possible.*

### Accordez du temps à chaque objectif

Utilisez l'annexe B afin de concevoir un plan pour vos projets et de mesurer votre progrès. Déterminez le nombre de semaines qu'il vous reste avant d'atteindre la date à laquelle vous aimeriez commencer votre nouvel emploi et planifiez le temps que vous pouvez accorder à chacun de vos objectifs. Êtes-vous en mesure de consacrer quelques semaines ou même quelques mois à l'exploration de chaque objectif, ou avez-vous besoin de les éliminer rapidement? Déterminez une date précise à laquelle vous déclencherez vos recherches pour chacun d'eux ainsi qu'une autre où vous pourrez évaluer leurs chances de réussite, réviser, abandonner ou poursuivre vos recherches.

*Une avocate, responsable de contrats avec des fournisseurs pour le service juridique d'un important constructeur automobile, souhaitait effectuer un changement majeur dans sa carrière. Lors de son autoévaluation, la rédaction s'avéra l'habileté qu'elle aimait le plus utiliser. En fait, elle avait souvent songé à écrire un livre et fit de ce projet son objectif A. Sa situation personnelle lui permit de consacrer deux années complètes à sa transition. En s'allouant six mois afin de poursuivre l'objectif A, elle prit un cours de création littéraire, commença la rédaction de son livre et entra en relation avec quelques maisons d'édition. Une fois le semestre écoulé, elle se rendit compte qu'elle ne pourrait vivre de son écriture. Elle passa donc à l'objectif B qui consistait à suivre des cours universitaires en relations publiques et en communications d'affaires. Cette option généra de nombreux (et payants) contrats à la pige, ce qui lui permit de poursuivre son projet de livre comme passe-temps, tout en le gardant comme objectif de carrière ultérieur.*

La plupart des personnes poursuivent plus d'un objectif à la fois. Pour chacun d'eux, consacrez un pourcentage de votre temps sur une base hebdomadaire. Par exemple, vous pouvez allouer 90 % de votre temps à l'objectif A pendant les 15 premiers jours et réduire à 60 % pour les semaines suivantes, tout en augmentant celui de votre objectif B ou C.

Réservez le temps nécessaire à votre recherche d'emploi. C'est un travail à temps plein qui requiert 30 à 40 heures par semaine. Si vous devez prendre une pause, faites-le, mais évitez de gaspiller votre temps.

Notez vos efforts et le temps consacrés à votre quête sur chacune de vos feuilles de travail.

---

**Pensez-y !** Les délais que vous vous fixez et le temps que vous vous allouez pour explorer chaque objectif dépendent de votre situation et de vos priorités personnelles. Certaines personnes n'ont besoin que de quelques jours pour déterminer si leur projet le plus passionnant est réalisable. D'autres peuvent prendre des années afin d'élaborer leur concept, leur travail de ciblage leur permettant de définir les étapes à suivre pour atteindre leur but ultime.

---

*Un cadre en ventes et en marketing dans l'industrie pharmaceutique travailla pour une multinationale au cours des premières années de sa carrière. Il eut, pour un court laps de temps, l'occasion de diriger la division canadienne d'une société outre-mer, ce qui suscita en lui l'idée d'être propriétaire et de gérer sa propre petite entreprise. Son objectif A était d'en identifier une et de l'acquérir immédiatement. Il était cependant conscient que ses compétences en matière d'exploitation nécessitaient quelques perfectionnements. Par conséquent, il accorda autant de priorité à son objectif B, qui était un geste latéral vers un poste d'exploitation au sein d'une entreprise de taille moyenne. Une occasion correspondant à cette description se présenta, et il l'accepta. Ce choix s'avéra une étape intérimaire très précieuse vers son but ultime. Cinq ans plus tard, il décrocha l'emploi de son choix et dirige à présent une société dérivée d'un ancien employeur.*

### Adaptez vos outils de communication à chaque objectif

Considérez chaque objectif et réfléchissez à la façon dont vos outils de communication les reflètent. Devez-vous réviser ou modifier votre CV ? Avez-vous besoin d'articles de marketing supplémentaires (brochure, biographie, etc.) pour cet objectif en particulier ? Faites tout de même preuve de bon sens et ne commencez pas à collectionner les curriculum vitæ !

---

**Pensez-y !** Vous obtiendrez des idées pour adapter vos outils de communication à vos objectifs en vous documentant et en discutant avec les membres de votre réseau. Écoutez et apprenez, vous améliorerez ainsi progressivement vos outils.

---

Ce que vous dites lors de vos rencontres et de vos entrevues doit être cohérent avec votre objectif. Revoyez vos cinq messages clés (chapitre 12). Selon l'objectif, vous devrez modifier certains éléments ou mettre l'accent sur d'autres. Exercez vos affirmations devant des gens qui seront honnêtes avec vous.

Consultez votre réseau de soutien, vos conseillers et, lorsque approprié, les personnes que vous donnez en référence. Demandez-leur s'ils trouvent chaque objectif réalisable et convenable pour vous. Vos idées sont-elles trop étroites et concrètes ou est-ce plutôt le contraire? Expliquez clairement votre façon de penser afin de les aider à comprendre votre intérêt pour un objectif qui pourrait les surprendre. Dites-leur ce que vous croyez être en mesure d'apporter dans le cadre de ce travail. Demandez-leur s'ils peuvent vous recommander à quelqu'un pour chacun des objectifs que vous souhaitez poursuivre. Ainsi, il vous sera possible d'effectuer une première révision de ces objectifs.

Vous discuterez souvent de plus d'un objectif avec une personne-ressource. Il est important de démontrer comment tous vos objectifs partagent un élément commun. Même s'ils semblent complètement différents, ils proviennent de votre bagage unique et de votre situation personnelle. Si vous expliquez votre raisonnement de façon claire et détaillée, vos interlocuteurs comprendront.

Adaptez vos outils de communication afin de bien viser votre objectif. L'image ci-dessous sert à illustrer ce processus. Utilisez l'annexe A afin de mesurer votre progrès.

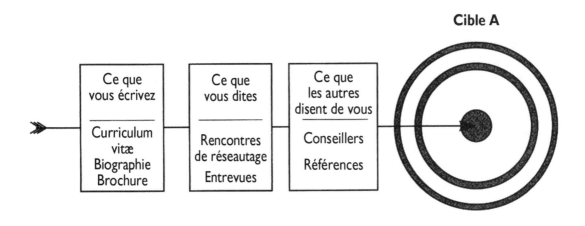

Cible A

---

**Pensez-y!** La plupart des gens amorcent leur réseautage avec un énoncé générique sur leur vision de l'emploi idéal et leur analyse préliminaire du marché. Les conversations avec les membres de leur réseau leur permettent de définir des objectifs potentiels qui reflètent ce qu'ils affirment.

---

### Créez un plan de vente

Retrouvez votre feuille de travail 8.3 d'analyse de marché. Complétez les listes des entreprises appartenant à vos marchés cibles et des personnes clés que vous souhaiteriez rencontrer en effectuant des recherches approfondies. Ces listes prendront de l'ampleur grâce à votre réseautage. Songez aux commentaires de votre réseau de soutien et planifiez de quelle façon vous pourrez efficacement poursuivre chaque objectif. Quelle société se retrouve en tête de liste? Qui parmi votre réseau connaîtrait quelqu'un qui y travaille? Quels contacts vous fourniront vraisemblablement des idées pour vos objectifs? De quelle façon pourrait-on vous présenter à des personnes clés?

Une fois que vous en saurez davantage sur l'entreprise, le secteur d'activité et ceux que vous devez rencontrer, utilisez le réseautage pour y parvenir. Le prochain chapitre traite exclusivement du réseautage efficace.

### *Élaborez un système d'archivage*

Une fois que vous serez en plein réseautage, votre recherche d'emploi ne sera plus qu'une question de chiffres : plus vous multipliez les rencontres en personne avec votre réseau de contacts et les gens qui vous sont recommandés, plus vous vous rapprocherez de votre but. Il vous faut à tout prix mettre sur pied un bon système de gestion de vos activités.

Utilisez un agenda ou un calendrier et visualisez des pages remplies de rendez-vous. Organisez votre carnet d'adresses dès aujourd'hui. Inscrivez toujours les coordonnées de chaque personne que vous avez l'intention de contacter en plus de chaque individu rencontré lors de votre réseautage.

Mettez en place une méthode afin de conserver vos notes après chaque entretien. Songez à utiliser un logiciel afin de répertorier vos personnes-ressources. Vous trouverez à la page suivante un exemple de *feuille de suivi de réseautage* que vous pouvez joindre à votre carnet d'adresses. Développez une façon de mesurer votre niveau d'activité hebdomadaire.

## Exemple de feuille de suivi pour le réseautage

| Coordonnées du contact: | | |
|---|---|---|
| Nom: | Tél. (bureau): | |
| Titre: | Tél. (cell.): | |
| Nom de l'entreprise: | Téléc.: | |
| Adresse: | Courriel: | |
| **Recommandé par:** Nom: | Titre: | Compagnie: |
| Téléphone: | | |
| **Date:** | **Commentaires:** | **Suivis** |
| | | |
| | | |
| | | |
| | | |
| | | |
| | | |
| | | |
| | | |
| | | |
| | | |
| | | |
| | | |
| | | |
| | | |
| | | |
| | | |
| | | |
| | | |
| | | |
| | | |
| | | |
| | | |
| | | |
| | | |
| | | |
| | | |
| | | |
| | | |
| | | |
| | | |
| | | |
| | | |
| | | |
| | | |
| | | |
| | | |
| | | |

### *Un processus dynamique*

Maintenant que vous avez terminé la phase préparatoire de votre processus de recherche d'emploi, consultez l'annexe A. Il faut à présent mettre votre plan à exécution. En progressant, vous recueillerez de précieuses données sur vos objectifs, déterminerez plus précisément comment votre avantage stratégique peut répondre aux besoins du marché, réviserez vos buts, réorganiserez votre temps, fixerez de nouvelles cibles à atteindre, demanderez d'autres commentaires et conseils et cheminerez ainsi jusqu'à ce que vos efforts débouchent sur une perspective appropriée.

Ce processus est loin d'être linéaire. Vous devrez revenir à vos évaluations de marché et à vos objectifs à plusieurs reprises. Vous peaufinerez également votre façon de décrire votre style, vos habiletés et vos connaissances. Soyez prêt à saisir toutes les occasions qui se présenteront au fil des rencontres.

*Un consultant spécialisé dans les processus de sous-traitance décida d'accorder plus d'importance aux priorités familiales en réduisant ses voyages outre-mer. Lors de ses recherches d'emploi préliminaires dans la région, il découvrit qu'un de ses anciens employeurs vendait sa division canadienne. Son objectif A passa rapidement du développement d'affaires au Canada à la possibilité d'acquérir cette entreprise. L'idée d'être propriétaire d'une PME faisait partie de sa liste, mais avait été reléguée à plus tard. Tout à coup, cette perspective devint son objectif A et le consultant se mit à l'explorer. Un autre individu se porta finalement acquéreur de l'entreprise, et le projet de contrats régionaux redevint son objectif prioritaire.*

Chapitre 15

# *Partez !*

## *Le réseautage : au cœur de vos recherches*

*On n'obtient rien sans le demander.*

Le réseautage vous permet d'avoir accès à vos ressources les plus précieuses : les gens. C'est un processus structuré qui consiste à coordonner une série de rencontres en personne avec vos collègues, vos personnes-ressources et des individus qui vous ont été recommandés lors de votre recherche. La sollicitation à froid (cold calls) ne fait pas partie d'un processus de réseautage efficace.

Le réseautage vise à vous faire connaître des gens qui partagent votre expérience et vos objectifs pour que vous puissiez échanger de l'information, des conseils, des avis et des références (ces dernières étant d'une importance capitale). Ces rencontres n'ont pas pour but de demander un emploi et vous ne serez pas le seul bénéficiaire de ces échanges. Vous aurez la chance de partager vos connaissances et vos idées afin de tisser des liens durables qui vous accompagneront dans le futur.

---

**Pensez-y !** Même si vous cherchez du travail, votre objectif premier lors des rencontres de réseautage est d'accumuler des renseignements et des conseils. Si vous planifiez soigneusement votre présentation et posez des questions pertinentes, vos contacts pourront vous aider sans s'en sentir obligés.

---

### Pourquoi réseauter ?

L'argument le plus convaincant quant à l'importance du réseautage est que 80 % des personnes à la recherche d'un emploi se trouvent du travail grâce à leur réseau. Pour les dirigeants, ce taux peut grimper jusqu'à 95 %, voire 99 % pour ceux qui ont opté pour une fonction différente dans un nouveau marché. Les seules solutions de rechange au réseautage sont les chasseurs de têtes, les agences de placement ou la réponse aux offres d'emploi. Voici donc vos options :

*Taux de succès des méthodes de recherche d'emploi*

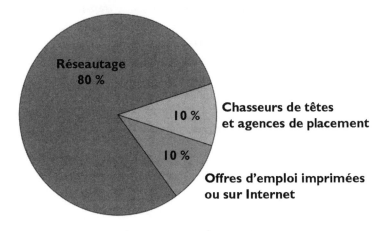

**Pensez-y!** Un chercheur d'emploi actif devrait diviser son temps et son énergie en fonction des taux de succès liés aux méthodes proposées.

Si ces taux ne réussissent pas à vous convaincre, considérez les nombreux autres avantages que vous retirerez du réseautage. D'abord, il vous tient à jour sur les événements, les problématiques et les tendances. Il est crucial de savoir ce qui passe autour de vous, car c'est la meilleure façon de suivre le mouvement des gens au sein des entreprises et secteurs d'activité que vous visez. Telle une éponge, absorbez les informations, les conseils, les lectures et les conversations concernant toute nouveauté.

Ensuite, le réseautage peut vous donner une longueur d'avance pour les perspectives d'emploi. Si vous découvrez une possibilité grâce à vos contacts, vous pourriez vous retrouver parmi les premiers admis au processus de sélection, bénéficiant d'une concurrence moins forte et d'une recommandation de la part de quelqu'un connu de l'entreprise. Les personnes qui savent utiliser le réseautage à bon escient décrochent souvent des emplois sans que ceux-ci aient été affichés ou publiés. Parfois, le réseautage permet même la création d'un poste afin d'accommoder un excellent candidat.

Un autre avantage du réseautage est la valeur à long terme que procurent les rapports avec un groupe étendu de personnes provenant de secteurs variés et occupant des postes tout aussi différents. Dans notre nouveau monde du travail, il est devenu nécessaire de collaborer avec les autres et de partager l'information. Donc, le maintien d'un réseau actif est important pour assurer un succès continu. Le réseautage ne permet pas seulement de recueillir de l'information et des conseils concernant des décisions à prendre au travail, il s'avère aussi d'une valeur inestimable lorsque vous décidez de changer d'employeur, de carrière, de secteur d'activité ou même de lancer votre propre entreprise. Le processus de réseautage que vous mettrez sur pied aujourd'hui sera une ressource importante tout au long de votre carrière.

Enfin, le réseautage vous aide à ne pas vous isoler ou vous décourager pendant vos recherches. Il vous motive en vous tenant occupé (appels à faire, lettres à rédiger, rencontres à préparer) et à l'affût de ce qui se passe autour de vous. Quand votre optimisme sera chancelant, le réseautage vous redonnera des forces. Les gens qui s'y consacrent activement trouvent du travail.

## Le réseautage est un échange

Lors des rencontres de réseautage, l'information se transmet dans les deux sens. Même à court terme, l'expérience et les connaissances acquises grâce au réseautage peuvent servir à d'autres. Votre répertoire de personnes-ressources pourrait contenir le contact magique pour quelqu'un d'autre. Si l'on vous fait part d'une perspective d'emploi qui ne vous convient pas, vous connaissez peut-être le candidat idéal pour ce poste. À long terme, vous aurez l'occasion de rendre service à certaines personnes qui vous ont déjà aidé.

Si vous êtes entre deux emplois, vous avez l'avantage d'être libre. Comme vous ne travaillez plus que pour vous-même, les gens seront plus enclins à vous renseigner sur leur entreprise, ses stratégies et ses défis et vous aurez davantage de facilité à parler ouvertement de nombreux sujets.

**Pensez-y!** Prenez garde à ne pas trahir la confiance de quiconque ou divulguer de l'information délicate lors de ces rencontres. Si vous êtes indiscret au sujet d'une personne ou d'une société, vous ne serez plus crédible. Lorsqu'il est question de renseignements confidentiels ou de nature concurrentielle, mentionnez seulement des informations relevant du domaine public.

Si vous n'occupez pas d'emploi, vous avez le temps de lire. La plupart des gens occupés traînent des piles de revues et de journaux d'affaires dans leur porte-documents. En résumant les faits saillants et intéressants tirés d'articles récents, vous rendrez service à vos personnes-ressources. Vous pouvez même vous procurer des exemplaires d'articles que vous considérez comme exceptionnels.

*Une consultante en gestion du changement qui démarrait sa propre agence lut un article incontournable dans le Harvard Business Review sur la communication des changements aux employés. Elle crut bon de mentionner cet article lors de rencontres de réseautage durant les six premiers mois qui suivirent le démarrage de son entreprise. Elle en acheta également des exemplaires; tous ceux à qui elle résumait l'article voulaient le lire. Les leur envoyer lui permettait de créer un autre contact et d'approfondir les discussions.*

### Les étapes d'un réseautage efficace

Le secret d'un réseautage efficace consiste à bien planifier vos gestes et à vous concentrer sur chacune des personnes que vous souhaitez rencontrer. Vous devez tout adapter à l'individu concerné: le moment où vous communiquerez avec lui, le message que vous lui laisserez, l'heure et l'endroit du rendez-vous, comment vous comptez démarrer cette rencontre, les aspects de votre expérience que vous décrirez, les objectifs que vous mentionnerez et les questions que vous poserez. Il est évident que vous ne gérerez pas un entretien avec un ancien patron de la même façon qu'avec un spécialiste ou un décideur clé que vous ne connaissez pas. Il n'existe aucune méthode universelle qui fonctionne pour toutes les rencontres. Vous devez tout planifier et faire preuve de discernement pour chacune d'entre elles.

## Dressez une liste de réseautage détaillée

Cette liste sera plus étoffée que celle que vous avez faite lors de vos exercices d'évaluation de marché et de planification de vente. Elle englobe tous ceux que vous connaissez, en plus des personnes-clés que vous aviez déjà définies comme étant de précieux contacts. N'excluez aucun d'eux sous prétexte que vous ne pourrez jamais rencontrer cet individu ou qu'il serait incapable de vous aider. D'abord, parce qu'il pourrait vous surprendre, puis parce qu'il pourrait vous présenter à des gens en mesure de vous renseigner. Utilisez le tableau de votre réseau de contacts qui suit ou effectuez votre propre analyse.

*Un consultant en transition de carrière travaillait avec un groupe d'employés d'un entrepôt d'un petit parc industriel. Ces hommes étaient très sceptiques à l'idée de parler à tous ceux qu'ils connaissaient afin de trouver du travail. Cependant, lorsque chacun demanda à l'autre comment il avait obtenu son nouvel emploi, la réponse était toujours «grâce à un contact». Peu après cette discussion, une femme qui conduisait une cantine mobile arriva. Ils lui demandèrent, en plaisantant, si elle était au courant de possibilités de travail. Le lendemain, elle revint pour annoncer au groupe qu'un entrepôt un peu plus loin embauchait. Quelques hommes postulèrent et deux d'entre eux décrochèrent un emploi grâce à cet heureux hasard de réseautage.*

**Pensez-y!** Songez à communiquer avec des personnes qui ont réussi à compléter une recherche d'emploi semblable à la vôtre. Elles pourraient être heureuses de partager certains renseignements, contacts ou conseils.

# Tableau de votre réseau de contacts

**CARRIÈRE**

Experts techniques — Ressources humaines — Cadres supérieurs — Consultants — Directeurs de service — Spécialistes — Pairs — Groupes de réseautage — Groupes récréatifs — Groupes professionnels

Coiffeur — Anciens employés — Anciens employeurs — Clients — Contractuels — Fournisseurs — Groupes communautaires — Groupes religieux

**COMMUNAUTAIRE** — Écoles — Associations sectorielles

**PROFESSIONNEL**

Agent d'assurances — Avocat — Banquier — Optométriste — Comptable — Collègues

Agent immobilier — Vétérinaire — Dentiste — Planificateur financier — Commerçants

**PERSONNEL**

Voisins — Proches — Famille — Amis — Collègues de classe — Groupes de bénévolat — Groupes de campagnes de financement — Groupes de femmes

## Classez cette liste par catégories

Pour en faciliter l'utilisation, vous devez trier les noms sur votre liste. Les trois catégories suivantes sont habituellement suffisantes :

| | |
|---|---|
| **Première catégorie :** | Incluez les gens que vous connaissez bien et avec qui vous êtes à l'aise, dont les membres de votre réseau de soutien original, vos conseillers, vos personnes-références, vos collègues de travail et vraisemblablement quelques amis ou membres de votre famille. Il s'agit des personnes avec qui vous communiquerez en premier afin de vous familiariser avec le processus de réseautage. |
| **Deuxième catégorie :** | Regroupez ici les gens que vous connaissez moins bien ou qui sont moins faciles d'accès. Incluez également ceux qui sauront probablement qui vous êtes et seraient enclins à vous rencontrer sans présentation préalable. Vous communiquerez avec ces personnes à mesure que votre confiance et votre compétence dans le système de réseautage augmenteront. |
| **Troisième catégorie :** | Incluez les personnes qui ont un poste de niveau plus élevé que vous ou qui sont plus expérimentées, les rendant ainsi plus difficiles d'accès. Ajoutez aussi les gens qui semblent occupés, distants ou inatteignables ainsi que ceux que vous n'avez pas rencontrés parce qu'il faudrait vous les présenter ou vous les recommander. |

## Relisez vos objectifs et planifiez vos appels

L'ordre que vous déterminerez pour effectuer vos appels de réseautage ne doit pas être aléatoire. Poursuivez vos objectifs le plus efficacement possible tout en vous familiarisant avec le processus de réseautage. N'appelez d'abord que les personnes de la première catégorie. Dites-leur que vous souhaitez discuter avec elles de vos objectifs et de vos projets de recherches afin d'obtenir leurs avis à ce sujet. Ensuite, lorsque vous téléphonerez aux gens de la deuxième et troisième catégorie, vous devrez définir davantage votre approche.

---

**Pensez-y !** Classez vos noms selon vos objectifs. D'abord, entrez en relation avec les personnes de la première catégorie qui pourraient vous aider à vous rapprocher de votre objectif A. Puis, passez à d'autres catégories et objectifs à mesure que votre niveau de confiance augmente et que vos buts à atteindre se clarifient.

---

La préparation qui précède le contact téléphonique fait partie intégrante d'un bon réseautage. Vous ne voulez pas faire d'appels trop importants dès le début du processus, mais vous ne pouvez pas non plus attendre des mois avant de communiquer avec quelqu'un qui vous a été recommandé. Autre point à considérer : il est préférable d'être recommandé à des personnes influentes par quelqu'un qu'elles respectent.

Avant de décrocher le combiné, suivez ces conseils pour vous assurer d'être fin prêt.

CONSEILS PRÉPARATOIRES POUR LES PREMIERS APPELS

- Concentrez-vous sur une personne à la fois.
- Déterminez la prochaine personne à appeler en vous basant sur:
  - Votre niveau de confort quant au processus de réseautage et où vous en êtes dans la poursuite de vos objectifs.
  - Votre certitude que le contact qui vous a recommandé est le mieux placé pour vous présenter à elle.
  - Le moment où l'on vous a suggéré son nom. Appelez-la pendant que la suggestion est encore fraîche.
  - L'aide qu'elle pourrait vous apporter.
- Une fois que vous avez choisi un nom, documentez-vous. Révisez ou revoyez ce que vous avez appris à son sujet grâce à votre personne-ressource ou dans le cadre de votre propre enquête. Effectuez des recherches sur son entreprise, son secteur d'activité ou tout ce qui pourrait donner lieu à une discussion pertinente.
- Si ce contact est issu d'un secteur d'activité qui vous est moins familier, mettez la main sur de récents exemplaires de bulletins ou de publications spécialisées pour connaître les tendances et les enjeux actuels.
- Songez à ce qui pourrait l'intéresser dans votre expérience, vos connaissances et vos recherches.
- Avant de planifier ce que vous direz au téléphone, créez un programme préliminaire pour la rencontre de réseautage.
- Si vous connaissez la personne, comment pourrez-vous réengager la conversation amorcée lors de votre dernière rencontre?
- Si vous ne la connaissez pas, qu'allez-vous dire au sujet de celui ou celle qui vous l'a recommandée? Pourquoi vous a-t-on suggéré de l'appeler?
- Pourquoi souhaitez-vous la rencontrer? Que comptez-vous apprendre?
- Lors de la rencontre, quelles questions clés pourriez-vous poser pour l'inviter à prendre la parole?
- Planifiez votre appel afin d'y inclure l'invitation à la rencontre.

**Pensez-y!** Il ne s'agit pas de solliciter à froid, mais de suivre des suggestions qui ont été émises par vos personnes-ressources. Le réseautage le plus efficace consiste à communiquer avec les gens que vous connaissez et à vous faire référer à l'intérieur de leur réseau de contacts.

*Une spécialiste en communications et en relations publiques cherchait un autre emploi alors que les conditions du marché étaient plutôt défavorables. Elle demanda à rencontrer le vice-président des communications de la société de son conjoint. Lors de cet entretien de réseautage, elle obtint le nom des contacts de quatre entreprises qui fournissaient des services de communications à cette société et qui appréciaient leur rapport avec le vice-président en question. Elle appela ces personnes et se rendit compte que le fait de mentionner le nom du vice-président avait quelque chose de magique. Des rencontres furent immédiatement fixées avec les quatre contacts et elle put leur offrir un aperçu pertinent de la culture de la société de son conjoint. Même s'il n'y avait pas de débouchés immédiats chez ces fournisseurs, elle obtint 14 pistes. Trois mois plus tard, une de ces pistes se transforma en contrat qui évolua en un emploi à temps plein.*

**Pensez-y!** Ne vous croyez pas obligé d'organiser des rencontres pendant l'heure du dîner. Il est souvent plus facile de prévoir un bref entretien au bureau du contact, d'autant plus qu'une série de repas de réseautage peut s'avérer onéreuse. Si vous suggérez un dîner, préparez-vous à le payer.

## L'appel

Le but de votre appel est d'organiser une rencontre en personne d'environ 15 à 30 minutes. Cela peut vous sembler court, mais c'est le temps que la plupart des gens s'engageront volontiers à vous consacrer. Lorsque vous énoncerez la raison de cet entretien, soyez honnête, bref et enthousiaste. Ne tentez pas de dissimuler votre objectif afin de les intriguer et ne laissez pas présager les avantages qu'ils pourraient en tirer. Vous souhaitez obtenir de l'information, des conseils et des pistes concernant une profession, un secteur d'activité ou une entreprise. Si la rencontre s'avère avantageuse pour votre contact, tant mieux!

**Pensez-y!** Les rencontres en personne sont plus efficaces que les entretiens téléphoniques. Vous obtiendrez probablement plus d'informations, de pistes et de recommandations et votre contact se souviendra de vous.

CONSEILS POUR SOLLICITER UNE RENCONTRE

- Téléphonez à vos contacts pendant les heures de bureau. Cependant, si vous ne réussissez pas à les joindre au bout d'une semaine, essayez avant ou après les heures de travail habituelles, car ils pourraient répondre personnellement à leur téléphone.
- Levez-vous lors de vos entretiens téléphoniques. Cette astuce vous aidera à paraître plus confiant. Votre voix communiquera votre sourire. Ralentissez votre débit, surtout lorsque vous donnerez vos nom et numéro de téléphone.
- Utilisez un système qui vous permet d'écouter et de changer votre message téléphonique, si possible.
- Ayez votre agenda en main et soyez prêt à suggérer quelques dates et heures de rendez-vous.
- Préparez-vous à chacune de ces trois possibilités:
  - Parler directement avec la personne que vous espérez rencontrer.
  - Laisser un message sur sa boîte vocale.
  - Parler avec son adjointe administrative
- Employez le même scénario de base, en le modifiant légèrement selon le cas. Exercez-vous à voix haute avant l'appel.
- Mentionnez clairement votre nom et celui de la personne qui vous a recommandé de lui parler.
- Indiquez que vous souhaiteriez convenir d'une courte rencontre, de 15 à 30 minutes tout au plus, et expliquez pourquoi en une ou deux phrases. Planifiez soigneusement les termes que vous emploierez. Évitez d'être vague ou trop loquace.
- Si vous réussissez à joindre votre contact directement, tentez d'éviter que l'entretien se fasse au téléphone. Réitérez votre volonté de vous rendre à son bureau. S'il est très occupé, soyez prêt à convenir d'un rendez-vous à une date éloignée. S'il insiste pour que la conversation se fasse

immédiatement, vous devrez vous y plier. Donnez des versions abrégées de vos messages clés, posez vos questions et demandez des recommandations.

- Dans le cas de la boîte vocale, soyez le plus bref possible, suggérez un moment qui vous conviendrait et terminez en exprimant que vous lui seriez très reconnaissant s'il acceptait de vous rencontrer. Le message ne devrait pas excéder 30 secondes.
- Inscrivez une date de suivi à faire une semaine plus tard dans votre agenda. Le deuxième message sur la boîte vocale devrait simplement indiquer votre nom, la personne qui vous a recommandé et une demande de rencontre.
- Parler à l'adjointe administrative est souvent une bonne solution. Même si son rôle est d'agir comme portier, vous pourriez discuter avec cette personne afin d'en faire votre alliée pour fixer un rendez-vous. Demandez-lui quel serait le moment opportun pour parler avec son patron.
- Si vous avez de la difficulté à communiquer par boîte vocale ou avec l'adjointe, persistez en appelant chaque semaine. Ne les harcelez pas, mais paraissez dynamique et certain que l'entretien aura lieu un jour.
- Lorsqu'un rendez-vous est fixé, mentionnez à nouveau l'heure et l'endroit afin de le confirmer. Assurez-vous de savoir exactement comment vous y rendre avant de raccrocher.

*Une adepte du réseautage utilisa le scénario téléphonique suivant: «Bonjour monsieur Cartier, je m'appelle Jeannette Drouin. J'ai rencontré Frank Cheng hier afin de discuter d'investissements dans le secteur du détail. Il m'a mentionné que vous seriez sûrement en mesure de m'aider. J'ai passé les 12 dernières années auprès de l'entreprise Gestion Actif, où j'ai occupé de nombreux postes axés sur les contrôles et les politiques internes. J'explore actuellement des possibilités afin d'aborder la prochaine étape de ma carrière. Je suis spécialisée en gestion de risques et je m'intéresse aux méthodes de gestion qu'adoptent les entreprises en matière de conformité. Pourriez-vous me rencontrer brièvement à un moment qui vous conviendrait? Je suis disponible chaque après-midi pour le reste de la semaine ainsi que la semaine prochaine.»*

La plupart des gens sont prêts à fixer un rendez-vous de réseautage si l'on entre en relation avec eux de façon franche et s'ils considèrent les raisons comme crédibles. Ils connaissent probablement les défis que peut poser une recherche d'emploi parce qu'ils l'ont vécue ou connaissent quelqu'un qui a traversé ce processus.

.......................................................................................................................................................

**Pensez-y!** Lorsque vous laissez un message sur une boîte vocale, assurez-vous de mentionner lentement et clairement votre numéro de téléphone immédiatement après votre nom. Répétez votre nom à la fin de votre message pour permettre à l'auditeur de bien l'inscrire.

.......................................................................................................................................................

### Approfondissez les recherches et préparez-vous à la rencontre

À présent que votre rendez-vous est fixé, réjouissez-vous! Vous avez surmonté tout un obstacle. Il vous faut maintenant préparer cette rencontre.

Notez tout ce qui a été dit lors de votre entretien téléphonique et relisez ce que votre personne-ressource vous a confié au sujet de ce contact. Établissez des objectifs réalistes qui vous permettront d'avancer dans votre cheminement.

Songez à ce que vous direz sur la personne qui vous a recommandé. Soyez très précis dans la façon dont vous vous décrirez. N'oubliez pas que vous possédez très peu de temps pour aborder plusieurs sujets. Exercez vos messages clés (la version de quatre minutes) en vous chronométrant; il est facile de s'égarer. Formulez trois à cinq questions ouvertes qui permettront à votre contact de prendre la parole. Vous en trouverez une liste à la fin de ce chapitre.

Poursuivez vos recherches sur le secteur d'activité ainsi que l'entreprise et effectuez une vérification de dernière minute des communiqués de presse électroniques. Si vous possédez les toutes dernières informations sur l'entreprise de votre contact, il sera impressionné par votre niveau de préparation et comprendra que vos efforts de réseautage sont sérieux.

*Un spécialiste en marketing passé maître dans l'art du réseautage consultait les communiqués de presse avant de partir pour chacune de ses rencontres. À plusieurs reprises, cette méthode lui permit d'orienter des discussions sur des sujets actuels. Lors d'une soirée en particulier, il entama une conversation concernant les approches de marketing révolutionnaires qui pouvaient être générées grâce à un changement de loi sur la publicité de certains produits. Son contact ignorait que sa société avait publié un communiqué à ce sujet. Les questions ouvertes du spécialiste étaient d'actualité, à un point tel qu'on le considérait comme un devin. Cette rencontre lui permit d'être présenté à plusieurs autres contacts.*

La feuille de travail suivante est semblable à celle que vous avez utilisée au chapitre 12 pour formuler vos cinq messages clés. En ce qui concerne le réseautage, vous devez ajouter de l'information afin d'expliquer qui vous êtes et ce que vous faites pour atteindre vos objectifs A, B et C, en plus de vos questions ouvertes. Il est important d'inviter votre contact à prendre la parole. Chaque rencontre doit se terminer par l'ajout de noms supplémentaires à votre liste de contacts. La feuille de travail offre un exemple de dialogue pour vous guider dans la préparation de vos rencontres de réseautage.

---

## FEUILLE DE TRAVAIL 15.1
### Préparez un entretien de réseautage

---

**Tissez des liens (30 secondes à 1 minute)**
Salutations, poignées de main et échange de cartes d'affaires devraient être accompagnés par une brève conversation servant à briser la glace. «Je vous remercie d'avoir pris le temps de me rencontrer. Je comprends que (faites référence à ce que vous avez en commun ou à la personne qui vous a présenté) _____
_____.»

---

«Je vous ai demandé de me consacrer 15 minutes de votre temps et je tiens à respecter cet engagement, alors j'irai droit au but.»

---

**Profil et survol de carrière (3 à 4 minutes)**
«Si vous le voulez bien, je vais faire un survol rapide de mon expérience et de ce qui m'intéresse en ce moment afin de vous expliquer pourquoi je souhaitais vous rencontrer. Je suis (titre ou profession) _____ .
J'ai passé \_\_\_\_ années dans le secteur _____. Au cours des 10 dernières années, j'ai travaillé avec ou dans (nommez les entreprises, projets, gens ou tout ce qui pourrait être pertinent dans le contexte) _____
_____ .
Plus récemment, j'étais _____ (titre) de (division, service) _____ avec (nom de l'entreprise et une brève description, si nécessaire)où j'étais responsable de (rôle ou mandat)
_____ .
J'ai alors eu l'occasion de (mentionnez des réalisations ou des expériences pertinentes)_____
_____ et _____ .»

---

**Raison de votre départ (30 secondes à 1 minute)**
«Ma fonction chez _____ a pris fin car _____
_____.»
Ou: «J'explore de nouvelles possibilités car _____
_____.»

---

**Ce que vous recherchez (30 secondes)**
«Idéalement, j'aimerais que mes prochaines fonctions me permettent de (décrivez les aspects de vos objectifs A, B et C qui sont pertinents à cette rencontre)_____ ,
et je cherche aussi à_____ .
Une autre option serait de _____.»

**Votre travail de recherche (1 à 2 minutes)**

« Jusqu'ici, j'ai (mentionnez vos recherches, activités de réseautage et entrevues) _____ et _____ . »

« Je vous serais très reconnaissant si vous pouviez me conseiller au sujet de _____ (ou me donner votre avis sur) _____ et vos commentaires quant à mon approche pour _____ . »

**Trois ou quatre questions ouvertes (10 minutes)**

« J'ai cru comprendre que (commencez vos questions en mentionnant la personne qui vous a recommandé ou un élément de vos recherches) _____ et (posez votre principale question ouverte) _____ _____ ? »

(Écoutez et vérifiez l'heure. Posez d'autres questions uniquement si le temps vous le permet.)

« _____ _____ _____ ? »

**Optionnel : Demandez des commentaires sur vos projets (1 ou 2 conseils)**

« Croyez-vous que (réitérez votre objectif A, B ou C) _____ soit réaliste ? »

« Selon vous, de quelle façon devrais-je aborder _____ ? »

« Y a-t-il autre chose que je devrais savoir ? »

**Obtenez des contacts supplémentaires**

« À qui croyez-vous que je devrais parler ? »

« Pourriez-vous m'en dire davantage sur lui (ou elle) ? »

« Pourrai-je mentionner votre nom lors de mon appel ? »

**Pour conclure**

« Je communiquerai avec vous pour vous tenir au courant. Vous m'avez été d'une aide précieuse et je tiens à vous remercier encore une fois pour le temps que vous m'avez consacré. »

**Pensez-y!** Il s'agit ici du seul moment où vous ne devez pas téléphoner dans le seul but de confirmer le rendez-vous; vous pourriez ouvrir une porte à l'annulation.

### Gardez un contrôle sur la rencontre

Relisez les conseils sur la préparation à l'entrevue, car la plupart de ces principes s'appliquent aussi au réseautage. Mettez-vous à la place de votre contact et soyez conscient qu'il ignore probablement s'il sera en mesure de vous aider. Il est important de le mettre à l'aise, sans toutefois parler constamment. Posez les questions, puis écoutez.

Vous serez responsable du temps. Si vous avez demandé 15 minutes, respectez-les, même si cela semble très peu. Mentionnez la durée dont vous aviez convenu afin d'obtenir une confirmation que la rencontre doit se terminer après ce laps de temps ou alors une invitation à discuter plus longuement. Si l'on vous accorde une prolongation, détendez-vous et donnez plus de détails sur votre expérience, vos habiletés et vos champs d'intérêt. Cependant, si vous vous êtes bien préparé, vous devriez pouvoir redonner la parole à votre contact en moins de cinq minutes et obtenir les réponses souhaitées avant la fin du délai prévu.

Considérez chaque entretien de réseautage comme s'il s'agissait de l'entrevue la plus importante de votre processus de recherche d'emploi. Peut-être y obtiendrez-vous une piste qui vous mènera à la perspective d'emploi idéale…

**Pensez-y!** Ne remettez pas votre curriculum vitæ lors de cette rencontre. Vous n'êtes pas là pour solliciter un emploi ni même une perspective d'emploi. Certains évitent carrément d'en apporter afin de ne pas dégager cette image. Vous pourrez le joindre à votre lettre de remerciement si vous jugez ce geste approprié.

### Demandez des noms de contacts

Lors de chaque rencontre de réseautage, vous devez solliciter des suggestions de personnes qui pourraient vous offrir des renseignements ou des conseils. Il est préférable de le faire vers la fin de l'entretien, une fois que vous aurez expliqué votre expérience et vos objectifs. Vous pourriez être suffisamment à l'aise pour demander une recommandation en particulier, par exemple : «Si vous connaissez Fernando Circosta à Design International, vous serait-il possible de me le présenter?» ou «Je serais intéressé à en connaître davantage sur la société Voyage Paradis. Pourriez-vous me suggérer quelqu'un?»

Lorsqu'on vous recommande une autre personne, notez son nom et ses coordonnées. Tentez de découvrir suffisamment d'informations sur chaque personne afin de comprendre pourquoi elle vous a été recommandée et comment elle pourrait vous être utile. Demandez à votre contact l'autorisation d'utiliser son nom lors de votre appel. Témoignez-lui votre gratitude pour ces pistes et engagez-vous à le tenir au courant de vos démarches.

*Un directeur général plutôt introverti se retrouva sur le marché du travail pendant les pires années d'une récession qui toucha particulièrement son secteur d'activité. Il se rendit compte que le réseautage devait être au centre de ses efforts de recherche, mais rien ne le rendait plus nerveux. Son consultant en transition de carrière lui avait assuré qu'il réussirait à décrocher l'emploi souhaité avant son 200e rendez-vous de réseautage. En considérant ce processus comme un jeu de chiffres, le directeur découvrit qu'il était plus facile de se motiver et de mesurer son taux de succès grâce au nombre de recommandations qu'il obtenait. Il assurait un suivi en conservant une collection de cartes d'affaires qu'il comptait régulièrement. À chaque instant, il savait combien il y en avait dans sa pile «personnes rencontrées». Celle-ci en comptait 168 lorsqu'il obtint une excellente offre d'emploi. Son succès découla de sa persistance à sortir et à parler aux gens.*

### Rédigez un compte rendu et une lettre de remerciement

Après chaque rencontre de réseautage, rédigez un compte rendu comme s'il s'agissait d'une entrevue. Utilisez l'exemple de la feuille de suivi pour le réseautage (chapitre 14) afin de noter les faits pertinents. Écrivez une lettre de remerciement le plus rapidement possible et mentionnez un élément précis de la conversation qui vous a particulièrement aidé. Concluez en promettant de tenir votre contact au courant et inscrivez une date de suivi dans votre agenda. Classez ces informations dans votre système d'archivage pour que vous puissiez les consulter lors d'éventuelles rencontres, entrevues ou autres.

### Le suivi

Communiquez avec les gens qui vous ont été recommandés le plus tôt possible. Si vous ne vous sentez pas prêt à faire certains des appels, fiez-vous à votre jugement tout en vous rappelant qu'il faut parfois beaucoup de temps pour fixer un rendez-vous. Si vous planifiez et effectuez vos appels avec soin, votre niveau de confiance aura probablement augmenté d'ici là.

Chaque fois que vous communiquez avec une personne qui vous a été recommandée, remerciez celle qui vous l'a suggérée. Envoyez-lui un courriel, une note, une lettre manuscrite ou laissez un message sur sa boîte vocale. Ce geste tout simple vous permettra d'accomplir trois choses essentielles:

• Il démontre que vous êtes reconnaissant de l'aide qui vous a été fournie.
• Il informe votre personne-ressource que le contact a été établi.
• Il rafraîchit la mémoire de votre personne-ressource qui pourrait songer à vous lorsque d'autres occasions se présenteront.

**Pensez-y!** Lorsqu'une personne vous donne la permission d'utiliser son nom comme référence, elle souhaite être avisée du moment où vous aurez communiqué avec son contact. Vos projets de carrière deviennent souvent un champ d'intérêt que vous partagerez avec ces deux personnes. Tenez donc vos personnes-ressources informées.

Une fois que vous aurez effectué votre rencontre de réseautage, poursuivi toutes les pistes et remercié les gens qui vous les ont offertes, déterminez d'autres moyens de rester en contact avec votre réseau de personnes-ressources. Songez à la manière dont vous pourriez apparaître sur l'écran radar de vos contacts! Il suffit de peu: un message de 30 secondes sur une boîte vocale afin de donner une rapide mise à jour de votre processus ou une carte de souhaits pendant les fêtes. Les conseils suivants vous donneront d'autres idées.

CONSEILS POUR GARDER CONTACT AVEC SES PERSONNES-RESSOURCES

- Adaptez vos efforts de suivi selon chaque individu. Il n'existe pas de méthode universelle quant à la fréquence ou à la forme que doivent prendre vos correspondances.
- Pour votre réseau de soutien et vos conseillers, il faudrait au minimum un contact mensuel. Pour d'autres, il pourrait se faire aux six mois. Faites preuve de jugement.
- Utilisez la boîte vocale, le courriel, les notes ou les lettres manuscrites, en vous assurant que le message soit bref.
- N'incluez pas toutes vos personnes-ressources dans une liste d'envois massifs de courrier électronique. Vos contacts seront frustrés de fréquemment recevoir des messages qui ne leur sont pas nécessairement pertinents.
- Lorsque vous assistez à une conférence intéressante ou lisez un article ou un livre instructif, envoyez un court message à ceux que cela pourrait intéresser.
- Si vous souhaitez assister à une conférence, pensez à inviter quelqu'un de votre réseau qui serait intéressé à vous y accompagner.
- Si vous connaissez quelqu'un qui pourrait vous fournir des renseignements précieux dans l'optique d'une rencontre de réseautage ou d'une entrevue, appelez-le. La plupart des gens répondent volontiers à des questions comme : «Je dois rencontrer Hélène Saucier mardi prochain et je me demandais depuis combien de temps elle travaille chez Consultation Ingénierie et quels étaient ses emplois précédents?»
- Félicitez vos contacts lorsqu'ils obtiennent une promotion ou changent d'employeur.
- De même, si une connaissance commune reçoit une promotion ou change d'emploi, vérifiez si votre contact est au courant de la bonne nouvelle.
- Souvenez-vous des détails personnels mentionnés lors de vos rencontres. Si vous savez qu'un contact vient tout juste de revenir de vacances, mentionnez-le dans votre prochain message ou lors d'une conversation. Soyez au fait de ce qui se passe du côté de sa famille ou d'événements personnels s'il vous en a fait part.
- À l'occasion, et si votre budget vous le permet, invitez votre contact à déjeuner ou à dîner.
- L'essentiel est de maintenir vos contacts à jour quant à votre recherche d'emploi, surtout si vous changez vos objectifs A, B ou C.

---

**Pensez-y!** La période des fêtes ainsi que les mois de juillet et août sont d'excellents moments pour organiser des rencontres de réseautage. Avec une grande partie des gens en vacances, ceux qui restent au bureau auront probablement plus de temps à vous consacrer et ressentiront vraisemblablement moins de pression qu'à d'autres périodes de l'année.

---

### Le réseautage : un style de vie

Ne faites pas l'erreur de négliger ou d'oublier votre réseau une fois que vous aurez décroché un emploi. Restez en contact au moins deux fois par année et cherchez les occasions de donner un coup de main. Soyez proactif en offrant votre temps et vos talents. Organisez des conférences sur votre domaine d'expertise, participez à des campagnes de financement, recommandez des candidats lorsque vous êtes au courant d'une possibilité d'emploi et présentez des gens à votre réseau.

Faites-vous connaître dans votre secteur d'activité en participant activement à des associations professionnelles. En vous joignant à des comités ou à des projets spéciaux, vous pourrez collaborer avec des gens que vous n'auriez jamais connus autrement. En acceptant un siège au sein d'un conseil d'administration, vous pourrez également élargir votre réseau de contacts et affermir votre réputation.

Songez à devenir bénévole pour un organisme récréatif, politique ou caritatif qui reflète vos valeurs. Lorsque vous consacrez du temps à une cause qui vous tient à cœur, vous augmentez vos chances de rencontrer des personnes qui partagent votre façon de penser. Parlez avec les organisateurs et les administrateurs de ces groupes. Les contacts qui ne sont pas issus de votre vie professionnelle peuvent s'avérer plus précieux encore que votre réseau habituel lorsque vous aurez besoin de conseils pour des problèmes au travail ou lors d'une transition de carrière.

Assistez à des soirées d'affaires. Devenez un membre actif de votre communauté. Suivez des cours, participez à des conférences ou des ateliers. Soyez proactif en vous présentant lors de ces activités. Posez des questions sur les gens que vous souhaitez rencontrer et renseignez-vous sur ce qu'ils font. Le monde est petit et vous serez surpris par tout ce que vous avez en commun avec eux.

**Pensez-y!** Combien de fois vous est-il arrivé de communiquer avec quelqu'un pour ensuite vous dire : « J'aurais dû attendre trois semaines avant de faire cet appel » ? Probablement jamais, car il est beaucoup plus fréquent de regretter de ne pas avoir appelé plus tôt. Cessez de tergiverser.

CONSEILS POUR SURMONTER LES OBSTACLES DU RÉSEAUTAGE

**Lorsqu'une personne vous offre de remettre votre curriculum vitæ à quelqu'un d'autre**

- Il peut arriver qu'un contact vous offre de remettre un exemplaire de votre curriculum vitæ à certaines personnes pour vous. Au mieux, cette proposition est pleine de bonnes intentions et l'individu le fera. Au pire, il s'agit d'un moyen pour clore la conversation. Peu importe la raison, vous ne pouvez être assuré que votre expérience, vos habiletés et vos projets de carrière seront adéquatement présentés par cet intermédiaire.
- Il est possible que vos efforts de réseautage soient ternis lorsqu'une autre personne distribue votre CV, car ce geste pourrait donner l'impression que vous êtes désespéré.
- En permettant à quelqu'un d'autre de remettre votre curriculum vitæ, vous fermez la porte à la possibilité d'assurer un suivi.
- Il vaut mieux que vous conserviez le contrôle du processus. Remerciez les gens qui vous l'offrent et demandez-leur s'ils pourraient vous donner les noms pour que vous puissiez vous-même entreprendre les démarches.
- Dans certains cas, il pourrait être préférable de laisser votre contact distribuer votre curriculum vitæ. Mais la plupart du temps, il est préférable qu'on vous donne une liste de gens à contacter.
- Demandez à cette personne si vous pouvez utiliser son nom lorsque vous communiquerez avec les contacts qu'elle vous a suggérés et tentez de recueillir le plus de renseignements possible sur chacun d'eux.

## Développez de nouveaux contacts

- Après quelques mois de réseautage actif, vous pourriez avoir l'impression d'entendre les mêmes nouvelles et de vous faire répéter les mêmes noms. Cela signifie que votre réseau tourne en rond et que vous devez en intégrer un autre.
- Afin d'élargir vos horizons, explorez une idée nouvelle avec vos contacts existants pour déterminer si d'autres références sont disponibles.
- Communiquez avec les fournisseurs du secteur d'activité qui vous intéresse.
- Rendez-vous dans une autre ville afin d'y faire du réseautage pendant une semaine (ce geste nécessite de la planification et une volonté de déménager).
- Choisissez un autre secteur d'activité qui vous intéresse et demandez à vos contacts existants de vous présenter à des gens qui y appartiennent.
- Les directeurs d'associations professionnelles sont souvent généreux en matière de renseignements et de recommandations.
- Demandez à votre conseiller financier de vous présenter à un analyste industriel. Ceux-ci connaissent en profondeur des secteurs d'activité et les gens qui y sont influents.

## Communiquez avec vos contacts de la troisième catégorie

Lors du classement de vos contacts, vous avez inscrit certaines personnes dans la troisième catégorie soit parce que vous ne les connaissiez pas ou parce qu'elles vous semblaient inaccessibles. Au fil de vos rencontres, vous avez sûrement ajouté des noms à cette catégorie.

- Concentrez vos recherches et vos conversations sur ces individus afin d'en apprendre le plus possible sur eux.
- Si l'un d'entre eux doit prononcer une allocution lors d'une conférence, faites tout en votre pouvoir pour y assister. Posez-lui une question réfléchie si l'occasion se présente.
- Découvrez qui les connaît et tentez d'organiser une rencontre avec une de leurs connaissances.
- Pensez stratégiquement à qui pourrait vous donner la recommandation la plus persuasive. Si vous pouvez utiliser le nom d'une personne très importante aux yeux de celui ou celle que vous souhaitez rencontrer, vos chances d'obtenir un rendez-vous seront alors décuplées.
- Soyez franc avec vos contacts quand vous leur direz que vous cherchez une occasion de rencontrer ces personnes. Lorsque vous savez que quelqu'un a la possibilité de vous présenter à l'une d'entre elles, demandez-lui s'il se sentirait à l'aise de le faire.
- Même lorsqu'une personne semble inaccessible, quelqu'un dans votre entourage pourrait la connaître, vous rapprochant ainsi de la possibilité de lui parler.

*Après avoir effectué des recherches au sujet des récents changements dans le secteur de la santé, le directeur des installations d'un important conseil d'établissement scolaire voulait savoir si ses compétences pourraient s'appliquer à ce domaine. Afin d'évaluer la possibilité de se « commercialiser », il organisa une rencontre de réseautage avec le directeur général d'un grand hôpital du centre-ville. Il utilisa cet entretien afin de vérifier ce qu'il avait appris et d'amasser plus d'informations concernant l'impact des compressions budgétaires sur ce domaine. Lors de la conversation, il reçut d'excellents conseils sur la façon dont il pouvait parler de son expérience pour mieux l'aligner aux impératifs du secteur de la santé. En suivant ces conseils, il rédigea un brouillon de son curriculum vitæ et l'envoya à son contact pour obtenir ses commentaires. Ce dernier fut impressionné, à la fois par le CV et par l'intérêt dont il fit preuve, et lui fournit d'autres précieuses pistes pour du travail contractuel et de consultation.*

### *Liste de questions à poser lors d'une rencontre de réseautage*

Ces questions ont pour objectif de diriger votre processus de réflexion, mais elles doivent être adaptées en fonction de l'individu et des circonstances entourant la rencontre. Les meilleures questions découleront donc de vos recherches. Lorsque vous commencez par «J'ai lu récemment un article sur vos acquisitions au Chili», votre contact sera plus enclin à vous communiquer des renseignements utiles.

- Les questions portant sur les tendances, les secteurs d'activité, les entreprises et les employés (présentées au chapitre 9) sont excellentes à poser lors de rencontres de réseautage.
- Demandez à votre contact de décrire son expérience :
  - Quel est votre parcours au sein de cette société ?
  - Quelles étaient vos fonctions précédentes ?
  - Où travailliez-vous avant de vous joindre à cette société ?
- Renseignez-vous sur son poste actuel :
  - De quelle façon votre société est-elle structurée et où se situe votre service ?
  - Comment votre service est-il organisé ?
  - Quel est votre mandat ?
  - Selon vous, à quelles problématiques vous attaquerez-vous au cours des 18 prochains mois ?
  - Quelle pourrait être la prochaine étape pour vous ?
- Informez-vous sur le secteur d'activité et le marché :
  - Comment définiriez-vous l'avantage concurrentiel de votre société ?
  - Quelle direction croyez-vous que _____ prendra ?
  - Quel est votre attitude par rapport à _____ ?
  - Quelles compétences sont les plus recherchées dans votre secteur d'activité (entreprise) ?
  - Existe-t-il des livres ou des approches de gestion qui sont populaires au sein de cette entreprise (ce secteur d'activité) ?
  - À quels chasseurs de têtes ou à quelles agences de placement a recours votre entreprise ?
- Demandez des commentaires sur vos projets :
  - Croyez-vous que mes compétences et mon expérience pourraient s'avérer utiles dans le domaine _____ ?
  - D'après vous, ai-je de bonnes chances de changer pour le secteur _____ ?
  - Avec mon expérience, quel type de poste pourrais-je espérer obtenir dans ce secteur d'activité ?
  - À qui d'autre devrais-je parler ?

# Chapitre 16

# *Internet, les offres d'emploi,*
# *les chasseurs de têtes et les agences de placement*

*Lorsque utilisées efficacement, les techniques de recherche réactive sont une valeur ajoutée.*

Bien qu'il soit important de sortir et de parler aux gens, vous devez également effectuer des recherches sur Internet et dans les journaux afin d'y trouver des offres d'emploi, ainsi qu'auprès des chasseurs de têtes et dans les agences de placement. Apprenez à utiliser ces méthodes de façon avantageuse afin de les intégrer à vos stratégies. Vous ne pouvez ignorer ces recherches, mais ne leur consacrez du temps qu'en fonction de leur efficacité. Ne vous découragez pas si ces efforts ne portent pas leurs fruits rapidement.

### Internet

Internet est un outil puissant pour les professionnels du recrutement car il leur permet de recevoir plus de curriculum vitæ que les méthodes traditionnelles. Le peu de frais engendré par l'affichage en ligne, la réception de l'information par courriel et le filtrage électronique pour le tri préliminaire ont permis à Internet d'éclipser les offres d'emploi traditionnelles dans les journaux. Le chercheur d'emploi bénéficie aussi du plus grand nombre de postes affichés et de l'efficacité de cette technologie.

Cependant, Internet ne peut représenter une solution magique qui transforme la recherche ardue d'un emploi en une tâche simple comme bonjour. Le succès sans effort n'est pas garanti, surtout lorsqu'il est question de postes de cadre ou de spécialiste. Malgré tout, vous ne devez pas balayer du revers de la main le potentiel que cet outil représente. Afin d'exploiter efficacement Internet pour vos recherches, vous devrez faire preuve de sélectivité et de discipline. Concentrez-vous sur vos objectifs, sinon une panoplie d'informations et de publicités pourrait vous distraire et vous faire perdre votre temps.

Le recrutement par l'entremise des sections « carrières » des sites Internet d'entreprises a connu une croissance fulgurante au cours des dernières années. Pratiquement toutes les multinationales ainsi que de nombreuses PME possèdent une page sur leur site destinée à attirer des candidats qualifiés et à promouvoir l'entreprise. Vous pouvez accéder à une liste de postes affichés et postuler directement en suivant les instructions. Ainsi, vous avez la chance d'entrevoir quels sont les besoins actuels dans vos secteurs-cibles. Vous pouvez y apprendre énormément sur les défis et les perspectives d'une société en plus de recueillir de précieuses informations en vue de vos rencontres de réseautage et de votre préparation au processus d'entrevue.

**Pensez-y!** Les sections «carrières» des sites Internet n'offrent pas toujours une liste de tous les postes vacants au sein de l'entreprise. Ceux de haut niveau sont rarement affichés et les occasions encore au stade de la planification ne le sont jamais non plus. Le réseautage demeure la seule façon de dénicher des perspectives d'emploi qui ne sont pas publiées.

Il existe des milliers de sites de recrutement en ligne dans le cyberespace, dont quelques-uns affirment contenir des centaines de milliers de postes vacants. Certains se consacrent à un secteur d'activité ou une profession en particulier. Ils peuvent être québécois, canadiens, nord-américains ou internationaux. La plupart des associations sectorielles et professionnelles possèdent une section «carrières» sur leur site. Vous pouvez vous y perdre. Prenez d'abord le temps de déterminer quels sont les sites qui affichent des postes de votre niveau dans les secteurs d'activité et la région qui vous intéressent.

Choisissez quelques offres et inscrivez-vous en utilisant leur service automatisé d'avis sur les emplois disponibles ou leurs agents personnels de recherche d'emploi. Ces agents électroniques sont des moteurs de recherche que vous créez en utilisant des mots clés et des titres d'emploi qui s'appliquent à vous. Ils repèrent les compatibilités entre votre profil et leurs offres et vous font parvenir leurs trouvailles sur une base régulière. Procurez-vous un autre compte de courrier électronique à cette fin pour protéger votre vie privée. Quand vous aurez terminé vos recherches, vous pourrez vous départir de ce compte.

La création d'agents de recherche efficaces nécessitera également un important investissement de temps. Les principaux sites de recrutement vous invitent à en créer plusieurs. Découvrir les titres et les mots clés qui génèrent les résultats appropriés pourrait vous prendre quelques semaines de travail. Comparez les offres que vos agents vous envoient par courriel à celles que vous avez repérées lors de vos propres recherches. Ainsi, vous saurez si l'information que vous avez indiquée correspond aux bonnes offres. Persistez! Cette partie de votre recherche d'emploi sur Internet saura grandement récompenser vos efforts.

*Un architecte, qui était passé d'un poste de gestion intermédiaire à celui de cadre supérieur dans une importante société immobilière, constata que l'utilisation du terme «architecte» pour ses agents de recherche n'était pas utile. Le secteur des technologies de l'information avait usurpé le terme afin de décrire les créateurs de systèmes et de programmes. De plus, il découvrit qu'il n'existait pratiquement pas d'offres d'emploi pour les architectes qui conçoivent des structures physiques sur ces sites de recrutement. À force d'essayer, il put déterminer que l'utilisation des mots «gestionnaire» et «cadre» jumelés à «immobilier» générait les résultats souhaités.*

**Pensez-y!** Une fois que vous aurez effectué vos recherches, déterminez les sites de recrutement qui vous conviennent et configurez-y quelques agents électroniques, sans toutefois y consacrer plus de 10 pour cent de votre activité de recherche et de votre énergie. Laissez ces agents travailler pour vous pendant que vous poursuivez vos activités de réseautage.

Ces sites vous offrent également la chance d'y afficher votre curriculum vitæ, que les employeurs pourront consulter grâce à des technologies de recherche parfois très sophistiquées. Ainsi, ces derniers ont la possibilité de communiquer avec vous et de vous inviter à postuler pour un emploi approprié. Si elle semble alléchante, sachez que cette proposition peut comporter des inconvénients. On dénote plusieurs incidents de vol d'identité. Les bases de données contenant les curriculum vitæ et les adresses de courriel des chercheurs d'emploi sont parfois vendues ou volées. Pour vous, les conséquences pourraient être importantes.

**Important:** Si vous choisissez d'afficher votre CV sur Internet, préparez-vous à recevoir des courriels et des appels non sollicités vous proposant, entre autres, d'effectuer vos recherches à votre place, de vous mettre en contact avec des sociétés ou encore de décrocher pour vous l'emploi idéal en peu de temps. Ces offres peuvent dissimuler de nombreux motifs comme le paiement d'honoraires pour un travail dont vous ne verriez pas la couleur. Elles pourraient aussi servir de prétexte pour vous persuader d'investir dans un nouveau commerce ou dans un système de vente pyramidale. Soyez prudent lorsque vous répondez à ce genre d'offres.

### Offres d'emploi dans les journaux, les bulletins et les revues commerciales

Les offres d'emploi publiées par le biais des annonces sont encore nombreuses. Jusqu'à ce qu'Internet remplace complètement le matériel imprimé, vous devez lire attentivement les quotidiens en plus des journaux et des bulletins de votre secteur d'activité. Vous y croiserez cependant certaines annonces qui sont également affichées sur des sites de recrutement et d'entreprises.

En épluchant ces publications, assurez-vous de ne pas manquer des articles ou des avis qui pourraient annoncer un changement s'opérant au sein de certaines sociétés. Ces renseignements pourraient s'avérer utiles pour vos efforts de réseautage et signaler des possibilités de débouchés sous peu.

*Un directeur des ventes du secteur hôtelier lut qu'un conglomérat avait acquis quelques bateaux de croisière. Comprenant que cela créerait un besoin supplémentaire de directeurs, il téléphona au président de la société souhaitant effectuer cette acquisition pour lui témoigner son intérêt. Ce dernier était en vacances en Espagne, mais lorsqu'il prit ses messages, il fut si impressionné qu'il rappela le directeur des ventes personnellement et organisa une rencontre avec lui dès la première journée de son retour au bureau.*

Bien qu'elles empruntent des voies différentes, ces deux sources principales d'offres d'emploi – l'imprimé et Internet – devraient être considérées comme une seule, car elles représentent des stratégies identiques pour l'employeur. Dans chaque cas, celui-ci annonce un poste vacant à un grand nombre de personnes afin de récolter le plus de curriculum vitæ possible. Vous ferez partie de centaines ou de milliers de candidats pour cette offre. Vos chances d'être choisi pour une entrevue sont les mêmes, qu'il s'agisse d'un poste affiché sur Internet ou publié dans les journaux.

### Les chasseurs de têtes et les agences de placement

Les chasseurs de têtes et les agences de placement jouent un rôle important dans la recherche d'emploi active. Cependant, n'allez pas penser que vous pouvez vous contenter de vous inscrire auprès de quelques-uns d'entre eux et attendre patiemment les résultats. Ils n'ont pas d'intérêt particulier à vous trouver un emploi. Ils travaillent pour leurs clients (les entreprises) et se concentreront sur vous seulement si vous répondez aux critères d'un de leurs mandats. Si votre candidature ne correspond à aucun poste, ils conserveront votre profil dans leur base de données pendant une période pouvant s'étendre de six mois à de nombreuses années. Comme leur politique diffère, c'est à vous de maintenir le contact afin de faire en sorte que votre candidature ne soit pas oubliée.

---

**Pensez-y!** Même quand les chasseurs de têtes et les agences de placement ont vos renseignements entre leurs mains, vous devez continuer à consulter leurs annonces et les postes affichés sur Internet. Lorsqu'une offre vous intéresse, vous pouvez soit appeler votre contact ou soumettre à nouveau une demande. Ne prenez pas pour acquis que vous serez automatiquement dans le processus de sélection.

---

Cela dit, la plupart des recruteurs sont intéressés à établir des rapports avec un grand nombre de personnes et à suivre leur carrière. Leur travail repose sur leurs connaissances de «qui fait quoi» dans les secteurs d'activité qu'ils desservent et ils sont conscients des gestes stratégiques que doit poser un individu souhaitant gravir les échelons du succès. Aussi, entrer en relation avec quelques recruteurs devrait faire partie de votre plan de recherche d'emploi. Il vous sera nécessaire d'avoir un bon contact de réseautage pour vous présenter, à moins bien sûr d'être pressenti pour un de leurs mandats. Être introduit par quelqu'un faisant partie de leur base de clients s'avère souvent efficace.

---

**Pensez-y!** Les recherchistes sont les trésors cachés de plusieurs cabinets-conseils en recherche de cadres. Leur travail consiste à compiler la liste initiale de candidats qualifiés pour un mandat. Souvent plus accessibles que leurs collègues, elles prendront le temps de vous parler au téléphone. Une fois les liens tissés, ces personnes peuvent devenir une source précieuse de renseignements.

---

Les cabinets-conseils en recherche de cadres, également connus sous le nom de «chasseurs de têtes», diffèrent des agences de placement car ils se concentrent principalement sur les cadres et les professionnels de haut niveau. Leur rémunération s'effectue habituellement sous forme d'honoraires payés à l'avance, qu'ils aient réussi à identifier le candidat idéal pour la société ou pas. Une fois que vous aurez été choisi par un chasseur de têtes dans le cadre d'un de ses mandats, celui-ci travaillera très fort pour vous aider.

La plupart des cabinets-conseils en recherche de cadres affichent les postes à pourvoir sur leur site Internet, ce qui vous permettra d'évaluer votre compatibilité avec eux. Plusieurs d'entre eux offrent également un service d'affichage confidentiel de curriculum vitæ pour que les employeurs puissent se renseigner sur les candidats potentiels. Certains chasseurs de têtes vous demandent aussi de remplir un long questionnaire en ligne de façon à vous identifier auprès d'eux. Plusieurs ont relié leur site à des sites de recrutement. Avant d'y afficher votre curriculum vitæ, lisez leur politique de confidentialité.

*Un directeur de l'exploitation d'une importante société de services publics, devenu virtuose de la recherche d'emploi active, demandait à la plupart des gens qu'il rencontrait d'identifier les chasseurs de têtes et les agences de placement qu'utilisait leur employeur. Il put ainsi réduire sa liste à ceux qui nécessitaient une attention et un contact continus, rendant son travail de recherche beaucoup plus efficace.*

Les agences de placement se spécialisent souvent dans des secteurs spécifiques. Les emplois qu'elles proposent peuvent être permanents, temporaires, saisonniers ou contractuels. Elles travaillent habituellement pour des honoraires proportionnels aux résultats, c'est-à-dire qu'elles se font payer lorsqu'un de leurs candidats est embauché. Si certaines agences (américaines, notamment) facturent un coût supplémentaire au candidat, cette pratique n'est pas très répandue au Canada. Les agences de placement s'intéressent à vous dans la mesure où vos compétences correspondent à leurs mandats actuels.

Effectuez des recherches afin de déterminer quelles sont les agences les plus actives et respectées dans votre secteur d'activité. Maintenez le contact avec quelques-unes d'entre elles en consultant régulièrement leur site Internet ou en appelant occasionnellement pour vous enquérir des nouvelles perspectives d'emploi.

## CONSEILS POUR TRAVAILLER AVEC DES CHASSEURS DE TÊTES OU DES AGENCES DE PLACEMENT

- Ne vous attendez pas à ce qu'ils fassent tout le travail pour vous. Vous ne devriez pas leur consacrer plus de 10 pour cent de votre temps et votre énergie, à moins d'être pressenti pour un mandat.
- Utilisez votre réseau afin de déterminer quels chasseurs de têtes ou quelles agences de placement se spécialisent dans des mandats correspondant à votre expérience et à vos compétences. Consultez fréquemment leur site Internet et tentez d'entrer en relation avec un de leurs représentants.
- Certains employeurs n'affichent pas leurs postes disponibles sur leur propre site et préfèrent retenir les services d'un petit groupe de chasseurs de têtes et d'agences de placement pour tous leurs besoins en matière de recrutement. Découvrez lesquels sont sollicités par les entreprises qui vous intéressent et gardez contact avec eux.
- Si vous entrez en relation avec une société pour un poste dont le recrutement a été confié à une agence, vous serez probablement redirigé vers celle-ci. Si la société choisissait de procéder de son côté, une dispute pourrait éclater au sujet des honoraires. Vous pourriez vous retrouver au cœur du conflit et ainsi perdre toutes vos chances d'obtenir le poste.
- Si vous entrez en contact avec plus d'une agence de placement, vous pourriez être présenté plusieurs fois pour le même poste, ce qui n'est pas souhaitable. Vous devez donc refuser l'offre que vous fera la seconde agence.
- Les recruteurs sont des spécialistes de l'entrevue. Ils enquêteront sur votre passé en utilisant un éventail de techniques d'entrevue, surtout celle des questions comportementales.
- Lors de la première entrevue avec un chasseur de têtes ou une agence de placement, le nom de l'employeur ne sera probablement pas mentionné. La confidentialité est assurée pour que la recherche n'alerte pas prématurément les employés ou les concurrents d'un changement s'opérant au sein de l'entreprise en recrutement.
- Si l'on vous pressent pour un poste, le recruteur n'hésitera pas à vous fournir des renseignements sur l'employeur. Vous pourriez compléter une grande partie de votre recherche d'information lors de ces discussions.

- Le recruteur devrait vous offrir des commentaires après chaque entrevue, avec des conseils sur les aspects de votre expertise que vous devriez préciser lors des prochains entretiens.
- Souvenez-vous que le recruteur travaille principalement pour l'entreprise en recrutement. S'il y a plusieurs finalistes pour un poste, il aura probablement son mot à dire quant à la sélection. Il est donc important de toujours gérer vos conversations avec lui comme s'il s'agissait d'une entrevue.
- Les chasseurs de têtes et les agences de placement peuvent vous aider dans la négociation de votre salaire ou bien le faire pour vous. Participez activement à cette partie du processus.
- Les processus d'embauche sont souvent longs, surtout lorsqu'il est question de postes de direction. Si vous êtes présenté à l'employeur dès le début, vous pourriez devenir le candidat de référence, ce qui signifie que votre profil semble idéal pour l'emploi et que tous les autres candidats auront à se mesurer à vous. Prenez votre mal en patience, vous êtes bien positionné (à moins d'avoir d'autres possibilités d'emploi à gérer).

### *Les techniques de recherche passive à éviter*

Il est si facile de diffuser ses renseignements dans le cyberespace que certains chercheurs d'emploi envoient des curriculum vitæ non sollicités à de nombreux employeurs potentiels. Ne gaspillez pas votre temps avec cette technique et ne payez pas pour qu'un service de distribution le fasse pour vous. Vous ne ferez que créer des pourriels, un fléau pour les recruteurs et les services de ressources humaines. Cette méthode de recherche n'a jamais été efficace.

Méfiez-vous des entreprises qui vous promettent de vous dénicher un emploi contre rétribution. Dans la plupart des cas, elles ne font que distribuer votre CV à un vaste nombre d'entreprises en ciblant très peu les employeurs potentiels et sans faire de suivi. Mieux vaut ne pas dépenser d'argent pour ce type de services.

Chapitre 17

# *Soyez actif dans votre recherche d'emploi*

*Devant les obstacles, redoublez d'efforts.*

Pour qu'une recherche d'emploi soit active, vous devez l'être aussi ! Une recherche passive n'est qu'une réaction reposant sur des techniques qui ne nécessitent pas une approche proactive des gens ni de nouvelles idées. Ceci ne signifie pas qu'elle ne portera pas ses fruits, mais vous devez être conscient que vous comptez alors sur des circonstances hors de votre contrôle pour vous ouvrir des portes. Les chercheurs d'emploi actifs sortent trouver de nouvelles possibilités, en faisant entre autres preuve de créativité, en réalisant des recherches soutenues et en explorant tout ce qui entoure leurs objectifs A, B et C. Ils discutent avec le plus de gens possible, en planifiant bien leur approche.

Le tableau suivant compare et différencie les caractéristiques propres aux deux approches. Situez-vous sur ce tableau et songez à ce que vous devez faire afin que votre attitude et vos activités de la catégorie « passive » passent à la colonne « active ».

| Facteurs de recherche d'emploi | Chercheur actif | Chercheur passif |
|---|---|---|
| Attitude du chercheur d'emploi | • Se sent en pleine possession de ses moyens<br>• Prêt à relever des défis<br>• Tente de nouvelles approches et techniques<br>• Ouvert aux commentaires et suggestions<br>• Enthousiaste, très motivé | • Se sent victime, blâme les autres<br>• Réticent<br>• Inflexible<br>• Sur la défensive<br>• Découragé |
| Concentration de la recherche | • Recherche des contacts extérieurs<br>• Participe et s'engage<br>• Axé sur la recherche d'emploi<br>• S'intéresse aux autres<br>• Objectifs A, B et C en place | • Replié sur soi<br>• Isolé<br>• Efforts éparpillés<br>• Intéressé par des ressources sans rapport humain<br>• Prêt à accepter n'importe quel emploi disponible |
| Étendue de la recherche | • Ouvert à plusieurs secteurs d'activité<br>• Recherche auprès d'entreprises moins connues<br>• Fait preuve de créativité en considérant diverses fonctions<br>• Sort afin de trouver de nouvelles perspectives | • Se limite aux entreprises familières<br>• Possède une liste restreinte d'entreprises<br>• Se contente de fonctions qu'il connaît<br>• Fermé aux nouvelles possibilités |
| Heures consacrées | • Recherche à temps plein (30 à 40 heures par semaine)<br>• Fait preuve d'efforts soutenus | • Consacre 10 à 20 heures ou moins par semaine à sa recherche, dont plusieurs à naviguer sur Internet et à lire des blagues<br>• Efforts sporadiques |
| Méthodes employées | • Consacre 80 % de son temps au réseautage actif<br>• Assure un suivi de toutes les pistes<br>• Élabore et respecte un plan lorsqu'il sollicite un chasseur de têtes ou une agence de placement<br>• Répond à des offres dans les journaux et sur Internet<br>• Affiche son CV sur des sites de recrutement<br>• Planifie du temps pour prendre soin de lui | • Répond à des offres dans les journaux et sur Internet<br>• Affiche son CV sur des sites de recrutement<br>• Communique avec quelques chasseurs de têtes ou des agences de placement sans faire de suivi<br>• Envoie des lettres en joignant son CV<br>• Envoie des lettres de réseautage sans assurer de suivi<br>• Ne rencontre que quelques proches |
| Persévérance | • Dépersonnalise le rejet<br>• Génère de l'activité sur plusieurs fronts<br>• Reconnaît ses faiblesses et les surveille<br>• Persiste | • Prend personnellement chaque rejet<br>• Met tous ses œufs dans le même panier<br>• N'est pas conscient de ses faiblesses<br>• Abandonne lorsqu'il rencontre des obstacles |
| Mesure du succès | • Considère chaque projet ou objectif à court terme atteint comme une réussite et la célèbre<br>• Trouve une perspective d'emploi idéale ou très convenable | • N'en utilise qu'une seule : obtenir un emploi |

## *Le point de vue de l'employeur*

Mettez-vous à la place de l'employeur pour quelques instants. Lorsqu'il y a un poste à pourvoir, vous devez vous fixer trois objectifs :

• Trouver quelqu'un possédant les compétences requises et la personnalité qui cadre avec le poste, l'équipe et la culture de l'entreprise.
• Pourvoir à ce poste rapidement.
• Minimiser les coûts de recherche.

Le plus grand risque pour un employeur qui recrute est son accès limité à l'information sur le rendement du candidat dans le passé et sa façon d'être avec les autres. Voilà pourquoi le fait d'engager quelqu'un de connu ou qui a été recommandé par un collègue ou un employé réduit considérablement ce risque.

Un responsable du recrutement chevronné suivra habituellement les étapes ci-dessous dans cet ordre :

• Chercher un candidat au sein de l'entreprise en se fiant à des observations et à des connaissances personnelles en plus de son réseau interne.
• Pressentir des individus connus personnellement à l'extérieur de l'entreprise.
• Respecter les procédures d'affichage d'une offre d'emploi à l'intérieur de l'entreprise.
• Consulter la base de données de curriculum vitæ provenant de l'extérieur de l'entreprise.
• Afficher une offre sur un site d'emploi ou publier une annonce dans un journal ou une revue.
• Faire appel à un cabinet-conseil en recherche de cadres ou à une agence de placement.

**Pensez-y !** Même si la politique de l'entreprise exige que tous les postes vacants soient d'abord affichés à l'interne, le processus de réseautage et de sélection officieux est très actif et efficace. Si le meilleur candidat est une personne connue ou recommandée, mais qui vient de l'extérieur de l'entreprise, les cadres trouveront bien le moyen de l'engager.

*Un directeur des finances d'une entreprise de communications était intéressé à faire une transition vers une société de médias. Il se documenta sur le secteur d'activité et identifia trois entreprises potentielles. Grâce à son réseau, il put rencontrer le directeur général et cofondateur de l'une d'elles. Il lui expliqua son expérience et ses compétences et fut explicite quant à son désir de se joindre à l'équipe. Même s'il n'y avait pas de poste vacant à ce moment-là, le cofondateur songeait depuis un moment à dynamiser son équipe de direction pour se préparer à une acquisition au cours des 24 prochains mois. Cette rencontre de réseautage s'avéra le catalyseur qu'il fallait pour que le cofondateur mette en marche ses projets. Le directeur des finances fut embauché, l'acquisition se révéla un franc succès et il put démarrer une nouvelle étape de sa carrière qui se rapprochait davantage de ses préférences.*

## Votre point de vue

En tant que chercheur d'emploi, vous voulez que votre candidature soit repérée le plus tôt possible dans le processus de sélection. Pour que votre nom soit considéré dès les premières étapes, vous devrez entretenir de nombreux rapports avec des gens provenant de plusieurs entreprises.

Ironiquement, la plupart des gens préfèrent concentrer leur énergie là où les décideurs n'aiment pas mener leurs recherches. Il est facile de naviguer sur Internet, de s'enregistrer dans quelques sites de recrutement, de parler à un chasseur de têtes ou deux et de croire que les occasions se présenteront bientôt. Or, les meilleurs postes sont souvent pourvus avant même d'atteindre le stade des agences, d'Internet, des journaux ou des revues.

*Un directeur de commerce au détail surmonta sa réticence au réseautage afin de transformer sa recherche passive en un processus actif. Ses semaines étaient remplies de rencontres et, lorsqu'il n'était pas en entretien, il en préparait une autre ou faisait un suivi. Puis un beau jour, il reçut l'appel du pdg d'une petite entreprise de fabrication qui lui dit : « Je cherche un nouveau vice-président de l'exploitation et les cinq dernières personnes à qui j'ai parlé ont mentionné votre nom ! Je ne sais pas qui vous êtes, mais je dois vous rencontrer ! » Cet emploi ne s'avéra pas idéal pour le directeur, mais l'entretien put générer une longue liste de nouveaux contacts et le soutien du pdg.*

### Les obstacles à la recherche d'emploi active

#### La peur du rejet

L'obstacle rencontré le plus couramment lorsqu'on cherche un emploi est la peur du rejet. Votre carrière peut être une partie si importante de votre identité qu'il est difficile de ne pas tout prendre personnellement lorsqu'il en est question. Il est possible que chercher du travail s'avère l'une des expériences les plus décourageantes de votre vie. Qui voudrait avoir à gérer ce stress avec tous les aléas que cela suppose (appels sans réponses, rencontres refusées et désintéressement courtois de ceux à qui vous demandez de l'aide) ? Personne, bien sûr ! Il est plus facile de rester caché derrière son écran d'ordinateur ou de se tenir occupé à réviser des curriculum vitæ et à envoyer des courriels que d'avoir à affronter le monde du réseautage.

Ceux passés maître dans l'art de la recherche d'emploi active n'ont pas entièrement éliminé leurs sentiments de peur et de vulnérabilité. Ils parviennent cependant à les réduire avec la planification, la recherche, les scénarios peaufinés, les approches adéquates et surtout, grâce à un système de soutien en béton. Vous devez prendre conscience de ce qui sera le plus difficile pour vous et travailler fort afin de surmonter cet obstacle.

#### Les introvertis et les extravertis

Un autre obstacle souvent rencontré lors d'une recherche active est la différence intrinsèque qui existe entre les gens possédant une personnalité sociable et ceux qui sont plus réservés. La distinction est importante et il s'agit d'un phénomène assez complexe. Même les gens naturellement extravertis peuvent se replier sur eux-mêmes quand ils subissent le stress d'une recherche d'emploi. La confiance est l'élément critique. Peu importe votre type de personnalité, si vous gardez confiance en vous, vous pourrez mener à bien une recherche active.

Il va sans dire que les méthodes de recherche d'emploi qui génèrent le plus de succès sont plus faciles à entreprendre pour les personnes communicatives. Même s'il existe des avantages bien définis à l'approche introvertie pendant le processus de transition de carrière, le marché de l'emploi récompense davantage les activités extraverties. Les chercheurs d'emploi plus réservés doivent apprendre de leurs collègues exubérants et vice versa.

Les introvertis élaborent leurs plans et affinent leurs techniques de recherche avant de les mettre en branle. Ce travail s'avère avantageux lors des premières étapes de la transition car il produit habituellement des résultats de qualité lors de tâches plus individuelles comme la planification de la stratégie, les recherches et l'évaluation de carrière. Au cours des stades suivants, ces efforts peuvent se traduire en d'excellents processus d'archivage, d'administration et de suivi, quoique plusieurs extravertis soient également très bien organisés.

Plus enclins à parler de leur recherche d'emploi avant de la planifier complètement, les extravertis préfèrent concevoir leur stratégie oralement et effectuer leurs recherches en posant des questions. Naturellement attirés par l'action, ils ont tendance à interagir trop tôt avec leur réseau, ce qui a pour effet de lasser ou de confondre leurs contacts. Cependant, ils excellent souvent en marketing et savent comment se vendre et valoriser leur expérience. Les rapports et les conversations avec de nouveaux contacts sont plus faciles.

Lors du processus de réseautage, pratiquement toutes les personnes éprouvent de la difficulté à appeler des gens, surtout ceux qu'elles connaissent peu. Ce faisant, vous pourriez avoir l'impression de demander à quelqu'un de consacrer son temps précieux pour vous aider, un privilège auquel vous ne croyez pas avoir droit. La plupart des gens détestent être perçus comme nécessiteux mais lorsque vous faites du réseautage, vous avez vraiment besoin d'information, de conseils et de pistes. Voilà pourquoi les premiers appels effectués pour demander des rencontres de réseautage s'avèrent le test ultime de la confiance en soi, autant pour les extravertis que pour les introvertis. La seule façon de surmonter cette peur est de croire à la volonté des gens de vous aider et de planifier une approche franche et crédible. Souvenez-vous que vous aurez vraisemblablement des renseignements à leur offrir vous aussi, que ce soit maintenant ou ultérieurement. Allez-y un appel à la fois, planifiez-le soigneusement et félicitez-vous – récompensez-vous ! – d'avoir fait cet appel. Dès la rencontre organisée, vous verrez que sa préparation et sa gestion se font beaucoup plus facilement.

Les activités introverties comme la recherche et l'élaboration de questions ciblées aideront à réduire le niveau d'anxiété chez les introvertis ainsi que chez les extravertis lorsqu'ils se préparent à rencontrer leurs personnes-ressources. Faire preuve de réserve en écoutant attentivement et sans abuser de l'accueil est également un trait introverti recommandable pour tous. Toutefois, les introvertis doivent aussi s'inspirer des extravertis lorsque vient le temps d'interagir de façon expressive et enthousiaste avec les contacts.

......................................................................................................................................

**Pensez-y !** Ne laissez pas votre préférence pour l'introversion ou l'extraversion vous bloquer dans votre recherche d'emploi active. Assurez-vous de gérer votre comportement de façon à obtenir une approche équilibrée et souvenez-vous que l'élément essentiel demeure la confiance en soi.

......................................................................................................................................

### *Restez motivé*

Une recherche active génère son lot de dynamisme et de motivation. La loi de la force d'inertie s'applique : les objets (ou dans ce cas-ci, les activités de recherche) en mouvement resteront en mouvement. En demandant de l'information, des conseils et des pistes aux gens, vous obtiendrez non seulement ce que vous voulez, mais en plus des encouragements. Et, bien sûr, ces renseignements et ces renforcements vous motiveront à organiser d'autres rencontres qui produiront leur propre lot d'informations, de conseils et de pistes, et ainsi de suite.

Même avec des recherches actives en cours, tout le monde traverse des hauts et des bas pendant le processus, surtout ceux dont les marchés ciblés qui sont très spécialisés, restreints, en phase de consolidation ou d'inactivité entraînent des recherches laborieuses. Une recherche prolongée est un défi, même pour les individus les plus optimistes. Les sautes d'humeur doivent être gérées, même si elles ne sont pas aussi importantes qu'au début du processus. Il est bon d'adopter des techniques pour y faire face au fil des semaines.

Afin d'y arriver, il vous faudra reconnaître vos besoins émotionnels et prendre les mesures nécessaires pour bien les gérer; votre méthode de contrôle vous est unique. Peut-être aurez-vous besoin d'un peu de solitude afin de recharger vos batteries ou bien serez-vous du genre à chercher la compagnie des autres pour vous remonter le moral? Selon votre style, redoubler d'ardeur ou prendre un peu de recul pourrait vous aider. Certains sont capables de se convaincre par eux-mêmes de penser positivement, d'autres tireront avantage de livres de motivation ou de conférenciers inspirants. Votre réseau de soutien et des spécialistes tels que votre médecin ou votre conseiller en transition de carrière peuvent être d'excellentes ressources à long terme.

**Pensez-y!** L'inquiétude n'est que de l'imagination mal utilisée!

Les conseils du chapitre 3 pour gérer les émotions qui accompagnent la perte et le changement peuvent également vous aider tout au long de votre processus de recherche d'emploi. Peu importe d'où provient votre stress, les mêmes techniques s'appliquent. En plus de revoir ces stratégies, lisez les conseils suivants pour obtenir des astuces supplémentaires.

## CONSEILS POUR RESTER MOTIVÉ TOUT AU LONG DE LA RECHERCHE D'EMPLOI

- Structurez vos activités de recherche d'emploi. Instaurez-vous un horaire de travail comme si vous deviez vous rendre au bureau.
- Évitez de surcharger votre horaire avec des loisirs, des actes de bénévolat, le ménage, des rénovations ou d'autres activités qui ne sont pas reliées à la recherche d'emploi.
- Établissez un plan contenant des objectifs quotidiens. Soyez réaliste pour que vous puissiez vous féliciter de votre bon travail à la fin de la journée.
- Introduisez des activités de détente à votre horaire quotidien. Planifiez de marcher ou de vous entraîner chaque jour lorsque vous aurez terminé vos appels.
- Organisez vos journées en fonction de vos humeurs et de vos niveaux d'énergie. Par exemple, évitez de faire vos appels en début d'après-midi si c'est toujours un moment creux pour vous.
- Utilisez votre énergie comme un tremplin pour vous attaquer à vos tâches les plus ardues. Si vous êtes en forme, débarrassez-vous des appels prévus pour le lendemain. Lancez-vous dans vos lettres de remerciement ou finalisez celle d'accompagnement que vous aviez prévu de faire.
- Lorsque vous êtes déprimé, faites une pause et adonnez-vous à des activités qui restaureront votre équilibre.
- Réservez vos fins de semaine à vous et à vos proches.
- Effectuez une analyse de rendement chaque semaine. Quel pourcentage de votre temps a été consacré à des activités génératrices de succès?

- Compter le nombre de rencontres de réseautage auxquelles vous assistez est une bonne façon de mesurer vos efforts. Établissez votre horaire, effectuez vos recherches préliminaires, planifiez votre agenda, rencontrez vos contacts et assurez le suivi avec des lettres de remerciement. Six à huit rencontres de réseautage par semaine vous tiendront très occupé dans votre recherche active.

- Fêtez tous vos succès. Récompensez-vous d'avoir accompli vos tâches quotidiennes ou atteint vos objectifs hebdomadaires. Cette gratification doit être saine, plaisante ou extrêmement importante à vos yeux.

- Planifiez de consacrer un peu de temps à des activités bénévoles pendant la semaine. Aider quelqu'un dont les besoins sont différents des vôtres peut vous permettre de relativiser les choses.

- Souvenez-vous que vos proches vous aiment pour ce que vous êtes et non parce que vous occupiez un poste de vice-président chez Quelque Part enr.

- Maintenez la vitesse et le cap, même lors des dernières étapes de négociation avec une entreprise. Il serait désolant qu'une offre que vous souhaitiez obtenir vous glisse entre les doigts et que vous n'ayez rien d'autre en vue.

*Une agente en communications et en relations publiques éprouvait du découragement au début de sa recherche d'emploi. Même si elle n'avait pas l'habitude de regarder des tournois de golf à la télévision, elle suivit le British Open. Le commentateur parlait des éléments qui différencient les champions. Il disait que cela avait peu à voir avec la stature, l'athlétisme ou un élan unique, mais que c'était plutôt la concentration, la détermination et la force de caractère face au long processus ardu qu'est l'entraînement qui produisaient des champions. Elle nota ce que le commentateur disait et commença à penser à ses recherches, ses appels, ses lettres et ses rencontres comme à des exercices de golf. En gardant cette idée en tête, elle savait qu'elle réussirait, et c'est ce qu'elle fit. Elle décrocha un emploi qui lui allait comme un gant!*

Il existe un emploi pour des gens dotés de vos compétences et de vos habiletés! Si vous n'arrivez pas à voir les occasions, c'est que vous n'utilisez pas les bonnes techniques. Êtes-vous complètement engagé dans une recherche active ou est-ce que des méthodes passives occupent plus de 20 pour cent de votre temps? Demandez à vos conseillers et à vos contacts de vous offrir des idées fraîches. Si vous adoptez une réflexion créative et considérez la situation sous un autre angle, de nouvelles portes s'ouvriront. Parfois le changement qui s'impose n'est qu'une question de perspective.

Consultez l'annexe A une dernière fois. Vous avez parcouru les étapes d'une recherche d'emploi ciblée. Si vous persistez, vous obtiendrez un résultat positif.

### Les résultats

Une recherche active, dans laquelle vous consacrez 80 % de votre temps et de votre énergie au réseautage, générera deux résultats essentiels:

- un réseau conscientisé pour vous tenir informé;
- des occasions d'emploi.

Un réseau conscientisé vous aidera à comprendre le marché, vous fournira plus de contacts et vous signalera de nouvelles occasions de travail. En vous familiarisant avec les réalités du marché et en validant le pragmatisme de vos objectifs, vous élargirez votre réseau et poursuivrez de nouvelles possibilités d'emploi. L'une d'entre elles sera la bonne.

Gardez ce proverbe à portée de vue.

*Lorsque rien ne semble aller, je pense au tailleur de pierre qui peut marteler sa roche une centaine de fois sans qu'une faille se dessine. Mais au cent et unième coup, la pierre fend en deux, et je sais que ce n'est pas ce dernier coup qui a réussi, mais tous ceux qui l'ont précédé.*

– Jacob Riis

# Franchissez la ligne d'arrivée

*La persévérance engendre le succès.*

### Objectifs

Cette dernière étape vous permettra de traverser la ligne d'arrivée et de revenir au point de départ. Elle vous offrira des conseils pour démarrer le mieux possible dans vos nouvelles fonctions et vous recommandera des techniques de gestion de carrière qui vous accompagneront toute votre vie. Les chapitres de la cinquième partie abordent comment:

- Bien gérer vos références.
- Analyser et aligner une offre d'emploi selon vos principaux critères de satisfaction.
- Évaluer une offre salariale.
- Négocier de façon « gagnant-gagnant ».
- Refuser une offre sans brûler les ponts.
- Planifier ce dont vous aurez besoin au cours des 90 premiers jours de votre emploi.
- Vous adapter à une nouvelle culture d'entreprise.
- Gérer votre carrière de manière continue.
- Vous fixer des objectifs à long terme.

### Règles à suivre

- Choisissez vos références avec soin. Préparez-les en communiquant directement avec les personnes concernées.
- Revoyez vos priorités et songez à ce que vous seriez prêt à abandonner en négociant votre offre d'emploi.
- Considérez les négociations comme une occasion de comprendre les intérêts de l'autre partie.
- Lorsque vous commencez un nouvel emploi, éliminez le plus de responsabilités superflues possible afin que les 90 premiers jours réservent amplement de temps pour la planification et la réflexion.
- Écoutez plus, parlez moins.
- Adoptez certains aspects de la nouvelle culture d'entreprise qui seront remarqués (code vestimentaire, utilisation de mots clés, soutien à des regroupements sociaux ou occasions de fraterniser).
- Obtenez des résultats dès le début de votre mandat et assurez-vous que votre patron en soit conscient.
- Continuez à identifier et à noter vos réalisations.

- Maintenez votre curriculum vitæ à jour.
- Fixez-vous toujours des objectifs d'apprentissage à court et à long terme.
- Valorisez chaque emploi comme une étape de votre cheminement de carrière et non comme un échelon à gravir dans la hiérarchie.

### *Pièges à éviter*

- Négliger de gérer des références potentiellement négatives.
- Trop négocier pour des concessions que votre employeur potentiel ne souhaite pas faire.
- Ne pas comprendre précisément le mandat pour lequel on vous a engagé.
- Arriver à votre nouvel emploi plein d'amertume par rapport au précédent.
- Penser que vous occuperez ce nouveau travail jusqu'à votre retraite.
- Ne pas songer dès maintenant à la suite de votre carrière.

Chapitre 18

# *Concluez l'entente*

*Une fois embauché, vous ne pourrez plus négocier.*

Lorsque, grâce à vos efforts, une perspective d'emploi sera devenue une offre concrète, finalisez-la avec professionnalisme. Les personnes que vous donnez en référence joueront un rôle important afin de conclure la transaction avec succès; gérez donc leur participation de près. Analysez attentivement le poste et les conditions qu'on vous offre. En gardant les yeux ouverts, vous pourrez accepter ou reculer pour les bonnes raisons. Soyez conscient que votre style de négociation sera très évident lorsque vous poserez des questions ou demanderez des modifications à votre employeur potentiel. Vous vous préparez à entamer une nouvelle relation. Il est donc important de tisser un lien de confiance, d'ouverture d'esprit et de bonne volonté.

### *Les références*

Depuis le début de ce processus, vous communiquez avec des gens qui peuvent maintenant fournir des références à votre sujet. Certains ont pu faire partie de votre réseau de soutien en vous prodiguant des conseils et en prêtant leur appui tout au long de votre transition. D'autres seront plus distants, mais tout de même prêts à participer à votre succès à ce stade-ci. Et certains pourraient ne pas être enclins à offrir des références positives. Vous devez gérer la participation de chacun d'entre eux avec soin et respect.

CONSEILS POUR BIEN GÉRER SES RÉFÉRENCES
- Réfléchissez bien avant de sélectionner les personnes qui devront fournir vos références. Votre expérience avec elles et l'emploi que vous occupiez alors doivent être pertinents au poste convoité.
- Si vous travaillez actuellement, votre employeur potentiel ne devrait pas s'attendre à ce que vous lui fournissiez des références de votre employeur actuel avant qu'une offre n'ait été officiellement formulée et acceptée. Celle-ci peut être conditionnelle aux dernières vérifications des références.
- Appelez chaque personne avant de soumettre son nom à votre employeur potentiel. Décrivez le poste et expliquez pourquoi vous vous y intéressez, comment votre expérience, vos compétences et vos habiletés y correspondent et de quelle façon vous espérez apporter une valeur ajoutée. Ces explications pourront l'aider à déterminer si elle se sent à l'aise à fournir cette référence et à se préparer à la conversation qu'elle aura avec votre employeur potentiel.
- Obtenez l'autorisation de chaque personne avant de donner son nom à votre employeur potentiel. Informez vos références de l'individu qui les appellera et à quel moment il le fera.

- Lorsqu'on vous offre un emploi, téléphonez immédiatement à ceux qui vous ont fourni des références pour leur annoncer la bonne nouvelle.
- Afin de conclure le processus, remerciez-les toujours par écrit, peu importe le résultat.

### Gérez les politiques de non-référence et les références négatives

Les entreprises sont de plus en plus réticentes à fournir des références au sujet d'anciens employés par peur d'être légalement responsable. Plusieurs d'entre elles n'attesteront que le nom, le titre et les dates d'emploi. Certaines confirmeront également le salaire. Si votre ancien employeur a une politique de non-référence, d'anciens collègues et patrons qui ont quitté cette entreprise peuvent être de bonnes solutions de rechange, pourvu que vos rapports professionnels soient plutôt récents. Si vous êtes coincé, songez à prendre contact avec des collègues en qui vous avez confiance et qui travaillent toujours au sein de votre ancienne entreprise, puis demandez-leur s'ils accepteraient de fournir une référence qui ne serait pas faite au nom de l'entreprise et qui concernerait davantage de points personnels que de questions reliées au travail.

**Pensez-y!** Soyez original! Écrivez le scénario de votre raison de départ et envoyez-le à ceux qui devront être contactés lors du processus de vérification des références. Demandez-leur tout simplement d'en attester la véracité lorsque quelqu'un appellera afin de confirmer cette histoire.

Toute référence pouvant s'avérer négative doit être gérée avec soin, surtout si elle provient de votre dernier employeur. Mieux vaut être honnête et ouvert à ce sujet. Communiquez avec la personne qui vous inquiète afin de l'informer que vous cherchez actuellement un emploi. Décrivez le poste que vous souhaitez obtenir et ce que vous pourrez y apporter. Dites-lui honnêtement comment vous décrivez votre contribution, vos forces et les éléments que vous devez développer. Si la question est plutôt délicate, songez à mettre vos pensées sur papier avant de lui téléphoner. Demandez à un de vos proches de revoir le contenu de votre message.

Lorsque vous appelez, soyez bref et détaché. Tentez de comprendre son opinion et négociez une façon acceptable pour que vous puissiez tous deux exprimer vos points de vue à votre employeur potentiel. Si cette personne refuse de discuter avec vous ou demeure récalcitrante, devancez-la en expliquant à votre employeur potentiel ce qui sera sûrement dit et pourquoi. Ne soyez pas émotif. Offrez respectueusement votre explication de la situation avant que les références ne soient vérifiées.

### Évaluez l'offre

Il se pourrait qu'il n'y ait plus de doute à votre esprit au moment où vous recevrez une offre d'emploi. Mais il est aussi possible que vous ayez à y réfléchir sérieusement.

La première étape de l'évaluation exhaustive d'une proposition écrite est de retourner à votre réflexion effectuée au début de votre processus de transition de carrière. Relisez les critères que vous avez établis concernant votre emploi idéal. Puis, utilisez les feuilles de travail à la fin de ce chapitre pour analyser en profondeur le poste, les personnes et l'entreprise concernés. Finalement, employez des questions intuitives pour faire surgir les préoccupations qui dépassent les faits concrets.

Ces étapes vous seront particulièrement utiles lorsque vous aurez à considérer plus d'une perspective d'emploi. Même si vous n'avez qu'une seule offre par écrit, émettez des hypothèses quant aux autres options possibles en les répertoriant sur la feuille de travail. Ainsi, vous déterminerez leur importance et saurez si cela vaut la peine d'abandonner une possibilité dans l'espoir d'en obtenir une autre.

**Pensez-y!** Ne croyez pas que cet exercice signifie de choisir tout ou rien. L'objectif est de dresser une liste de points à négocier et de les classer par ordre de priorité. Même si une offre vous semble acceptable, vous pourrez toujours trouver une façon de l'améliorer.

FEUILLE DE TRAVAIL 18.1
**Évaluez les offres d'emploi**

Les facteurs entourant une offre d'emploi n'auront pas tous la même importance pour vous. Premièrement, attribuez-leur un coefficient sur une échelle de 1 à 3, le chiffre le plus élevé étant le plus important. Donnez à chaque élément du poste, de l'entreprise et de l'offre une cote de 1 à 5. Le pointage final pour chaque facteur combinera le coefficient et la cote.

| Catégorie | Facteur | Coefficient (A) | Cote (B) | Pointage (A x B) |
|---|---|---|---|---|
| Nature de l'emploi | Jusqu'à quel point vos compétences seront utilisées<br>Éléments de votre style qui seront mis à profit<br>Utilisation de vos connaissances<br>Respect de vos champs d'intérêt<br>Compatibilité avec vos valeurs non négociables et vos facteurs de motivation<br>Défis<br>Attentes réalistes en matière de rendement<br>Alignement avec vos expériences précédentes | | | |
| Facteurs reliés à l'emploi | Titre<br>Déplacements requis (+ ou –)<br>Environnement physique<br>Ressources disponibles | | | |
| Gens | Votre compatibilité avec:<br>votre patron<br>vos pairs<br>vos subordonnés<br>vos clients<br>vos contacts extérieurs | | | |
| Organisation | Réputation<br>Positionnement et direction du secteur d'activité<br>Vision et valeurs<br>Éthique et principes<br>Votre compatibilité avec sa culture | | | |

| | | | | | |
|---|---|---|---|---|---|
| Perspectives d'avenir | Direction que prend le secteur d'activité | | | | |
| | Direction de carrière appropriée | | | | |
| | Occasions de développement professionnel | | | | |
| | Positionnement pour les prochaines étapes (interne) | | | | |
| | Positionnement pour les prochaines étapes (externe) | | | | |
| Déménagement | Logement convenable | | | | |
| | Qualité et accès des écoles | | | | |
| | Comparabilité des revenus disponibles | | | | |
| | Occasion de prospérer financièrement | | | | |
| | Qualité de vie professionnelle | | | | |
| | Qualité de vie familiale et occasions pour votre conjoint(e) | | | | |
| | Relations sociales | | | | |
| | Équilibre entre le travail et les priorités personnelles | | | | |
| | Proximité de «l'action» | | | | |
| | Facilité d'adaptation | | | | |
| | Confort en général | | | | |
| | Éloignement de votre famille élargie | | | | |
| Rémunération | Salaire de base | | | | |
| | Rémunération variable* | | | | |
| | Avoirs | | | | |
| | Avantages | | | | |
| | Pension | | | | |
| | Vacances | | | | |
| Mesures incitatives | Voiture | | | | |
| | Adhésion aux clubs | | | | |
| | Stationnement | | | | |
| | Autres | | | | |
| Non-concurrence et non-sollicitation | Restrictions concernant certaines activités si vous partez | | | | |
| Clause de départ | Montant accordé tenant lieu de préavis | | | | |
| **Pointage final** | | | | | |

*La rémunération variable inclut les primes, les commissions, le partage de profit et les mesures incitatives à long terme. Assurez-vous de comprendre à quel moment vous y devenez admissible. Il pourrait y avoir une période d'attente de plusieurs mois sans paiement rétroactif.

### *Considérez les facteurs intuitifs*

- Les gens essaient toujours de donner une bonne impression lors d'une entrevue et de montrer l'entreprise sous son meilleur jour. Alors si un des éléments ne vous convient pas, il y a peu de chance que cette situation s'améliore.
- Quelle est votre réaction instinctive face à cette offre d'emploi? Êtes-vous réellement satisfait et impatient d'entrer en poste?
- Quelles étaient vos inquiétudes et vos questions au début du processus d'entrevue? De quelles réserves avez-vous fait part à votre conjoint(e) et aux membres de votre réseau de soutien? Avez-vous tout abordé comme prévu?
- Comment vos collègues et vos pairs réagiront-ils à la nouvelle? Pouvez-vous sincèrement présenter cette offre comme étant une bonne occasion pour vous?

*Une ingénieure postulait pour un poste dans une agence aérospatiale. Elle arriva plus tôt et s'assit dans la salle d'attente afin d'observer ses collègues potentiels. Ils filaient à toute allure, la tête baissée, sans dire un mot. Elle réussit à décrocher le poste et l'accepta, mais trouva rapidement l'environnement de travail étouffant. Avec du recul, elle put constater que les indices étaient présents dès le début, mais comme elle voulait cet emploi, elle ne s'était pas permis d'être honnête sur ce qu'elle avait remarqué.*

### *Négociez l'entente*

L'analyse précédente devrait vous avoir donné une idée claire du pour et du contre d'une offre d'emploi. Déterminez l'importance que vous accordez à cet emploi avant d'entamer les négociations. Ces dernières ne sont pas obligatoires; si vous jugez l'offre acceptable, prenez-la telle quelle!

Le salaire et les avantages ont probablement été négociés jusqu'à un certain point avant que l'entreprise n'ait présenté son offre. À ce stade-ci, il sera difficile d'obtenir une hausse considérable du salaire de base, mais vous pourriez améliorer les conditions de votre rémunération variable. Considérez la rémunération et les avantages comme un ensemble et évitez de vous obstiner sur un aspect en particulier. Si d'un côté l'entreprise ne peut pas vous concéder certaines choses, elle pourrait être flexible par rapport à d'autres éléments. Cherchez à obtenir la meilleure entente globale. Si un déménagement est nécessaire, vous devrez considérer la comparabilité des revenus disponibles et l'impact sur vos actifs comme faisant partie du forfait.

---

**Pensez-y!** Si vos négociations quant à la rémunération sont dans une impasse, demandez à obtenir une évaluation de rendement et de salaire plus tôt. Si cette proposition est acceptée, veillez à ce que l'offre écrite soit changée ou signez-la en notant la modification. Cette précaution vous protégera si l'individu qui a négocié au nom de l'entreprise n'occupe plus le même poste lorsque le moment de l'évaluation sera venu.

---

Une demande de responsabilités élargies, d'un changement de titre ou d'une différente structure hiérarchique pourrait obtenir un «non» comme réponse définitive. Toutefois, plus votre fonction sera de niveau élevé et le marché concurrentiel, plus vous aurez de chances de réussir. Parfois, les sociétés adapteront un poste pour le rendre compatible avec quelqu'un qui apporte une combinaison unique de compétences et de connaissances. Agissez prudemment lorsque vous négociez des facteurs dépassant la rémunération. Prenez bien conscience de votre position.

*Le directeur d'une importante institution financière apprit grâce à un contact de réseautage qu'une agence de sécurité établie aux États-Unis pensait accroître ses activités afin de percer le marché canadien. Après avoir effectué une série d'entrevues au sein de l'institution, le directeur reçut une offre verbale. Son travail consistait à mettre en place et à gérer les activités au Canada. Six mois s'écoulèrent pendant lesquels le directeur et l'institution négocièrent non seulement la rémunération, mais aussi le contrôle, les responsabilités et l'autonomie. La plupart des discussions résultaient de la description de tâches non existante, jusqu'à ce que le directeur en rédige finalement une. Toujours persuadé qu'avec un mandat approprié, la mission serait un succès, il demeura discret pour ne pas obtenir d'autres occasions entre-temps. Finalement, il prit le taureau par les cornes en trouvant un espace de bureau et en identifiant un personnel de soutien compétent pour tout mettre sur pied. Il utilisa ces dernières actions comme mesure incitative pour clore avec succès de longues négociations.*

Utilisez la feuille de travail suivante afin d'énumérer et d'établir les priorités pour vos éléments à négocier, puis lisez les conseils afin de poursuivre et mener à bien vos négociations.

| FEUILLE DE TRAVAIL 18.2 Analysez vos sujets de négociation *Desjardins* | | | |
|---|---|---|---|
| **Sujets à négocier** | **Conditions de l'offre** | **Conditions souhaitées** | **Priorité** |
| Salaire de base | | ≈ 98,000$ | |
| Rémunération variable : - prime à la signature<br>- prime de performance individuelle<br>- régime de partage de profit<br>- mesure incitative à long terme | | 10,000$ | |
| Capitaux : - achat d'actions<br>- options d'achat d'actions<br>- programmes de détention d'actions | | | |
| Avantages : - assurance vie et invalidité<br>- couverture médicale et dentaire<br>- programme d'aide aux employés | | ✓<br>✓<br>✓ | |
| Régime de pension ou REÉR collectif | | ✓ | |
| Vacances | | 4 sem | |
| Voiture | | — | |
| Stationnement | | — | |
| Adhésions : - clubs<br>- associations professionnelles | | AMM | |
| Occasions de développement professionnel | | Formation | |
| Participation aux conférences et aux congrès | | Cards | |
| Support de coaching | | | |
| Clause de départ | | | |
| Clause de non-concurrence | | Non | |
| Clause de non-sollicitation | | Non | |
| Titre et poste par rapport aux pairs | | Juste | |
| Organisation du travail : - horaire à temps partiel<br>- horaire flexible<br>- télétravail<br>- partage d'emploi | | télétravail possible ? | |
| Objectifs d'affaires ou de ventes | | — | |
| Durée du mandat initial ou période précédant la première évaluation | | 3 mois | |
| Possibilité de congés sabbatiques | | | |
| Équipement : - ordinateur portatif<br>- cellulaire, téléavertisseur<br>- connexion à Internet | | ✓<br>✓<br>✓ | |
| Rabais sur les produits ou services | | ? | |
| Politiques d'absence : - congé de maladie<br>- congé personnel<br>- congé parental<br>- congé pour raisons familiales | | | |
| Date d'entrée en fonction | | Janvier | |

**Pensez-y!** Demandez à un avocat spécialisé en emploi d'étudier l'offre, surtout si elle contient des ententes compliquées concernant la rémunération variable, les avoirs, les options et des clauses de non-concurrence et de départ. Ne concluez pas d'accord sur un bout de papier et ne vous contentez pas d'une entente verbale. Signez l'offre comme s'il s'agissait d'une proposition d'achat pour une maison.

## CONSEILS POUR LES NÉGOCIATIONS

- Le meilleur moment pour négocier est lorsque vous avez une offre d'emploi écrite entre les mains. Il est alors évident que l'entreprise veut que vous signiez et qu'elle désire achever rapidement le processus. Vous vous trouvez alors dans la position optimale pour négocier.
- Ne laissez pas cet avantage vous monter à la tête. Chaque entreprise possède son seuil de tolérance et vous ne voulez pas vous y approcher. Après tout, ces négociations auront un impact sur vos rapports avec votre nouvel employeur.
- Sachez bien où vous vous situez :
  - Avant d'entamer les négociations, utilisez la feuille de travail précédente (18.2) et dressez une liste complète de tous les éléments que vous souhaitez améliorer ou ajouter à l'offre.
  - Établissez ce que vous considérez comme acceptable pour chacun des éléments que vous avez énumérés et soyez conscient de vos priorités. Si les conditions de l'offre ne se rapprochent pas de votre niveau d'acceptation, il vous faudra peiner et penser à des solutions de rechange.
  - Que seriez-vous prêt à échanger (ex. : une rémunération variable pour un salaire de base)? Déterminez des valeurs équivalentes. Si vous traversez une étape de votre vie où l'entrée d'argent est essentielle, un salaire de base plus élevé pourrait s'avérer beaucoup plus important pour vous que pour une personne approchant de la retraite.
  - Quels sont les éléments non négociables pour vous?
- Déterminez des solutions de rechange :
  - De façon réaliste, quelles autres perspectives d'emploi s'offrent à vous si vous ne pouvez pas convenir d'une entente satisfaisante? Il n'est pas souhaitable de trop marchander si vous n'avez rien d'autre en vue. Même si l'on finit par vous accorder vos exigences, vous pourriez ternir les rapports.
  - Poursuivez vos initiatives de recherche d'emploi.
  - Si vous attendez des offres de la part d'autres entreprises, évaluez ces possibilités et comparez-les à celle que vous avez sur la table. Vous y verrez plus clair et saurez si vous devez retarder le processus pour mieux étudier les autres propositions.
- Apprenez-en le plus possible sur la position de l'entreprise. Utilisez votre réseau, interrogez le consultant du cabinet-conseil en recherche de cadres ou de l'agence de placement, vérifiez auprès de votre conseiller en transition de carrière ou renseignez-vous auprès des individus qui dirigeront les dernières entrevues.
  - Que contient en moyenne le régime de rémunération de vos pairs dans cette société?
  - Quelles sont les normes quant au niveau de rémunération et où se situe votre poste?
  - Comment les mesures incitatives et les avoirs sont-ils généralement structurés?
  - Quelle est l'échelle de primes de rendement à votre niveau?
  - La personne responsable de la négociation de l'entente possède-t-elle beaucoup d'autorité et de flexibilité?

- Si la flexibilité est restreinte pour certains aspects, quels éléments de l'offre en possèdent le plus?
- Obtenez des données comparables pour ce secteur d'activité. Découvrez combien gagnent les gens qui occupent des postes similaires.
- Entamez les négociations avec l'entreprise, avec l'idée d'obtenir un règlement qui vous donnera l'impression réciproque d'avoir gagné.
- Les négociations en personne sont plus efficaces que par téléphone ou par l'entremise d'une tierce partie.
- Commencez par affirmer votre intérêt et votre enthousiasme pour cet emploi. Confirmez les éléments de l'entente avec lesquels vous êtes d'accord et énumérez ceux dont vous souhaiteriez discuter, par ordre de priorité.
- Expliquez votre point de vue et vos raisons pour chaque point.
- Écoutez attentivement et posez des questions pertinentes.
- Concentrez-vous sur les raisons qui expliquent les réponses qu'on fait à vos demandes. Découvrez quelles politiques ou façons de procéder rendent vos requêtes difficiles à exaucer.
- N'oubliez pas que vous ne communiquez pas seulement avec la parole, mais aussi avec votre langage corporel et votre voix. Réitérez votre enthousiasme par rapport au poste lors de moments opportuns.
- Si vous fléchissez sur un élément, assurez-vous d'obtenir quelque chose d'autre en retour.
- Votre objectif est de bâtir une relation de travail amicale avec les gens de cette entreprise. Ne concédez pas tout trop rapidement, mais n'insistez pas afin d'aboutir à une entente qui se situe au-dessus de leurs moyens.

## Techniques de retardement

Bien qu'il s'agisse d'un heureux problème, il n'est pas toujours facile de retarder de répondre à une offre lorsque nous sommes en attente d'une plus intéressante. L'anticipation et la prévention vous permettront d'éviter cette délicate situation autant que possible. Voici tout de même quelques suggestions de conseils pour retarder votre réponse à une offre quand vous ne pouvez faire autrement.

CONSEILS POUR RETARDER DE RÉPONDRE À UNE OFFRE LORSQU'EN ATTENTE D'UNE AUTRE

- Si l'on ne vous a pas présenté une offre par écrit, demandez-le avant que ne commencent les négociations.
- Trouvez des raisons crédibles afin de rencontrer des individus avant d'accepter de passer aux négociations (il pourrait s'agir de quelqu'un qui était en vacances lors de vos entrevues et avec qui vous souhaitiez vous entretenir). Demandez à revoir une personne que vous aviez déjà rencontrée afin de vous assurer de bien comprendre le mandat. Indiquez que vous désirez présenter vos idées sur la façon de gérer ce dernier afin de déterminer si elles sont acceptables pour l'entreprise.
- Négociez lentement.
- Si vous avez des messages, rappelez ces personnes la journée même, mais après les heures de travail pour retarder le processus. Éteignez votre cellulaire comme si vous assistiez à des réunions.
- Demandez à votre avocat de lire le contrat.
- Veillez à ce que l'on vous accorde un délai d'une fin de semaine supplémentaire afin d'étudier l'offre avec votre conjoint(e).
- Demandez une prolongation.

**Pensez-y!** Soyez prudent avec ces tactiques de retardement. Vous ne voulez pas transmettre l'impression que votre enthousiasme par rapport à cet emploi a diminué. Et n'oubliez pas que le monde est petit; vos stratégies pourraient être découvertes.

Lorsque vous vous trouvez dans cette situation, faites tout en votre pouvoir pour accélérer le processus avec l'autre entreprise. Si vous faites affaire avec l'un d'eux, un chasseur de têtes ou une agence de placement pourrait aussi vous aider, pourvu que vous ayez confiance en leur discrétion. Soyez honnête avec l'entreprise que vous préférez. Ne lui donnez pas d'ultimatum, mais expliquez votre dilemme.

### Le refus

Lorsque vous décidez de décliner une offre, faites attention. Soyez honnête quant à vos raisons et expliquez-les de manière à dépersonnaliser le message. Si vous avez opté pour une société concurrente ou si vous croyez que ce sera le cas dans un avenir rapproché, concentrez l'explication de votre refus sur une caractéristique ou une question bien connue qui différencie les deux entreprises. Évitez les sujets délicats.

*Un promoteur d'affaires se fit offrir un emploi par un cabinet-conseil qui exploitait un petit créneau bien établi dans un marché localisé. Même si la proposition était tentante, il décida d'attendre qu'un mandat auprès d'une société de plus grande envergure se présente. Trois mois plus tard, il obtint un poste auprès d'un des concurrents du petit cabinet en tant que responsable du développement des affaires nationales. On lui promit un mandat international une fois sa période d'intégration réussie. Sa réputation demeura intacte auprès du petit cabinet car les raisons de son refus correspondaient à celles pour lesquelles il avait accepté cette offre.*

Une fois que vous aurez complété une série d'entrevues aboutissant à une offre d'emploi, des liens considérables se seront tissés entre vous et les gens rencontrés. Peu importe l'issue, vous devrez entretenir ces rapports. Vous aurez peut-être l'occasion de travailler avec eux un jour, soit en tant qu'employé ou comme partenaire. Rédigez des lettres exprimant votre regret et vos sincères remerciements à chacune de ces personnes.

### L'acceptation

Lorsque l'encre de votre offre aura séché, communiquez avec chaque personne rencontrée lors de vos entrevues pour lui témoigner votre satisfaction à vous joindre à l'équipe. Appelez les individus qui vous ont fourni des références et annoncez-leur la bonne nouvelle. Envoyez des lettres de remerciement. Commencez à rédiger celles de réussite pour qu'elles soient prêtes à poster lors de votre première semaine de travail.

Après avoir exprimé votre reconnaissance, préparez vos 90 premiers jours au sein de votre nouvel emploi.

# Chapitre 19

# Préparez les 90 premiers jours de votre nouvel emploi

*La première impression demeure.*

Le succès que vous remporterez dans votre nouveau poste dépendra de votre capacité d'accomplir vos tâches, de votre facilité à développer des relations et de votre flexibilité d'adaptation à cette nouvelle culture. Tout cela est plus facile à dire qu'à faire. Une fois que vous aurez réussi à négocier votre entente et que vous connaîtrez votre date d'entrée en fonction, concentrez-vous sur la façon dont vous entamerez ces 90 premiers jours. Dressez un plan afin de générer des résultats immédiats et de faire basculer votre statut de « petit nouveau » à « visage familier ».

### Sachez exactement ce que l'on attend de vous

Le mandat qui vous a été présenté lors des entrevues devra nécessairement être approfondi lorsque vous commencerez votre emploi. Les descriptions de tâches sont rarement détaillées et les objectifs ne sont habituellement pas énoncés à l'avance. Au cours des premiers jours, rencontrez votre patron et tous ceux qui évalueront votre rendement. Le temps est venu de savoir ce que l'on attend de vous. Vous ne pouvez différer l'éclaircissement de vos objectifs et des activités servant à les atteindre.

Recueillez de l'information à partir de plusieurs sources. Faites l'effort de rencontrer chaque partie associée à votre mandat. Incluez des collègues, des membres de votre équipe, le personnel de soutien, les personnes-ressources, les représentants, les fournisseurs extérieurs et bien sûr, les clients. Ciblez vos questions afin de vous rendre au cœur du sujet. Prenez des notes ! Découvrez si vos futurs collaborateurs partagent les mêmes priorités que celles qui vous ont été attribuées. Si votre mandat ne correspond pas aux besoins des principaux intéressés, vous avez un problème. Transmettez vos inquiétudes à vos supérieurs le plus tôt possible et proposez une solution.

*Une spécialiste en études de marché se joignit à un petit cabinet-conseil reconnu pour ses excellents services adaptés à ses clients d'envergure. Les méthodologies utilisées par son nouvel employeur étaient créatives, dispendieuses et tout à fait différentes des autres méthodes de recherche traditionnelles. Pour convaincre les clients de se les procurer, il fallait des explications détaillées et des démonstrations de qualité. Le propriétaire du cabinet dit à la nouvelle employée que pour atteindre ses objectifs de vente, il lui faudrait organiser de nombreuses rencontres en personne avec les clients. Il identifia quatre indicateurs de rendement : dresser une liste de 25 clients potentiels, prévoir et organiser une rencontre de présentation de services par semaine, utiliser les directives de suivi préétablies afin de faire cheminer le client dans le cycle des ventes et soumettre des dossiers PowerPoint de présentation de services à l'équipe d'évaluation de la qualité à l'interne. Avec de tels indicateurs, elle ne pouvait se tromper quant aux attentes de son nouvel employeur.*

........................................................................................................................................

**Pensez-y!** Visez quelques gains rapides. Si vous réussissez à résoudre un problème, à participer à un projet, à suggérer une approche novatrice ou réaliser une vente pendant vos 90 premiers jours de travail, vous serez remarqué.

........................................................................................................................................

### Identifiez les ressources et le soutien requis

Lors de vos entrevues, il a certainement été question du soutien et des ressources qui vous seraient accessibles pour réaliser votre mandat. Une fois à votre poste, vérifiez qui et qu'est-ce qui est disponible, déterminez s'ils sont appropriés pour la tâche et dressez un inventaire réaliste et abordable de ce qui est nécessaire. Présentez-le avec tact lorsque vous aurez établi un rapport avec votre patron. Élaborez un plan B si l'on devait vous refuser ou retarder vos demandes.

Vos collègues et subordonnés représentent probablement vos ressources les plus précieuses. Si vous êtes directeur, évaluez votre personnel rapidement. Cherchez des preuves factuelles de leurs capacités et déléguez le plus de responsabilités possible sans sacrifier la qualité. Si des problèmes de rendement sont évidents, gérez-les immédiatement. En plaçant les bonnes personnes aux bons postes et en leur donnant la formation et la supervision nécessaires, vous augmenterez considérablement vos chances de réussir.

Si vous n'avez pas de responsabilités de gestion d'employés, assurez-vous de saisir les liens qui existent entre les tâches de vos collègues et les vôtres. Prenez l'initiative de comprendre le matériel, les systèmes et les processus déjà en place et de les utiliser pleinement.

........................................................................................................................................

**Pensez-y!** Les nouveaux employés qui persistent à réinventer la roue gaspillent du temps précieux et agacent leurs collègues. Si les ressources dont vous avez besoin existent déjà, utilisez-les. En temps et lieu, vous aurez l'occasion de suggérer des améliorations.

........................................................................................................................................

Penchez-vous sur vos propres compétences et habiletés. Évaluez vos forces et vos faiblesses par rapport à vos tâches en toute honnêteté. Réfléchissez aux aspects les plus compliqués et intimidants de votre travail et promettez-vous de demander de l'aide lorsque vous en aurez besoin. Qu'il s'agisse de soutien technique, de pensée stratégique, de planification, de communication, d'implantation ou de suivi détaillé, il existe probablement au sein de l'entreprise quelqu'un de mieux placé que vous pour cette tâche précise. N'esquivez pas vos responsabilités, mais évitez d'exposer votre talon d'Achille.

Finalement, organisez vos autres responsabilités de façon à vous concentrer entièrement sur votre mandat. Pendant votre période d'intégration, vos nouveaux collègues pourraient solliciter votre aide pour leurs projets dans une tentative de vous accueillir dans l'équipe. Soyez diplomate et assurez-vous de ne pas compromettre votre mandat ni dépasser les limites de votre fonction. Les distractions peuvent également provenir de l'extérieur de votre travail. Vos responsabilités précédentes, votre situation familiale, vos activités bénévoles et des problèmes de santé peuvent saboter vos 90 premiers jours. Planifiez le plus possible, soyez prudent et évitez de surcharger votre horaire.

### *Dressez un plan de 90 jours*

L'étendue de ce qui doit être accompli deviendra claire lorsque vous effectuerez l'analyse ci-dessus. Grâce à cette information, établissez un plan de 90 jours pour vous aider à garder le cap. Fixez-vous des objectifs précis, mesurables, réalistes et d'une durée limitée. Documentez les étapes à suivre pour atteindre vos buts et dressez un inventaire des ressources requises. Accordez-vous des délais raisonnables. Utilisez la feuille de travail sur la page suivante pour vous aider dans ce processus.

---

**Pensez-y!** Lors de vos 90 premiers jours, créez un plan d'un an visant à atteindre les objectifs que l'entreprise vous a fixés ainsi que vos objectifs personnels. Tracez les grandes lignes des étapes de l'implantation et inscrivez certaines dates de contrôle à votre calendrier.

---

FEUILLE DE TRAVAIL 19.1

**Fixez les objectifs de vos 90 premiers jours**

| Objectifs | Étapes d'implantation | Ressources nécessaires | Délais |
|---|---|---|---|
| | | | |

*Un cadre fut engagé comme directeur général d'une importante société de services financiers. Son plan pour ses 90 premiers jours au poste était d'élaborer une stratégie visant à augmenter la valeur actionnariale au cours des cinq prochaines années. Il dirigea de nombreuses entrevues en profondeur avec les membres de son équipe de direction afin d'acquérir une plus grande compréhension des opérations. Il rencontra des conseillers, des partenaires et des clients d'envergure afin de connaître leurs prévisions et mesurer leurs attentes. À la fin de sa période d'évaluation de 90 jours, il avait rédigé un document de 200 pages contenant les résumés de l'information qu'il avait recueillie ainsi que son analyse et ses objectifs pour les cinq prochaines années. Les priorités et les étapes de leur implantation furent présentées et le conseil resta très impressionné. À la fin de la période quinquennale, la société fut vendue à prix fort. Son exemplaire du document, qui était alors écorné et abîmé, représentait en quelque sorte un trophée symbolisant ce qu'il avait accompli grâce au plan qu'il avait élaboré dans les 90 premiers jours.*

### *Établissez de bons rapports*

Vous vous joignez à un groupe de personnes déjà établi et votre présence en changera la dynamique. Faites preuve de prudence et d'une volonté de comprendre chaque individu. Prenez le temps d'analyser comment les gens interagissent dans le groupe avant de bousculer le processus. Peu importe votre fonction, ces personnes possèdent une façon de faire et il vaut mieux demander : « Je peux faire quelque chose ? » que de dire « Je suggère que nous fassions les choses de cette façon ! »

Posez des questions. Les premiers temps, lorsque vous vous engagez dans des discussions ou une résolution de problèmes, attendez de bien comprendre l'analyse offerte par chacune des personnes avant de formuler la vôtre. Découvrez ce qui a été proposé et tenté par le passé. Lorsqu'on vous demande votre opinion, offrez des suggestions au lieu de décréter. Utilisez des phrases comme : « Avez-vous déjà pensé à… ? » Si vous êtes le responsable, votre occasion de prendre les devants se présentera. Passez les premiers jours à écouter la sagesse collective de votre équipe et de vos collègues.

Apprenez à connaître votre client le plus important : votre patron. Devenez un astucieux observateur de la manière dont il préfère communiquer et prendre des décisions. Notez en qui il a confiance et tentez de comprendre pourquoi. Analysez ses défis, ses sources de stress et découvrez ce qui a généré ses succès. Trouvez des façons de contribuer directement à sa réussite.

Établissez un réseau à l'intérieur de l'entreprise. Prenez l'initiative de rencontrer les pairs de votre patron. Ceci s'avérera très important dans un environnement où il y a beaucoup de rotation. Si votre patron change d'emploi avant que vos capacités n'aient été reconnues, vous devrez vous trouver un autre témoin rapidement. Présentez-vous à des gens de votre niveau, surtout ceux qui ont un lien avec votre mandat ou service. Clarifiez leur fonction et apprenez comment leurs secteurs opèrent et interagissent avec le vôtre.

---

**Pensez-y !** Si vous êtes timide et réservé, faites un effort afin d'établir le contact et d'entamer des discussions. La timidité est souvent confondue avec la froideur ou l'arrogance. N'oubliez pas de sourire.

---

Trouvez un mentor au sein de l'organisation, quelqu'un capable de vous indiquer les fossés et les sables mouvants avant que vous ne tombiez dedans. Il s'agit souvent d'une personne qui compte plusieurs années de service et qui peut vous donner des conseils, vous guider dans les circuits décisionnels et vous indiquer qui fait quoi. Il serait préférable que votre mentor ne fasse pas partie de vos supérieurs immédiats. Il devra être en mesure d'agir à titre de confident sans qu'aucun conflit puisse être généré par son aide.

Comprenez le processus de prise de décision de l'entreprise et apprenez à communiquer efficacement en employant les moyens appropriés. Écoutez les anecdotes relatant des initiatives qui ont été acceptées ou rejetées. Observez d'autres personnes qui traversent le processus d'approbation. Mentionnez vos hypothèses à quelques collègues en qui vous avez confiance afin de leur demander ce qu'il faudrait pour qu'on vous donne le feu vert. Pensez à tous ceux dont le travail serait influencé par vos propositions et discutez de vos premières idées avec eux. Demandez-leur quels sont, à leur avis, les avantages et les inconvénients. Écoutez attentivement leurs réponses et n'essayez pas de défendre votre position immédiatement ni d'influencer la leur.

### Adaptez-vous à la culture de l'entreprise

Au chapitre 4, vous avez effectué une analyse des cultures que vous aviez déjà connues. Utilisez cet exercice de réflexion afin de guider vos observations dans ce nouvel environnement. Remarquez de quelle façon les choses s'accomplissent, comment les gens interagissent et ce qui est valorisé. N'oubliez pas que certaines normes énoncées ne sont pas toujours appliquées. Au cours des 90 premiers jours, fixez-vous l'objectif de comprendre les tenants et aboutissants de cette culture.

Éliminez tous les signes et les habitudes ayant un lien avec votre ancien emploi. Vérifiez votre porte-documents, votre sac de golf et vos tiroirs afin d'en rayer toute trace. Ne décorez pas votre bureau avec des objets portant le nom ou le logo de votre ancienne entreprise. Évitez d'en mentionner la façon de faire ; vos nouveaux collègues ne veulent pas entendre : « Chez Ex enr., nous faisions les choses comme ceci. »

Laissez ce bagage derrière vous. Cela s'applique aussi à la frustration quant à vos anciennes politiques de travail, la bureaucratie, les agendas cachés, le traitement irrespectueux des subordonnés ou tout ce qui n'allait pas au sein de votre ancienne entreprise. Vous recommencez à neuf !

Pour réussir, vous devrez vous sentir rapidement à l'aise avec votre nouvelle culture. N'allez tout de même pas jusqu'à complètement effacer votre personnalité et votre approche uniques. N'oubliez pas que ceux qui vous ont recruté ont aimé vos qualités lors de l'entrevue. Cependant, vous devrez adapter votre style et modifier quelque peu votre comportement selon votre nouvel environnement.

Utilisez les conseils suivants afin de vous remémorer les règles de base de l'adaptation à un nouvel emploi :

CONSEILS POUR S'ADAPTER À UNE NOUVELLE CULTURE D'ENTREPRISE
- Observez par quels moyens l'information est communiquée.
- Remarquez le protocole observé lors de réunions.
- Découvrez le processus de prise de décision.
- Repérez un jargon ou des mots-clés fréquemment utilisés et commencez à les intégrer à votre vocabulaire.
- Déterminez quelles sont les qualités les plus respectées et admirées.
- Regardez comment les gens interagissent (vêtements et sens de l'humour).
- Comment se comportent vos pairs dans leurs activités quotidiennes, lors de réunions et dans des circonstances stressantes ?

- Soyez prêt à participer activement aux réunions, mais observez d'abord la dynamique du groupe.
- Quelles sont les légendes ou les anecdotes circulant autour de cette entreprise? Que pouvez-vous en déduire du comportement, des valeurs et de l'éthique des gens qui y travaillent?
- Qu'est-ce qui motive les employés à partir ou à y demeurer aussi longtemps?
- Comment applique-t-on la mission de l'entreprise aux opérations quotidiennes?
- Sur quoi se base-t-on pour offrir ou refuser une promotion?
- Qui sont les étoiles montantes de l'entreprise et pourquoi?
- L'environnement de travail est-il formel ou informel?
- Que vous indiquent le mobilier et la disposition des bureaux?
- Quelles sont les directives concernant les plaintes de clients?
- Comment les événements spéciaux sont-ils gérés? Les promotions? Les célébrations? Les objectifs de ventes? Les journées «décontractées»?
- Remarquez les détails. Apprenez comment utiliser le système d'archivage électronique et découvrez qui prépare le café et qui commande la papeterie.
- Quelles contradictions voyez-vous entre ce qui est dit et ce qui est fait?
- Souvenez-vous que la plupart des règles importantes de l'entreprise sont officieuses et implicites. Vous ne les trouverez pas dans le guide de l'employé, il vous faudra les déceler en observant les gens.

*Une spécialiste en formation et en développement démissionna d'une entreprise où les termes «programmes», «conférences» et «participants» étaient utilisés. Dans sa nouvelle fonction, elle dut adopter la terminologie utilisée par son employeur qui incluait «ateliers», «apprentissage pratique» et «clients». Elle savait que tant qu'elle ferait référence aux anciens termes, on la considérerait comme la petite nouvelle qui apprend au lieu d'être acceptée comme une des leurs.*

........................................................................................................

**Pensez-y!** Si la culture ne vous sied pas du tout ou que vos valeurs ne s'alignent pas à celles de l'entreprise, vous vous en rendrez compte au cours des 90 premiers jours. N'essayez pas de nier la situation en vous disant que tout ira pour le mieux ou en vous attendant à ce que l'entreprise fasse des compromis considérables. Commencez à planifier votre départ dès maintenant, même si vous devrez attendre un peu avant de trouver la bonne perspective d'emploi.

........................................................................................................

Consacrez chaque jour du temps à la réflexion. Si vous foncez trop rapidement, vous pourriez passer outre des indices importants. Remarquez les petits commentaires et les événements inattendus qui semblent insignifiants. Songez à ce que vous devriez en apprendre. Les problématiques essentielles se cachent souvent derrière les détails. Afin de percevoir ces subtilités et de comprendre la dynamique, vous devez prendre le temps de les analyser. Continuez d'appeler votre réseau de soutien et vos conseillers pendant cette période cruciale. Ceux-ci vous aideront à mieux saisir votre nouvel environnement.

---

FEUILLE DE TRAVAIL 19.2
**Effectuez une analyse quotidienne pendant les 90 premiers jours**

---

• Qui avez-vous rencontré aujourd'hui?

• Qu'avez-vous appris sur ces personnes? Notez leur fonction, leurs défis, leur style de communication, leur niveau d'influence ou de comportement et certains facteurs personnels que vous avez remarqués ou dont on vous a parlé.

• Qui souhaiteriez-vous rencontrer demain?

• Qu'avez-vous appris sur votre patron?

• Êtes-vous sur la bonne voie pour accomplir vos tâches?

• Quelles étapes avez-vous franchies dans l'espoir d'atteindre vos objectifs?

• Que devrez-vous faire demain pour continuer sur cette voie?

• Quelle nouvelle caractéristique de la culture de l'entreprise avez-vous remarquée aujourd'hui?

• Qu'avez-vous fait pour y correspondre davantage?

### *Recommencez un autre 90 jours*

L'énergie et l'enthousiasme qui accompagnent un nouvel emploi sont des motivateurs qui vous aident à livrer la marchandise pendant les 90 premiers jours. Une fois que vous vous êtes accoutumé, il est plus difficile de remarquer que chaque changement majeur au sein de l'entreprise signifie un nouveau début. Pour chaque nouveau patron, mandat, objectif ou structure différente, vous devez appliquer les techniques propres à vos 90 premiers jours afin que la transition se fasse en douceur. Les modifications majeures dans votre travail devraient entraîner cette méthodologie pour que vous puissiez établir des rapports avec les nouveaux patrons ou collègues, comprendre les valeurs et accomplir les tâches essentielles à ces changements.

Il est tout aussi important de comprendre ce perpétuel recommencement que de vous rendre compte que vous devez consciemment renouveler vos efforts de gestion de carrière tout au long de votre vie professionnelle. Dans ce nouveau monde du travail, le moment est toujours bon pour songer à vos options et au prochain geste à poser.

Chapitre 20

# Commencez à planifier votre prochain coup dès aujourd'hui

*Si vous ne savez pas où vous allez, vous vous retrouverez ailleurs.*
*– Yogi Berra*

Une fois que vous aurez réussi à traverser le processus de transition de carrière, vous aurez développé la conviction que vos compétences et connaissances sont transférables à d'autres contextes de travail. Le changement de carrière ne représentera probablement plus pour vous le même défi émotionnel. Les habiletés que vous aurez acquises au cours de la planification, de la recherche, de la rédaction, du réseautage et des entrevues vous profiteront des années durant.

Mais vous n'avez pas encore terminé le processus. Dès que vous vous serez établi dans vos nouvelles fonctions, vous devrez mettre en place un plan révisé. Il devrait être conçu à partir de celui sur lequel vous vous concentriez, mais en vous rapprochant encore de votre perspective d'emploi idéale. Il pourrait s'agir de vous réaliser pleinement dans cette nouvelle fonction, d'en obtenir une autre au sein de cette entreprise ou d'opter pour un poste ailleurs. N'attendez pas d'en avoir assez ni que quelque chose hors de votre contrôle génère une crise de carrière. Commencez à gérer celle-ci dès maintenant !

### Notez ce que vous aimez faire

À ce stade-ci, au lieu de vous replonger dans vos souvenirs d'anciennes expériences, *concentrez-vous sur vos réalisations actuelles !* Elles n'ont pas besoin d'être grandioses ou reconnues et récompensées par votre employeur. Elles pourraient ne pas faire partie de vos responsabilités ou de votre mandat, mais elles découleront de votre avantage stratégique. Les seuls critères importants sont votre sentiment de fierté et votre impression que ce travail en vaut la peine.

Les réalisations remarquables naissent lorsque votre créativité trouve le moyen de s'exprimer. Chacun peut en faire preuve, pas seulement les inventeurs, les musiciens et les peintres. Pour le professeur, la créativité se trouve dans une technique qui permet de faciliter l'apprentissage pour un enfant en difficulté. Pour un directeur, il pourrait s'agir d'égayer le milieu de travail avec de l'humour et des paroles encourageantes. Pour un consultant, ce sera de dénicher une solution novatrice au problème de son client. Un emploi satisfaisant offre fréquemment des possibilités d'effectuer des contributions agréables.

Notez vos réalisations. Tenez un journal et inscrivez les faits pertinents servant à décrire les situations, vos actions et les résultats quantifiables. Cette méthode vous facilitera la tâche lorsqu'il sera temps de réviser votre curriculum vitæ. Si vous n'arrivez pas à trouver de réalisations professionnelles, vous devrez mettre en branle vos plans de changement de carrière au plus tôt.

### Révisez votre vision de la progression de carrière

Il serait vieux jeu de croire que chaque nouvel emploi devrait être à un échelon hiérarchique plus élevé que le précédent. Mieux vaut avoir une conception du cheminement de carrière en spirale qui vous permet de changer de profession ou d'employeur plusieurs fois, d'acquérir de nouvelles compétences et d'être passionné par votre travail. Ce type de progression suppose que vous trouviez un emploi qui correspond à votre avantage stratégique et qui offre une forme de travail reflétant votre style de vie.

Les professions évoluent au gré des tendances et des fluctuations du marché. Les gens progressent lorsqu'ils orientent leurs recherches vers de nouvelles occasions offertes par les secteurs de pointe au sein de leur profession. Dans le nouveau monde du travail, une voie conduit à une autre.

*Une femme qui avait d'abord suivi une formation comme bibliothécaire laissa le système scolaire derrière elle afin de travailler pour une association professionnelle responsable d'une bibliothèque de référence achalandée. Cette exposition à de nombreux gens d'affaires lui donna la chance de transférer ses compétences en recherches au secteur de la consultation en travaillant sur des projets où une documentation exhaustive sur les concurrents du client s'avérait cruciale. Grâce à ces activités, elle put être en amont des tendances et se positionner afin d'utiliser les premières bases de données conçues par les principaux journaux. Elle se concentra alors à recueillir et à extraire des renseignements électroniques en plus d'effectuer du travail de développement de produit. Ainsi, elle lança sa propre entreprise afin de fournir des techniques d'études de marché de pointe à de nombreuses sociétés de placement.*

Les mutations latérales, les projets spéciaux et le travail de consultant, de contractuel ou de propriétaire d'entreprise sont autant d'options pour le travailleur d'aujourd'hui. Les directeurs sont trop nombreux à rivaliser à l'étage des cadres supérieurs, où les portes sont de plus en plus fermées. Plusieurs doivent apprendre à se contenter d'un emploi qui les satisfait, d'un bon groupe de collègues et d'une rémunération raisonnable. Voilà ce qui illustre parfaitement une vision éclairée de la progression de carrière.

### Maintenez votre réseau en santé

À part les réalisations, le concept qui revient probablement le plus souvent dans ce livre est le réseautage. L'accent a déjà été mis sur l'importance de maintenir le contact avec les gens qui vous ont aidé pendant votre transition de carrière et sur les façons de le faire. N'attendez pas d'être à nouveau à la recherche d'un emploi avant de rétablir la communication avec eux.

Élargissez votre réseau en y ajoutant des personnes qui font partie des activités, des professions, des secteurs et des entreprises qui vous intéressent et voyez plus loin encore. Plus vous en connaîtrez, plus vous serez à jour dans les tendances. Entamez des conversations afin d'apprendre ce que les autres trouvent intéressant, amusant, problématique ou excitant.

*Ne brûlez pas les ponts!* Parlez à chaque client, fournisseur, pair, subordonné et supérieur et tentez d'en faire votre allié. Vous n'êtes pas obligé d'aimer tout le monde, mais il est important de se forger la réputation de quelqu'un ouvert d'esprit et raisonnable. Essayez de vous entendre avec tous, même ceux qui sont le moins magnanimes. Chaque personne que vous rencontrez pourrait un jour être en position de faire progresser votre carrière ou de la faire reculer.

*Une jeune femme qui commençait sa carrière dans l'immobilier n'était pas satisfaite de son employeur et cherchait un nouveau travail. Elle connaissait un cadre supérieur d'une importante société de développement immobilier car ils étaient tous deux bénévoles pour le même organisme. Lorsque l'occasion de faire équipe avec une autre personne afin de lancer un projet d'entreprise immobilière se présenta, elle vérifia la réputation de celle-ci auprès du cadre supérieur. En tant que mentor, ce dernier avertit la jeune femme de ne pas s'aventurer davantage dans cette option. Il connaissait bien l'entrepreneur en question et savait que si elle acceptait l'offre, elle découvrirait rapidement l'incompatibilité de leurs valeurs.*

**Pensez-y !** Votre mentor devrait être quelqu'un avec qui vous vous sentez à l'aise de partager vos valeurs, une personne qui vous rappelle ce qui est essentiel à vos yeux lors de moments où vous pourriez dévier de ces valeurs.

### *Ne cessez jamais d'apprendre*

Vous devez constamment actualiser vos compétences professionnelles. Vous êtes responsable de votre formation. Si tout le monde utilise un nouveau processus de gestion de projet, suivez un cours pour vous mettre à jour. Si la sous-traitance est en train de révolutionner votre domaine d'expertise, assistez aux conférences où les chefs de file de votre secteur d'activité prennent la parole. Lorsque votre métier demande plus de compétences et de certification, ne soyez pas à la traîne ; faites le nécessaire pour y remédier.

Explorez des possibilités d'apprentissage en-dehors de votre domaine d'expertise, surtout si celles-ci ont un lien avec vos projets à long terme. En plus d'acquérir des connaissances grâce aux ressources traditionnelles et au réseautage, planifiez les occasions d'apprendre par l'expérience. Les gens entretiennent souvent une image erronée de ce que sont les autres professions et la meilleure façon de leur prouver le contraire est de leur en faire exercer une temporairement. Si vous travaillez actuellement comme comptable et songez à devenir propriétaire d'une petite librairie comme étape avant la retraite, obtenez-y un emploi à temps partiel.

Des changements de carrière majeurs nécessitent souvent une nouvelle formation. Cette option n'est possible que si vous avez la patience de retourner sur les bancs d'école, suffisamment d'argent et des proches qui vous appuient. Cependant, une personne à mi-chemin de sa vie professionnelle, qui se rend compte qu'elle est devenue ce qu'elle est seulement parce que c'est ce qu'on attendait d'elle, peut prendre une décision courageuse. Si vous retournez aux études afin d'entamer une seconde carrière tout à fait différente, effectuez des recherches quant aux options disponibles pour votre formation et utilisez votre réseau pour vous renseigner sur la qualité des établissements et de leurs programmes. À la mi-carrière, vous ne voulez pas perdre votre temps dans des cours mal enseignés, trop élémentaires ou carrément inutiles.

> **Pensez-y!** Lorsque vous évaluerez les établissements d'enseignement supérieur, découvrez quelles philosophies, théories ou convictions ils épousent. Ils peuvent se déclarer neutres, mais il y aura tout de même un penchant, et si vous ne le partagez pas, vous risquez d'être mécontent.

*Une femme de 38 ans qui avait été mère au foyer fit son entrée dans le monde du travail rémunéré en tant qu'adjointe administrative dans une agence de développement international. Dans ce rôle, elle avait un contact soutenu avec un groupe du clergé qui l'encourageait à poursuivre ses études. Ce groupe devint un modèle. Elle suivit des cours à temps partiel pendant 10 ans, pour enfin obtenir son baccalauréat. Elle décida alors de se consacrer à temps plein à sa maîtrise en travail social. Elle intégra la pratique privée à l'âge de 50 ans. Deux ans plus tard, elle détermina que son idéal du travail ne pourrait être atteint sans qu'il mette à contribution sa spiritualité et ses convictions religieuses. Elle se prépara pour devenir ministre paroissiale et fut ordonnée à l'âge de 56 ans. Quatorze ans plus tard, elle se retira du ministère et mit sur pied un cabinet à temps partiel en tant que directrice spirituelle. Son âge ne fut jamais un obstacle à sa soif de connaissance ni à son engagement visant à aider les autres à travers sa profession.*

En plus de vous maintenir à jour sur ce qui se passe dans votre domaine, apprenez des choses qui vous intéressent vraiment, sans viser d'objectifs économiques ou professionnels. Les gens fascinants s'adonnent souvent à des loisirs ou à des passe-temps qui éveillent leur curiosité. Devenez un spécialiste en cartographie de la Renaissance ou remportez des prix grâce à vos pivoines géantes. Étudiez l'archéologie maya ou devenez un fin connaisseur des régions vinicoles de France. Comprenez les subtilités des greens les plus difficiles de chaque circuit de golf de la tournée professionnelle. Ce sont des exemples d'activités qui vous permettent de vous enrichir et d'animer votre temps libre. Si vous n'avez rien de tel dans votre vie en ce moment, il est de temps de changer ça.

> **Pensez-y!** Tirez profit des occasions d'apprendre grâce à Internet. Tout, des diplômes universitaires aux conseils sur le vol plané, y est facilement accessible.

CONSEILS POUR BIEN GÉRER SA CARRIÈRE
- Fixez-vous des objectifs réalistes, mesurables et des échéanciers pour votre développement personnel, votre apprentissage continu et votre progression de carrière. Établissez les étapes et les ressources nécessaires à leur réalisation.
- Consacrez du temps dans votre horaire quotidien ou hebdomadaire afin d'inventorier votre progrès. Mieux vaut le faire par écrit, comme s'il s'agissait d'une évaluation de rendement. Faites au moins l'effort d'y réfléchir lors de votre trajet de retour à la maison ou lorsque vous vous adonnez à vos exercices.
- À tous les cinq ans au moins, consacrez du temps pour retravailler les exercices de la deuxième partie de ce livre. Profitez-en pour relire vos réflexions précédentes et remarquez ce qui a changé

ou pas. Les constantes révèlent souvent de bons indices quant à votre idéal du travail à long terme. Révisez votre vision de la perspective d'emploi idéale à vos yeux.

- Considérez chaque emploi, contrat ou nouveau mandat comme un arrêt temporaire sur le chemin menant vers votre objectif. Soyez satisfait de traverser ces étapes.
- Confrontez le changement incessant. Vous devez reconnaître et comprendre votre réaction unique au changement et ainsi élaborer des techniques efficaces pour bien la gérer. La persistance et la flexibilité sont des qualités valorisées dans le nouveau monde du travail.
- Maintenez votre curriculum vitæ à jour. Ceci vous donnera l'occasion d'inscrire vos réalisations et d'être prêt lorsqu'une occasion d'emploi se présentera.
- Gardez vos cinq messages clés en tête. Une version courte de 30 secondes, une moyenne de deux minutes et une longue de 10 minutes doivent toujours être prêtes pour que vous puissiez mettre vos contacts à jour ou présenter votre expérience et vos compétences à un employeur potentiel.
- Ne comptez pas sur les autres pour qu'ils s'occupent de votre développement professionnel et votre progression de carrière. Contrôlez vous-même votre direction à long terme en utilisant ceux qui géraient traditionnellement les carrières (patron, entreprise ou associations professionnelles) en tant que sources d'information.
- Identifiez les occasions de progresser dans votre carrière et faites-vous confier des mandats axés sur vos objectifs. Il est surprenant de constater à quel point les gens ne demandent pas ce qu'ils veulent à leur patron.
- Formez la personne qui vous remplacera. Soyez disponible pour préparer votre subordonné ou vos collègues à vous succéder. Vous bénéficierez ainsi d'une excellente réputation.
- Maintenez l'équilibre dans votre vie. Ne sacrifiez pas vos relations personnelles pour votre travail. Il est beaucoup plus facile de s'ajuster à un changement de carrière imprévu lorsque le travail ne représente pas tout à nos yeux.
- Ne vous concentrez pas sur votre âge, mais plutôt sur le nombre d'années productives qu'il vous reste. Souvenez-vous de la tendance qui est prévue : les gens prendront leur retraite par étapes et le feront à un âge plus avancé que les générations précédentes.
- Entraînez vos proches dans vos projets à long terme. Partagez vos rêves avec eux et faites-les participer à leur planification.
- Aidez votre conjoint(e) dans la planification de sa carrière. Si votre emploi idéal nécessite des changements radicaux, il (elle) devra probablement s'y adapter aussi.

......................................................................................................................................................................

**Pensez-y !** Lorsque votre téléphone sonne et qu'une personne vous demande 15 minutes de votre temps pour une rencontre de réseautage, acquiescez sans hésiter.

......................................................................................................................................................................

### *Prolongez votre historique*

Il ne s'agit pas ici d'une formule de longévité, mais de la fin de votre exercice de réflexion de la deuxième partie qui vous a permis de créer votre historique. Inscrivez la date d'aujourd'hui et notez les chapitres de votre vie qui sont à venir. Fixez vos objectifs pour votre progression de carrière, votre type de travail, votre formation continue ainsi que pour votre enrichissement personnel et financier. Prédisez de quelle façon vous croyez que vos priorités changeront.

Avec la vitesse à laquelle les changements s'opèrent de nos jours, établissez une durée de 18 mois pour le prochain chapitre, puis prévoyez trois ans à l'avance, puis cinq ans, et ainsi de suite jusqu'à la retraite, qu'elle arrive dans 6 ou 36 ans. Il est toujours utile d'avoir une idée de ce que vous voulez faire pendant les derniers jours de votre carrière.

......................................................................................................................................................................

**Pensez-y!** Des projets idéalistes sont utiles dans la mesure où vous ne cessez d'explorer ce qui peut les concrétiser.

......................................................................................................................................................................

Utilisez la dernière feuille de travail afin de prolonger votre historique et de dépeindre une image d'un avenir où seront récoltés les fruits semés aujourd'hui.

FEUILLE DE TRAVAIL 20.1
**Prolongez votre historique**

| | Aujourd'hui | 18 mois | 3 ans | 5 ans | Retraite |
|---|---|---|---|---|---|
| Priorités personnelles | | | | | |
| Objectifs de carrière | | | | | |
| Type de travail | | | | | |
| Objectifs d'apprentissage | | | | | |
| Projets d'enrichissement personnel | | | | | |
| Objectifs financiers | | | | | |

### *Nourrissez une vision équilibrée*

Entretenir une vision d'ensemble de l'avenir, qui inclut une image réaliste de votre perspective d'emploi idéale, est une bonne stratégie à long terme. Que votre situation actuelle vous permette de poursuivre ces objectifs immédiatement ou qu'elle vous demande de les retarder en faveur d'une approche à la recherche d'emploi strictement pragmatique, cette vision vous dirigera et vous motivera.

Il faut aussi être prudent lorsqu'il est question d'imaginer son futur travail. Si votre vision est complètement inaccessible, vous pourriez être découragé ou ne pas vous sentir à la hauteur. Il est également possible qu'elle vous empêche d'apprécier les occasions du moment présent. Votre projet à long terme doit être empreint de réalisme pour s'avérer utile. Vous devriez pouvoir suivre des étapes afin de le réaliser, même si celles-ci s'échelonnent sur plusieurs années. Assurez-vous que cette vision de l'avenir vous offre des activités que vous pouvez accomplir dès aujourd'hui afin d'obtenir un sentiment de réalisation.

De plus, vous devez conserver l'équilibre dans votre recherche de qui vous êtes et de ce que vous voulez retirer de votre travail. La plupart des gens profitent de leur transition pour songer à la façon dont leur travail peut servir à d'autres qu'eux-mêmes. Certains souhaitent participer au bien de la société, d'autres veulent laisser un héritage, faire une différence ou accomplir leur destinée. Ces questions sont très complexes et dépassent ce qu'un seul emploi ou environnement de travail est capable d'offrir.

Adoptez une vision pratique qui cherche à englober les quatre facettes essentielles à la vie:

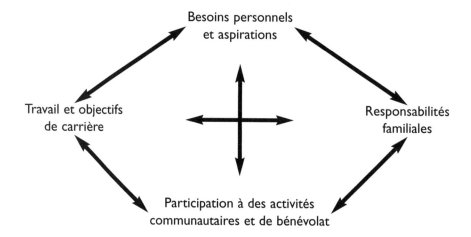

Il n'est pas sain de consacrer tout son temps et son énergie à seulement un de ces aspects pendant une longue période de temps. Idéalement, ils devraient coexister en harmonie et vous ne devriez pas avoir à faire semblant d'être une autre personne d'un endroit à l'autre. La clé de la réussite est de chercher à maintenir cette harmonie.

Pour que votre vie professionnelle contribue à cet équilibre, vous devrez trouver un emploi qui combine le plus d'éléments possible de votre avantage stratégique. Si vous réussissez à obtenir ceci, même pendant une courte période, votre travail donnera un sens à ce que vous faites, vous serez satisfait en sachant que vous n'avez pas besoin de vous raccrocher à autre chose.

Vous connaissez les nouvelles règles et ce que vous avez à faire. Maintenant, c'est à vous de jouer et de gagner selon vos conditions!

Annexe A

**Vision stratégique du processus de recherche d'emploi ciblé**

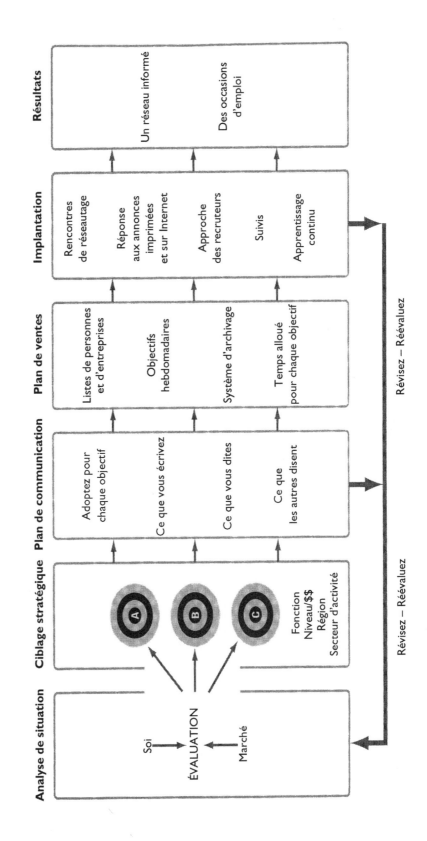

Annexe B

## Exemple de plan pour les activités de recherche

| Tâche | 2 fév. | 9 fév. | 16 fév. | 23 fév. | 1er mars | 8 mars | 15 mars | 22 mars | 29 mars | 5 avril | 12 avril |
|---|---|---|---|---|---|---|---|---|---|---|---|
| **Entrez dans la partie** | | | | | | | | | | | |
| Plan financier, conseils juridiques, planifiez votre départ | ▓ | ▓ | | | | | | | | | |
| Informez votre famille, vos amis, vos proches | | ▓ | | | | | | | | | |
| Établissez un réseau de soutien, prévoyez des références | | | ▓ | | | | | | | | |
| **Élaborez votre stratégie** | | | | | | | | | | | |
| Autoévaluation | | | ▓ | | | | | | | | |
| Évaluation du marché | | | | ▓ | ▓ | | | | | | |
| Fixez des objectifs stratégiques et obtenez l'avis des conseillers | | | | ▓ | ▓ | *famille* | | | | | |
| **Mobilisez vos ressources** | | | | | | | | | | | |
| Curriculum vitæ et autre matériel écrit | | | | ▓ | ▓ | | | | | | |
| Cinq messages clés | | | | ▓ | ▓ | | | | | | |
| Préparation de la correspondance | | | | | ▓ | | | | | | |
| **Entrez dans le feu de l'action** | | | | | ▓ | | | | | | |
| Plan de ventes, système d'archivage | | | | | | | | | | | |
| Chasseurs de têtes, agences de placement, annonces et Internet pour tous les objectifs | | | | | | | | | | | |
| *OBJECTIF A – temps alloué* | | | | | | *vacances* | 80 % | 80 % | 80 % | 60 % | 60 % |
| Recherchez, alignez les ressources, avis des conseillers | | | | | | | ▓ | | | | |
| Réseautage actif | | | | | | | | ▓ | | ▓ | |
| Évaluez l'objectif, révisez si nécessaire | | | | | | | | | | | |
| *OBJECTIF B – temps alloué* | | | | | | | 20 % | 20 % | 10 % | 20 % | 30 % |
| Recherchez, alignez les ressources, avis des conseillers | | | | | | | ▓ | ▓ | | | |
| Réseautage actif | | | | | | | | | | | |
| Évaluez l'objectif, révisez si nécessaire | | | | | | | | | | | |
| *OBJECTIF C – temps alloué* | | | | | | | | | 10 % | 20 % | 10 % |
| Recherchez, alignez les ressources, avis des conseillers | | | | | | | | | ▓ | ▓ | ▓ |
| Réseautage actif | | | | | | | | | | | |
| Évaluez l'objectif, révisez si nécessaire | | | | | | | | | | | |
| *NOUVEAUX OBJECTIFS– temps alloué* | | | | | | | | | | | |
| Recherchez, alignez les ressources, avis des conseillers | | | | | | | | | | | |
| Réseautage actif | | | | | | | | | | | |
| Évaluez l'objectif, révisez si nécessaire | | | | | | | | | | | |

*Date de début souhaitée pour votre nouvel emploi*

# *Remerciements*

L'écriture de ce livre est le fruit d'un travail d'équipe. J'ai été privilégiée d'avoir pu puiser dans l'expérience et la sagesse de mes nombreux collègues.

Je suis redevable à tous ceux et celles qui ont apporté des idées créatives à cette deuxième édition, surtout à ceux qui ont suggéré et travaillé sur la nouvelle approche ciblée du processus de recherche. De peur d'oublier quelqu'un, je tiens à vous remercier toutes et tous.

Je remercie tout spécialement les personnes qui ont participé à la première édition. Il est valorisant de savoir à quel point notre collaboration a pu aider tant de gens.

Je suis également reconnaissante envers les gens du groupe KWA, le chef de file canadien en services de transition de carrière. Leur appui généreux a rendu possible cette seconde édition.

Et finalement, merci à John Knebel, mon partenaire de vie professionnelle et sentimentale. Je lui suis profondément reconnaissante des efforts extraordinaires qu'il a déployés pour s'occuper de tout pendant que j'écrivais.

# Index